Le Club des Baby-Sitters

Ce volume regroupe trois titres de la série
Le Club des Baby-Sitters d'Ann M. Martin

Carla est en danger (Titre original : *Beware, Dawn !*)
Traduit de l'anglais par Michèle Guillemin et Camille Weil
Édition originale publiée par Scholastic Inc., New York, 1991
© Ann M. Martin, 1991, pour le texte
© Éditions Gallimard Jeunesse, 1999, pour la traduction française

Lucy détective (Titre original : *Stacey and the Mystery of Stoneybrook*)
Traduit de l'anglais par Marthe Beaufort
Édition originale publiée par Scholastic Inc., New York, 1990
© Ann M. Martin, 1990, pour le texte
© Éditions Gallimard Jeunesse, 2000, pour la traduction française

Mallory mène l'enquête (Titre original : *Mallory and the Ghost Cat*)
Traduit de l'anglais par Nancy Peterson et Camille Weil
Édition originale publiée par Scholastic Inc., New York, 1992
© Ann M. Martin, 1992, pour le texte
© Éditions Gallimard Jeunesse, 2000, pour la traduction française

© Éditions Gallimard Jeunesse, 2004, pour les illustrations

Le Club des Baby-Sitters

Nos dossiers
TOP - SECRET

Ann M. Martin

Traduit de l'anglais
par Marthe Beaufort, Michèle Guillemin,
Nancy Peterson et Camille Weil

Illustrations d'Émile Bravo

GALLIMARD JEUNESSE

La lettre
de KRISTY

Présidente du Club des baby-sitters

Le Club des baby-sitters, c'est une histoire
de famille. On se sent tellement proches
l'une de l'autre... comme si on était sœurs.
Dans ce livre, nous allons ouvrir pour vous
nos dossiers top-secret, mais avant de
commencer, nous allons tout d'abord nous
présenter. Même si nous sommes tout le
temps ensemble et que nous nous ressemblons
beaucoup, nous avons chacune notre personnalité et nos goûts, dans lesquels vous allez
peut-être d'ailleurs vous retrouver.
Alors pour mieux faire connaissance,
lisez attentivement les petits portraits
que nous vous avons préparés.
Je vous souhaite de vous amuser
autant que nous...

Bonne lecture à toutes !

Kristy

Comme promis, voici le portrait
des sept membres du

Club
des baby-sitters...

NOM : Kristy Parker, présidente du club
ÂGE : 13 ans – en 4ᵉ
SA TENUE PRÉFÉRÉE : jean, baskets et casquette.
ELLE EST... fonceuse, énergique, déterminée.
ELLE DIT TOUJOURS : « J'ai une idée géniale... »
ELLE ADORE... le sport, surtout le base-ball.

NOM : Mary Anne Cook,
secrétaire du club
AGE : 13 ans – en 4ᵉ
SA TENUE PRÉFÉRÉE :
toujours très classique,
mais elle fait des efforts !
ELLE EST... timide,
très attentive aux autres
et un peu trop sensible.
ELLE DIT TOUJOURS :
« Je crois que je vais pleurer. »
ELLE ADORE... son chat,
Tigrou, et son petit ami, Logan.

NOM : Lucy MacDouglas,
trésorière du club
AGE : 13 ans – en 4ᵉ
SA TENUE PRÉFÉRÉE : tout,
du moment que c'est à la mode...
ELLE EST... new-yorkaise
jusqu'au bout des ongles,
parfois même un peu snob !
ELLE DIT TOUJOURS :
« J'❤ New York. »
ELLE ADORE... la mode,
la mode, la mode !

NOM : Carla Schafer, suppléante
AGE : 13 ans – en 4ᵉ
SA TENUE PRÉFÉRÉE :
un maillot de bain pour bronzer
sur les plages de Californie.
ELLE EST... végétarienne,
cool et vraiment très jolie.
ELLE DIT TOUJOURS :
« Chacun fait ce qu'il lui plaît. »
ELLE ADORE... le soleil,
le sable et la mer.

NOM : Claudia Koshi,
vice-présidente du club
AGE : 13 ans – en 4ᵉ
SA TENUE PRÉFÉRÉE :
artiste, elle crée ses propres
vêtements et bijoux.
ELLE EST... créative,
inventive, pleine de bonnes idées.
ELLE DIT TOUJOURS :
« Où sont cachés mes bonbons ? »
ELLE ADORE... le dessin,
la peinture, la sculpture
(et elle déteste l'école).

NOM : Jessica Ramsey,
membre junior du club
AGE : 11 ans – en 6^e
SA TENUE PRÉFÉRÉE :
collants, justaucorps
et chaussons de danse.
ELLE EST... sérieuse,
persévérante et fidèle en amitié.
ELLE DIT TOUJOURS :
« J'irai jusqu'au bout de mon
rêve. »
ELLE ADORE... la danse
classique et son petit frère,
P'tit Bout.

NOM : Mallory Pike,
membre junior du club
AGE : 11 ans – en 6^e
SA TENUE PRÉFÉRÉE : aucune pour l'instant, elle rêve juste
de se débarrasser de ses lunettes
et de son appareil dentaire.
ELLE EST... dynamique et très
organisée. Normal quand on a sept
frères et sœurs !
ELLE DIT TOUJOURS : « Vous
allez ranger votre chambre ! »
ELLE ADORE... lire, écrire. Elle
voudrait même devenir écrivain.

SOMMAIRE

CARLA est en danger
PAGE 15

LUCY détective
PAGE 135

MALLORY mène l'enquête
PAGE 249

CARLA
est en danger

*L'auteur tient à remercier chaleureusement
Ellen Miles pour son aide*

1

– Bon, Johnny, voyons si tu peux trouver, disons… une chaussure.

Johnny s'est penché sur le magazine et s'est mis à tourner les pages à la recherche d'une image de chaussure.

Je gardais les petits Hobart ce jour-là, et Johnny, le plus jeune (quatre ans), et moi étions assis sur le perron, plongés dans son magazine favori. La plupart des activités proposées étaient trop difficiles pour lui, car il fallait savoir lire – mais le jeu « trouver l'image » que je venais d'inventer était parfait. Il observait chaque page et, tout content, hurlait « J'ai trouvé ! » quand il découvrait la bonne image.

Je crois que ce qu'il y a de plus difficile dans le baby-sitting, c'est de deviner ce qui va amuser tel enfant ou tel autre. Ils sont tous tellement différents, du fait de leur âge et de leur personnalité. Il faut une sacrée expérience et je dois dire que je n'en manque pas.

J'adore garder des enfants.

En fait, c'est une de mes activités favorites et je connais six autres filles dans ce cas. Nous avons même fondé un club : il s'appelle le Club des baby-sitters. Mais j'y reviendrai plus tard. Avant tout, il faut que je me présente : je m'appelle Carla Schafer, j'ai treize ans et je suis en quatrième au collège de Stonebrook, dans le Connecticut.

Je n'ai pas toujours habité Stonebrook. Devinez d'où je viens ? Du soleil de Californie ! Pourtant, ma vie là-bas m'apparaît parfois comme de l'histoire ancienne. Je me suis plutôt bien adaptée au Connecticut venteux et pluvieux, car c'est la patrie du Club des baby-sitters !

Ce club m'a vraiment sauvé la vie quand je suis arrivée ici. Je me sentais assez seule à l'époque, et encore bouleversée par le divorce de mes parents. Ce qui explique notre déménagement. Papa est resté en Californie mais maman, David – mon jeune frère de dix ans – et moi sommes venus vivre à Stonebrook où maman avait grandi.

Elle s'est tout de suite bien plu ici, où tout lui était familier. Mais moi, il m'a fallu longtemps pour m'adapter à ce nouvel endroit. Et David ? Lui, il ne s'y est jamais habitué. En fait, il détestait tellement le Connecticut (et surtout papa lui manquait tellement) qu'il a fini par repartir en Californie. Je ne peux pas dire que je suis contente d'être si loin de mon petit frère, mais je sais que c'est mieux pour lui.

Vous pensez sans doute que nous vivons juste toutes les deux, ma mère et moi, dans la grande et vieille (vraiment vieille) ferme que nous avons achetée. Mais vous vous trompez. Il s'est passé quelque chose de palpitant après notre emménagement ici. Maman a retrouvé un de ses anciens petits amis du lycée qui vivait toujours à Stone-brook, et, après être sortis ensemble – une éternité –, ils se sont mariés ! Le mieux dans tout ça, c'est que non seulement j'ai gagné un beau-père (il s'appelle Frederick Cook), mais aussi une demi-sœur. Et cette demi-sœur, Mary Anne, était ma meilleure amie !

C'est une chance incroyable !

Bien sûr, sur le coup, je n'ai pas vécu tout ça comme une chance. Mary Anne et moi avons eu pas mal d'accrochages avant d'établir de nouvelles relations : celles de demi-sœurs vivant sous le même toit. Mais maintenant c'est une famille plutôt heureuse qui vit dans cette maison : Frederick et maman, Mary Anne et moi ainsi que Tigrou, le petit chat de Mary Anne.

Wouah ! Comment en suis-je arrivée à parler de Tigrou, alors que je vous racontais mon baby-sitting chez les Hobart ? J'étais donc chez eux, en train de jouer avec Johnny, et je vous disais que j'aimais deviner l'activité la mieux adaptée à chaque enfant. Mais j'ai beau aimer ça, j'étais contente de ne pas avoir à garder les quatre fils Hobart à la fois !

Cela aurait été plutôt dur !

Heureusement pour moi, James et Chris Hobart, les deux frères du milieu (James a huit ans, Chris six), jouaient dans le jardin avec des voisins. Ils n'avaient pas besoin de moi pour se distraire. L'aîné, Ben, qui est en sixième comme mon amie du club, Mallory Pike, était à la bibliothèque en train d'étudier. Et il n'était pas seul. Il était avec, devinez qui ? Mallory en personne. Je crois qu'il y a quelque chose entre eux...

Johnny avait trouvé la chaussure et avait commencé à chercher l'image suivante, un gâteau d'anniversaire. James et Chris, qui jouaient au foot avec leurs copains, avaient l'air de bien s'amuser. Je connaissais bien deux des garçons avec lesquels ils jouaient : Nicky Pike, le jeune frère de Mallory, et Simon Newton que j'ai très souvent gardé. Je ne connaissais que de vue les deux autres, Zack Wolfson et Mel Tucker. Zack et Mel ne sont pas vraiment méchants, mais ils ont la réputation de taquiner les enfants « différents ». Il y a quelque temps, Kristy a eu beaucoup de difficultés à leur expliquer qu'il ne fallait pas se moquer d'une petite fille autiste, Susan.

Les garçons étaient en cercle autour du ballon qu'ils faisaient avancer ou reculer d'une façon assez compliquée que j'avais du mal à comprendre. Au moment où j'ai levé les yeux pour surveiller James et Chris, James a voulu envoyer un puissant coup de pied dans le ballon, mais a raté son coup. Le ballon a roulé derrière lui.

– Qu'est-ce que tu fais, espèce de plouc ?

Oh, non ! Pas ça ! Mel venait de crier sur James. J'attendais de voir comment les choses allaient évoluer.

– Je t'ai déjà dit de ne pas m'appeler comme ça, d'accord ?

Le ton de James était plutôt calme.

– Oh ! Désolé, a répliqué Mel, attrape le ballon maintenant et vite, espèce de plou… euh ! James.

J'ai secoué la tête. D'après ce que j'avais vu, les enfants avaient l'air de s'entendre assez bien mais, apparemment, Zack et Mel n'avaient pas perdu la manie de se moquer de James – et de Chris aussi sans doute.

Les Hobart sont australiens. Mel les traite de « ploucs » à cause de leur accent. Mais les petits Hobart détestent qu'on fasse des remarques (ce qui se comprend) sur leur accent, leurs habitudes ou les mots bizarres (à nos yeux) qu'ils emploient parfois. Ils veulent s'intégrer et se faire accepter, ce qu'ils réussissent le plus souvent. Mel et Zack sont à ma connaissance les seuls qui les embêtent encore.

Je me suis souvent demandé comment des enfants pouvaient être si agressifs. Je pense que ceux qui jouent les petits durs reportent en fait leurs problèmes sur les autres.

Comme mon frère David, par exemple. Il n'a jamais été vraiment une terreur mais, quand nous sommes arrivés ici, il a eu quelque temps un comportement difficile. Il se battait à l'école, était insolent avec maman et me disait des choses franchement désagréables. Au début, nous ne comprenions pas ce qui lui arrivait. Plus tard, nous avons réalisé qu'il agissait ainsi parce qu'il était trop malheureux à Stonebrook.

L'attitude de David s'est transformée dès qu'il a su qu'il aurait le droit de repartir en Californie. C'est vrai ! Il a complètement changé. Eh bien, je garde cette histoire en tête quand j'ai à m'occuper d'enfants, disons, difficiles. J'essaie de me souvenir que leur comportement n'est peut-être que le symptôme d'un problème personnel.

J'ai jeté à nouveau un coup d'œil dans le jardin juste pour m'assurer que les chamailleries avaient cessé. Mais pas du tout ! James était tout rouge. Zack et Mel le traitaient encore de « pauvre plouc » ! J'en avais assez. Je me suis levée, les mains sur les hanches.

– Zack Wolfson ! Mel Tucker ! Arrêtez tout de suite, vous m'entendez ?

Ils ont baissé la tête tous les deux et ont fait de leur mieux pour paraître honteux, au moins deux secondes. Puis le match de foot a repris. Je ne voyais vraiment pas ce que je pouvais faire de plus. Je me suis rassise à côté de Johnny.

– Comment ça se passe avec les images ?

Il m'a répondu avec son charmant accent australien :

– Super ! Je les ai toutes trouvées sauf une.

Il m'a montré la page.

– Je ne trouve pas le corbeau.

Il s'est penché à nouveau sur le magazine et a ajouté :

– Je sais que je peux y arriver.

Quelle détermination ! Je lui ai souri. Je suis moi-même quelqu'un d'assez déterminé, je comprends donc très bien. J'aime faire les choses à ma manière et j'essaie de ne pas trop me laisser embêter par les autres. Par exemple, je ne suis pas du tout la mode. Je laisse mes longs cheveux blonds flotter dans mon dos la plupart du temps (pas de coiffure fantaisie pour moi, non merci), et je porte des vêtements dans lesquels je me sens bien. Ma garde-robe se compose en grande partie de trucs tout simples et plutôt sport, aux couleurs vives. Mes amies appellent ça le « style californien ». Mes habits n'ont jamais rien d'extravagant, mais j'aime bien mettre un peu de créativité dans le choix de mes bijoux. J'ai les deux oreilles percées, de deux trous chacune, et je porte des boucles de trente-six façons, selon mon humeur du jour : deux à une oreille, rien à l'autre ou quatre boucles dépareillées, c'est selon.

Certains au collège doivent penser que je suis bizarre, mais je m'en fiche un peu.

Pour la nourriture aussi, je ne fais pas comme tout le

monde. La plupart des filles de mon âge adorent manger n'importe quoi, mais pas moi. Je préfère de loin le tofu et le chou aux chips et aux gâteaux au chocolat. Je sais, je sais, c'est dur de croire qu'en fait je n'aime pas le chocolat. Il y a presque quelque chose d'anormal là-dedans. Mais c'est comme ça. Et je ne vois pas pourquoi je devrais faire autrement.

Par contre, ce que j'aime, ce sont les histoires de fantômes. Et vous savez quoi ? Il se pourrait bien qu'il y ait un vrai fantôme chez moi ! Il y a un passage secret dans la maison qui va de la grange à ma chambre et il m'est arrivé d'entendre de drôles de bruits venant de ce passage.

– Carla !

Mme Hobart remontait l'allée chargée de deux énormes sacs de courses.

– Carla, peux-tu en prendre un ? Sinon je sens que je ne vais pas tenir.

J'ai bondi pour l'aider.

– Bien sûr, madame Hobart.

Je l'ai soulagée d'un sac et pendant que je l'accompagnais dans l'allée, elle m'a demandé comment s'était passée la journée.

– Très bien, madame Hobart. Johnny a cherché des images dans son magazine et James et Chris ont joué dans le jardin tout l'après-midi.

– Ils ont l'air de bien s'amuser, a fait remarquer Mme Hobart en s'arrêtant pour regarder le match de foot.

– Oui, c'est vrai, pourtant je voulais vous dire qu'ils se chamaillent toujours autant. Zack et Mel traitent souvent les garçons de « ploucs ».

– Oh, mon Dieu! Je pensais que c'était fini. Il est peut-être temps que j'intervienne. Je ne sais pas trop comment m'y prendre avec ces deux-là, mais on ne peut pas les laisser continuer.

J'ai suivi Mme Hobart à la cuisine et, après avoir posé mon sac, je suis repartie chercher le reste des courses dans le coffre de la voiture. J'ai alors aperçu Ben et Mallory qui arrivaient dans le jardin.

Ils étaient si mignons tous les deux, avec leurs cheveux roux et leurs lunettes. J'ai fait attention à ne pas trop les fixer pour ne pas gêner Mallory.

Ben s'est précipité vers moi et m'a pris le sac des mains en me souriant.

– Eh, je peux prendre ça!

Puis il s'est tourné vers Mallory pour ajouter:

– Tu veux goûter? Maman a sûrement préparé quelque chose.

Oooh, j'adore sa façon de parler. Ben est vraiment gentil. J'ai bien vu que Mallory avait rougi en acceptant son offre. Apparemment, elle aussi pensait qu'il était adorable. Dès que Mme Hobart m'a payée, j'ai sauté sur mon vélo et j'ai pédalé jusqu'à la maison aussi vite que possible. J'avais hâte de donner à Mary Anne des infos toutes fraîches sur l'affaire « Ben et Mallory »

2

Quand je suis arrivée à la maison, Mary Anne était assise dans le salon et jouait avec Tigrou. Elle avait attaché une plume à un vieux lacet de chaussure et l'agitait devant le chat comme si c'était quelque chose de vivant.

Tigrou bondissait dans tous les sens pour l'attraper.

Je me suis accroupie à côté de Mary Anne et je lui ai tout de suite demandé :

– Devine qui est allé avec qui à la bibliothèque aujourd'hui ? (J'étais impatiente de répandre la nouvelle.)

– Qui ?

– Ben et Mallory.

– Vraiment ? Waouh. Je crois qu'il y a une histoire d'amour dans l'air. Tu ne trouves pas ça romantique ?

On aurait dit qu'elle avait les larmes aux yeux.

C'est typique de Mary Anne. Elle est tellement sensible

qu'elle pleure facilement, de joie comme de chagrin. Je l'ai même vue pleurer devant un spot publicitaire pour une compagnie de téléphone où l'on voit un père et un fils échanger des confidences à distance.

Mais c'est justement sa sensibilité qui fait de Mary Anne une si bonne amie. Elle sait écouter à merveille et elle trouve toujours le mot juste pour vous réconforter. Elle prête vraiment attention aux autres et à ce qu'ils éprouvent.

Elle n'a pas eu une vie facile. Sa mère est morte quand elle était toute petite. Elle est donc restée seule avec son père, jusqu'à ce qu'il épouse maman. Je pense que Mary Anne a souvent souffert de la solitude. En plus, son père a dû assumer le rôle de deux parents, du coup, il était très sévère avec elle. Et il la traitait encore comme une petite fille il n'y a pas si longtemps.

Par exemple, il l'habillait en petite fille modèle. Et elle portait des nattes! Mary Anne n'est toujours pas la fille la plus branchée du monde, mais maintenant elle a quand même quelques tenues assez cool.

Pendant tout ce temps, Mary Anne, qui était si timide et si calme, se pliait sans broncher aux directives de son père, même si elles la rendaient folle.

Elle est restée assez timide et calme, mais elle a appris à ne pas se laisser faire. Surtout avec son père et Logan Rinaldi, son petit ami par intermittence. C'est drôle de penser que c'est Mary Anne, la plus timide de toutes mes amies, qui soit la seule à avoir eu un petit ami, non? Je suppose que Logan l'aime pour les mêmes raisons que moi. Mary Anne et Logan ont connu quelques mauvaises passes, mais je crois qu'ils resteront proches, quoi qu'il arrive.

Mary Anne et moi sommes restées un moment assises tranquillement dans le salon à jouer avec Tigrou. Je me suis mise à penser au Club des baby-sitters et à toutes les amies que je m'y suis faites. Mary Anne a été la première (elle fait aussi partie du club, bien sûr), et elle reste ma meilleure amie, mais j'aime aussi beaucoup les autres.

Kristy Parker est l'autre meilleure amie de Mary Anne. Elles se connaissent depuis toujours. Au départ, Kristy vivait avec sa mère, ses deux frères aînés, Samuel et Charlie, et son petit frère, David Michael. Aujourd'hui, la vie de Kristy a changé et sa famille s'est beaucoup agrandie.

En fait, le père de Kristy est parti quand David Michael n'était encore qu'un bébé. Mme Parker, elle, a réussi l'exploit de maintenir la famille unie. Quand Kristy était en sixième, sa maman a rencontré – et même épousé – Jim Lelland. Il est millionnaire. Vraiment ! Après le mariage, la famille de Kristy est partie vivre à l'autre bout de la ville, dans la grande maison de Jim.

Lui aussi était divorcé. Il avait deux enfants de son premier mariage, Karen et Andrew. Kristy les aime beaucoup et attend toujours leur visite avec impatience, un week-end sur deux. Elle adore aussi Emily Michelle, la petite Vietnamienne que Jim et sa mère ont adoptée. Et Kristy est aussi très contente que Mamie, sa grand-mère, soit venue vivre avec eux pour s'occuper d'Emily. Tout ce petit monde mène une vie heureuse et assez mouvementée, surtout si l'on compte les animaux domestiques : Louisa, la chienne, Boo Boo, le vieux chat grognon, ainsi que Cristal et Poisson d'or, les poissons rouges.

Kristy semble être à l'aise dans ce climat de constante

agitation. Elle adore se trouver au cœur de l'action. Je parie que vous pensez qu'elle et Mary Anne sont aussi différentes que possible et c'est vrai, mais cela ne les empêche pas d'être amies. Mary Anne est aussi introvertie que Kristy est sûre d'elle, avec son franc-parler (en fait, certains disent même qu'elle a la langue trop bien pendue).

Kristy et Mary Anne ont pourtant aussi pas mal de points communs. Cela saute aux yeux quand on les voit ensemble, car elles se ressemblent beaucoup. Toutes deux ont les cheveux et les yeux bruns, et elles sont plutôt petites pour leur âge (Kristy est la plus petite de notre classe). Mais si Mary Anne a quelques tenues originales, comme je l'ai déjà dit, ce n'est pas du tout le cas de Kristy. Elle préfère être en jean, col roulé et baskets, tenue qu'elle porte tous les jours de l'année. Je n'arrive pas à croire qu'elle ne s'en lasse pas, mais j'imagine que les vêtements ne l'intéressent pas.

Par contre, les vêtements sont très importants pour Claudia Koshi, qui a grandi et vit encore dans la rue où habitaient autrefois Kristy et Mary Anne. C'est la fille la plus extravagante que j'aie jamais vue. Vous ne pouvez pas imaginer ce qu'elle ose porter. Mais elle a toujours une allure géniale.

Même vêtue d'un sac-poubelle, Claudia serait chic. Elle est superbe. Elle est américano-japonaise et a de magnifiques yeux brun foncé, taillés en amande, ainsi que de longs cheveux noirs et soyeux. Claudia est une véritable artiste. Elle sait peindre, dessiner et sculpter. Elle crée même ses propres bijoux. Elle aime l'art par-dessus tout. Elle est aussi très intelligente. Si elle avait consacré autant d'énergie à son travail scolaire qu'à ses cours d'arts plastiques, elle n'aurait récolté que des « A ». Mais elle pense certainement qu'une abonnée aux « A » par famille suffit. C'est sa sœur aînée, Jane le petit génie, qui assume ce rôle.

En plus des beaux-arts, Claudia a une passion pour les sucreries et les romans d'Agatha Christie. Ses parents ne sont pas d'accord, alors Claudia a la manie de planquer bonbons, chips et bouquins un peu partout dans la chambre. Vous ne pouvez soulever un oreiller sans trouver du chocolat ou une sucette dessous. J'ai essayé de convaincre Claudia des méfaits des sucreries, mais en vain. Pas question pour elle d'y renoncer.

La meilleure amie de Claudia est Lucy MacDouglas. Elles partagent le même amour des vêtements et des accessoires originaux, mais Lucy doit éviter les sucreries. Elle est diabétique, ce qui veut dire que son organisme n'assimile pas bien le sucre. Elle doit faire très, très attention à ce qu'elle mange. Elle doit aussi se faire elle-même des piqûres d'insuline, cette substance que son organisme ne produit pas correctement.

Vous imaginez, vous, des piqûres tous les jours ? Pas moi ! Mais Lucy le prend plutôt bien. Elle le fait tout simplement parce qu'elle sait qu'elle doit le faire sinon, elle peut tomber gravement malade. En fait, il n'y a pas si longtemps, elle s'est retrouvée à l'hôpital. On n'arrivait pas à stabiliser le taux de sucre de son sang.

Lucy a grandi à New York et elle est très classe, avec ses cheveux blonds coupés à la dernière mode. Elle a le droit de se maquiller et y réussit parfaitement – ce qui n'est pas le cas de certaines filles du collège, qui ont l'air de vrais pots de peinture !

Les parents de Lucy sont divorcés et son père vit à New York. Lucy aurait aimé rester avec lui, mais elle a pensé qu'elle serait plus heureuse à Stonebrook avec sa mère. Être un enfant du divorce n'est jamais facile (croyez-moi, j'en sais quelque chose), mais Lucy apprend à faire avec. Elle va voir son père aussi souvent qu'elle le peut.

Kristy, Mary Anne, Lucy et Claudia ont toutes treize ans et sont en quatrième comme moi. Les deux autres filles du club sont un peu plus jeunes. Il s'agit de Mallory Pike (peut-être future petite amie de Ben Hobart) et de Jessica Ramsey. Elles ont toutes les deux onze ans et sont en sixième.

Mallory est plutôt mûre pour son âge. C'est sans doute parce qu'elle est l'aînée d'une imposante famille. Elle a sept frères et sœurs. J'adore l'entendre réciter leurs prénoms, par rang d'âge, du plus âgé au plus jeune. Ça donne à peu près ceci : AdamByronJordanVanessaNickyMargotClaire !

En fait, Adam, Byron et Jordan ont le même âge (dix ans). Ce sont des triplés !

Vous vous souvenez de ce que je vous ai dit de l'agitation qui règne chez Kristy ? Eh bien, ce n'est rien en comparaison de ce qui se passe dans la maison des Pike. Quel cirque ! Pour tout dire, quand tous les enfants sont à la maison, il faut deux personnes du club pour les garder (l'une des deux étant en général Mallory).

Le gros problème de Mallory c'est que, bien que ses parents la considèrent comme très mûre et lui confient pas mal de responsabilités dans la famille, ils ne la laissent pas « grandir ». Je me souviens d'avoir connu la même chose. Quand j'avais onze ans, j'aurais voulu en avoir treize, ou au moins être traitée comme si c'était le cas; je voulais me maquiller, me faire percer les oreilles et porter des vêtements cool.

Les Pike, comme de nombreux parents, ne sont pas prêts à laisser leur petite fille devenir une adolescente. Ils ont finalement un peu cédé. Mallory a pu se faire percer les oreilles (un trou par oreille seulement), mais elle n'a toujours pas le droit de porter des tenues trop excentriques. Et ses parents ne sont pas prêts à lui laisser troquer ses lunettes contre des lentilles. Elle devra attendre un peu pour ça. Je crois qu'elle n'aurait pas été aussi ennuyée pour ses lunettes si elle ne devait pas porter, en plus, un appareil dentaire.

Mallory adore lire – surtout des histoires de chevaux – et écrire. Elle est aussi assez douée en dessin. Plus tard, elle aimerait écrire et illustrer des livres pour enfants.

Jessica Ramsey est la meilleure amie de Mallory. Elle aussi adore lire des histoires de chevaux et aimerait bien que ses parents la laissent grandir. A côté de ça, Jessica et Mallory sont assez différentes. Pour une bonne raison, c'est que Jessica est noire et Mallory blanche. Il n'y a pas beaucoup de familles noires à Stonebrook et, quand les Ramsey sont arrivés ici, ils ne se sont pas sentis du tout les bienvenus. Mais les gens ont appris à les connaître et les choses se sont améliorées. Je ne vois pas comment on pourrait être méchant avec la famille de Jessica. Ils sont super! Jessica a une petite sœur, Rebecca, et un tout petit frère, P'tit Bout (c'est son surnom). Il est trop mignon.

La danse classique est la grande passion de Jessica. Elle a vraiment du talent – je l'ai vue tenir le rôle principal dans plus d'une représentation de son école. Elle envisage une carrière de ballerine et je crois qu'elle en a l'étoffe.

Il doit être évident pour vous maintenant que j'ai un groupe d'amies très particulier. J'ai vraiment de la chance de les connaître.

– Tu ne penses pas, Carla ?

Mary Anne me demandait quelque chose.

J'ai cligné des yeux en levant la tête vers elle.

– Quoi ?

J'étais restée perdue dans mes pensées un bon bout de temps.

– Tu ne crois pas que Tigrou est le chat le plus mignon de la Terre ? (Le chaton en question était couché sur les genoux de Mary Anne et ronronnait quand elle le grattait derrière les oreilles.)

– Absolument, c'est indiscutable ! Et je suis vraiment contente qu'il me laisse être la meilleure amie de sa propriétaire.

– *Allez, Mallory, dis-nous tout*, insistait Claudia.

Eh bien ! La nouvelle avait vite circulé.

Mes amies et moi étions toutes rassemblées dans la chambre de Claudia pour une réunion du Club des baby-sitters. C'était quelques jours à peine après ma garde chez les Hobart, mais tout le monde savait déjà que Ben et Mallory étaient allés ensemble à la bibliothèque.

Mallory a rougi.

– Quoi ? Qu'est-ce que vous voulez que je vous dise ? Il ne s'est rien passé.

– Rien de rien ? a demandé Claudia, les yeux brillants. Ou un rien qui veut juste dire : je ne veux pas vous raconter ?

Kristy est venue à la rescousse de Mallory.

– Arrête, Claudia, laisse-la tranquille, mettons-nous au travail. J'ouvre la séance.

Elle a pris son crayon derrière son oreille et s'est mis à tapoter le bras de son fauteuil de présidente avec.

– Vous avez des questions à soulever à propos du club ? Sinon, peut-être que Mallory a quelques nouvelles à nous faire partager ? a-t-elle ajouté en souriant.

– Je croyais qu'il fallait arrêter ! a protesté Claudia. Je savais bien que tu étais aussi curieuse que les autres.

Kristy était sans doute curieuse d'apprendre ce qui s'était passé entre Ben et Mallory. Elle aime ce genre de trucs autant que nous, surtout depuis son histoire avec Bart, un garçon de son quartier, qu'elle aime plus que bien.

Mais Kristy n'a pas l'habitude de laisser s'infiltrer les bavardages dans le cours d'une réunion professionnelle du club. Elle est présidente de notre club et prend son travail très au sérieux. En réalité, c'est le club tout entier qu'elle prend très au sérieux, voilà pourquoi il fonctionne si bien. Elle le dirige comme une véritable entreprise, et les clients savent qu'ils peuvent avoir confiance.

C'est Kristy qui a eu l'idée de ce club à l'origine. Ce qui explique qu'elle en soit la présidente. Elle a déjà eu des tas d'idées géniales, mais je dois dire que c'est la meilleure de toutes.

Voici comment ça s'est passé : quand elle était en sixième, Kristy et ses frères devaient s'occuper de David Michael, quand Mme Parker travaillait ou désirait sortir. Cela leur convenait, surtout à Kristy qui a toujours adoré garder des enfants. Mais quand Samuel avait un entraînement, Charlie un rendez-vous et Kristy d'autres projets, Mme Parker avait de sérieux problèmes pour trouver une baby-sitter.

C'est exactement ce qui est arrivé, ce fameux après-midi.

La mère de Kristy téléphonait avec frénésie, passant en revue tous les gens qu'elle connaissait. Chaque baby-sitter potentielle était soit occupée, soit malade ou avait prévu quelque chose. Mme Parker était découragée. Et Kristy? Kristy était surexcitée car elle venait d'avoir une idée de génie.

Et si, en composant un seul numéro, sa mère avait pu contacter tout un groupe de baby-sitters expérimentées? Quelqu'un aurait certainement été libre. Je n'ai jamais su si Mme Parker avait fini par trouver une baby-sitter, ce jour-là. Mais maintenant cela n'a plus d'importance. Ce qui compte, c'est que le club était né. Kristy en a tout de suite parlé à Mary Anne et à Claudia, qui ont été d'emblée séduites par l'idée. Claudia a suggéré que sa nouvelle amie Lucy se joigne à elles. Puis, après mon arrivée à Stonebrook, j'ai fait à mon tour partie du club. Jessica et Mallory nous ont rejointes plus tard et, maintenant, nous pensons que le club a atteint sa taille idéale.

Justement, en parlant de Jessica et de Mallory, pendant notre réunion du club aujourd'hui, toutes deux ont été prises d'une violente crise de fou rire. Elles se roulaient par terre et riaient sans pouvoir s'arrêter.

– Hé, vous deux, vous feriez bien de vous calmer!

Kristy tient à ce que nos réunions soient des réunions professionnelles, comme je l'ai déjà dit. Et les fous rires n'ont rien de professionnel.

Jessica s'est redressée en essayant de se contenir. Mallory a fait de même. Mais soudain toutes les autres ont éclaté de rire à leur tour. Je crois que c'était contagieux.

– Pourquoi rions-nous? a demandé Lucy.

LE CLUB DES BABY-SITTERS

– Je ne sais pas, ai-je répondu, je suppose que ça a à voir avec Ben.

Entre deux hoquets, Jessica a approuvé de la tête.

– Le copain de Ben, Jim, m'a dit que Ben surnomme Mallory la « super sheila ».

– Superquoi ? s'est esclaffée Claudia.

– J'ai bien entendu ? ai-je ajouté.

– Oui, a affirmé Jessica, ça veut dire que c'est une fille super et qu'il l'aime bien.

Mallory a donné un coup de poing dans le bras de Jessica.

– Chuuut ! lui a-t-elle lancé en rougissant.

– Je disais juste que... (mais Jessica n'a pas pu finir sa phrase, car le téléphone a sonné).

Je crois que j'ai oublié de vous dire que le téléphone est l'élément le plus important de nos réunions. C'est simple, nous attendons qu'il sonne. Nos clients savent qu'ils peuvent nous joindre les lundis, mercredis et vendredis entre cinq heures et demie et six heures du soir. A ces heures-là, la ligne est entièrement réservée à nos clients, car c'est la ligne privée de Claudia. En effet, Claudia a non seulement son propre téléphone, mais aussi sa propre ligne. C'est pour ça que nous nous réunissons dans sa chambre. C'est aussi pour cette raison qu'elle est vice-présidente du club.

Vous devez certainement vous demander comment nos clients connaissent notre numéro de téléphone. Eh bien, pas mal d'entre eux l'ont eu par des amis, ou par d'autres parents qui ont utilisé et apprécié nos services. Cela s'appelle le bouche à oreille. Il nous arrive aussi de faire de la publicité. Nous mettons une annonce dans le journal local ou, plus fréquemment, nous distribuons des prospectus avec toutes les informations nécessaires aux clients.

Donc, le téléphone venait juste de sonner et nous voulions toutes décrocher. Kristy avait été la plus rapide.

– Allô, le Club des baby-sitters, bonjour.

Tout le monde s'est calmé pour pouvoir écouter. C'était drôle d'essayer de deviner qui appellait, juste d'après ce que disait Kristy.

– Mardi à trois heures? a-t-elle répété. Je suis sûre que nous aurons quelqu'un. Ce serait pour combien de temps? (Il n'y avait toujours aucun indice nous permettant de savoir à qui elle parlait.) Parfait, puisque Simon sait que c'est nous qui ferons le dîner.

Simon? Ce devait être Mme Newton. Elle voulait une baby-sitter pour son fils, qui a quatre ans, et sa fille, Lucy Jane. Nous adorons garder les Newton, car Simon est super et Lucy Jane n'est encore qu'un bébé et nous raffolons des bébés.

– Entendu, a conclu Kristy, je vous rappelle.

Elle a raccroché avant de se tourner vers Mary Anne.

– Mary Anne, Mme Newton a besoin de quelqu'un mardi de quinze à vingt et une heure. Qui est disponible?

Mary Anne s'est plongée dans l'agenda. Elle est la secrétaire du club et fournit un travail impressionnant en notant l'emploi du temps de chacune d'entre nous. Tout est inscrit dans l'agenda : les leçons de danse de Jessica, les matchs de base-ball de Kristy, les cours d'arts plastiques de Claudia, sans parler de nos gardes d'enfants et d'informations diverses sur nos clients (comme les adresses et les numéros de téléphone).

– Bien, Jessica et Mallory sont hors jeu, puisque c'est un soir de semaine, a immédiatement déclaré Mary Anne.

Jessica a grimacé. Mallory et elle n'ont pas le droit de garder d'enfants les soirs de semaine, sauf leurs frères et sœurs. C'est pourquoi nous les appelons les « juniors ». Elles travaillent beaucoup l'après-midi et le week-end, ce qui nous est d'une grande aide et nous permet d'être disponibles pour garder des enfants le soir.

– Toi, Kristy, tu es déjà prise chez les Perkins, a poursuivi Mary Anne, et Claudia a un cours d'arts plastiques ce jour-là, il reste donc Carla et Lucy. Et moi, bien sûr.

– Vous pouvez y aller, a dit Lucy, j'ai mille choses à faire.

Mary Anne m'a demandé :

– On tire à pile ou face ?

– Non, c'est bon, je te le laisse. Je sais que tu aimes beaucoup garder Simon et Lucy Jane. J'ai du travail, de toute façon.

La décision était prise. Kristy a rappelé Mme Newton et lui a expliqué que c'était Mary Anne qui viendrait chez elle. Voilà comment notre système fonctionne ! Pas mal, hein ?

La semaine suivante, à la même heure, nous saurons toutes comment s'est déroulé ce baby-sitting chez les Newton, car Mary Anne l'aura consigné dans le journal de bord. Rien à voir avec notre agenda. C'est plus un journal dans lequel chacune d'entre nous raconte aux autres comment se sont passés les baby-sittings et note certaines informations que nous devons connaître sur nos clients. Le journal de bord est une idée de Kristy et, même si aucune d'entre nous n'aime y écrire, nous devons admettre que les informations sont utiles.

Voyons… je vous ai dit que Kristy était la présidente et Claudia la vice-présidente, que Mary Anne était la secrétaire et Jessica et Mallory les membres juniors.

Et Lucy et moi alors ?

Eh bien, Lucy est la trésorière. Elle calcule ce que chacune a gagné. Elle collecte également les cotisations, une fois par semaine (le lundi), et s'occupe de la comptabilité. Si, par exemple, nous voulons organiser une soirée pizza ou faire une petite fête, nous devons voir avec elle si nous disposons d'assez d'argent.

Nous utilisons les cotisations pour des choses plus sérieuses que l'achat de pizzas, je dois le dire. Par exemple pour rémunérer le frère de Kristy qui la conduit à nos réunions trois fois par semaine et la ramène chez elle. Et en partie pour renouveler le contenu de nos coffres à jouets.

Les coffres à jouets ? Encore une idée géniale de Kristy. Ce sont des boîtes que nous avons décorées puis remplies de jouets, de livres et de jeux, c'est-à-dire tout ce qu'aiment les enfants. Tout n'est pas neuf dans ces coffres, mais, pour les enfants, ça a l'air tout nouveau et ils adorent !

Et moi, je suis suppléante, c'est-à-dire que je peux me charger de n'importe quel travail, remplacer l'une d'entre nous quand elle a un empêchement. Par exemple, j'ai été trésorière quand Lucy est repartie avec sa famille vivre à New York durant quelques mois. (Ça ne me dérangeait pas de la remplacer, mais je n'ai jamais adoré faire les comptes. J'ai été contente de lui rendre son rôle, quand elle est revenue à Stonebrook.)

Deux autres personnes font partie de notre club, bien qu'elles ne participent pas à nos réunions. Ce sont nos membres intérimaires, Louisa Kilbourne et Logan Rinaldi (oui, le petit ami de Mary Anne). Ils interviennent quand nous sommes débordées de travail, et c'est arrivé plus d'une fois !

– Hé, Jessica, a lancé Claudia, après plusieurs appels téléphoniques, comment Ben appelle Mallory déjà ?

– Une super sheila ! Sheila veut dire « fille ». Ça vient du mot qu'ils emploient en australien pour la femelle du kangou..., a continué Jessica en pouffant à nouveau au point qu'elle n'a pas pu terminer sa phrase.

– Qu'est-ce que tu racontes ? a demandé Claudia. Sheila veut dire femelle du kangourou ? (Elle n'en pouvait plus de rire.) Ça alors, Ben appelle Mal « super kangourou » et pour lui c'est un compliment !

Aussitôt, nous avons toutes éclaté de rire, y compris Mallory qui était devenue cramoisie dès que le nom de Ben était revenu dans la conversation. A ce moment-là, il était six heures et, pour clore la réunion, Kristy a dû se mettre à crier au milieu des éclats de rire. Une nouvelle réunion « professionnelle » du club venait de prendre fin.

4

– *Salut, Carla, m'a dit Kristy en se diri-geant vers la porte, amuse-toi bien !*

J'étais venue garder ses jeunes frères et sœurs pendant qu'elle allait faire des courses avec sa mère.

– A tout à l'heure, Kristy ! a hurlé Karen. N'oublie pas, tu m'as promis un cadeau !

– Je n'oublierai pas.

– Et moi, j'aurai un cadeau ? a demandé David Michael. J'en veux un aussi !

– Moi aussi ! a repris Andrew.

– Moi, moi, moi ! a hurlé Emily Michelle.

Elle n'avait aucune idée de ce qui se passait, mais elle ne voulait pas être en reste.

– Vous aurez tous quelque chose, a promis Kristy, mais ne

vous attendez pas à des jeux vidéo ou à une maison de poupée.

Les enfants ont hoché la tête.

– La dernière fois, elle m'a rapporté le plus beau ruban que j'avais jamais vu pour mes cheveux, a dit Karen, les yeux brillants. Kristy est la meilleure sœur du monde.

J'ai approuvé de la tête avant d'ajouter :

– Et elle pense que tu es une super petite sœur.

J'ai fait un signe de la main à mon amie alors que la voiture de sa mère s'éloignait.

– Amuse-toi bien !

Kristy a fait la grimace. Le shopping n'est pas une de ses activités favorites. Normal, elle s'habille toujours pareil. S'acheter un énième jean ou un col roulé, ça n'a rien de palpitant.

– Allez, la petite bande, ai-je dit, en conduisant les quatre enfants vers la cuisine. Vous avez droit à un goûter, allons voir ce qu'il y a par ici.

J'ai fouillé dans les placards, tandis que Karen, David Michael et Andrew se bousculaient pour s'asseoir à table. Emily Michelle a grimpé dans sa chaise haute et a poussé un cri de joie en découvrant une cuillère pour jouer.

– Que diriez-vous de quelques petits biscuits ? ai-je demandé en leur montrant le paquet.

– Ouais ! ont hurlé en chœur Karen, Andrew et David Michael.

Emily Michelle, elle, a agité sa cuillère en l'air.

J'ai tendu le paquet de gâteaux à Karen .

– Prends-en quelques-uns, ensuite tu les feras passer.

Elle m'a regardée bizarrement.

– Ce n'est pas comme ça qu'on les mange d'habitude.

– Ah, non ? ai-je demandé en haussant les sourcils, moi c'est comme ça que je m'y prends.

– Nous, non. On les met dans une petite assiette. Puis on les compte pour être sûrs qu'on en a autant, et après, on fait le concours de celui qui les mange le plus lentement.

– Je vois.

Quelle mise en scène ! Les enfants adorent faire toute une histoire des choses les plus simples. Mais j'étais d'accord. J'ai réparti les biscuits dans quatre soucoupes. Ils les ont comptés avec soin (Karen comptait ceux d'Emily Michelle à sa place) puis ils ont négocié entre eux, jusqu'à ce que chacun en ait le même nombre. Ils ont commencé leur concours « du plus lent à manger », mais David Michael a eu une autre idée. Il a demandé à Karen :

– Combien peux-tu en mettre dans ta bouche en une seule fois ?

Il s'est mis à enfourner les biscuits dans sa bouche sans attendre la réponse de sa sœur

– Un, deux, trois, qua…

– David Michael ! ai-je crié. Arrête ! (J'avais peur qu'il s'étouffe. On aurait dit un hamster.) Ce n'est pas une bonne idée de concours. Remettez-vous à manger tranquillement et racontez-moi les dernières nouvelles.

– Poisson d'or et Cristal vont se marier ! s'est exclamée Karen.

Ça pour une nouvelle, c'était une nouvelle ! Je vous ai parlé de Poisson d'or et de Cristal. Ce sont des poissons. De petits poissons rouges qui nagent en rond à longueur de journée. Mais Karen les aime – et elle a une imagination débordante. Je voulais des détails.

– Poisson d'or a demandé à Cristal de l'épouser et ils vont bientôt célébrer leur mariage, m'a expliqué Karen. Tu peux être invitée, si tu veux.

J'essayais d'imaginer un mariage de poissons. Cristal porterait-elle un minuscule voile blanc? Ses nageoires seraient-elles ornées de bouquets d'algues? J'ai failli rire mais je me suis reprise à temps. Karen aurait pu être blessée si je m'étais moquée.

Tout le monde avait fini ses biscuits, sauf Emily Michelle, qui était en train de se les mettre dans les oreilles.

– Allons jouer, ai-je proposé, et tu m'en diras plus sur ce mariage.

J'ai suivi la petite troupe au salon et je me suis installée sur le canapé avec Emily Michelle sur les genoux. Karen était assise à mes pieds et continuait à bavarder.

Andrew avait trouvé son avion préféré et tournait en rond dans la pièce en faisant des bruits de moteur. Je me suis mise à bâiller. J'avais sommeil, car j'avais regardé un film assez tard, la veille. J'étais contente de ne pas avoir à jouer les super baby-sitters, cet après-midi. Ces enfants savaient assez bien se distraire tout seuls.

Tout à coup, je me suis rendu compte qu'il n'y avait que trois enfants dans la pièce. Où était passé David Michael?

– Carla!

On m'appelait de la porte. J'ai levé les yeux et j'ai vu David Michael. Avec un polaroïd à la main.

– Souris! m'a-t-il ordonné, alors que le flash partait.

– Qu'est-ce que tu fais?

– Chuuut, une minute, m'a-t-il répondu tandis qu'il attendait le développement. Je veux être bien sûr que la photo est
réussie.

Je ne comprenais rien. Que fabriquait-il avec cet appareil ?
Il s'est approché du canapé pour me montrer la photo.

– Je te trouve jolie là-dessus.

J'ai jeté un coup d'œil. Jolie ? J'avais tout d'un fantôme. Ce
flash m'avait surprise. Karen est venue regarder par-dessus
mon épaule.

– Magnifique, s'est-elle exclamée.

– Ça fera super dans le journal, a assuré David Michael, si
tu gagnes, évidemment.

J'étais de plus en plus perplexe.

– Si je gagne quoi ? Qu'est-ce qui se passe ?

– C'est un concours, m'a expliqué David Michael. Tu sais,
un peu comme au supermarché, tu as vu les affiches au mur,
avec « la caissière de la semaine ».

J'ai acquiescé, mais je ne voyais pas vraiment où il voulait
en venir.

– A l'école, avec les copains, on a décidé d'organiser un
concours de la baby-sitter du mois. Si tu gagnes, on enverra ta
photo au journal.

Il m'a souri, fier de lui.

– Quelle bonne idée ! Comment allez-vous faire pour la
choisir ?

– En votant, Mme Newton – la maman de Simon – nous
aidera pour les élections. C'est la meilleure baby-sitter, la
plus drôle et la plus gentille qui l'emportera.

Hum... la plus gentille ? Bon, jusqu'à présent, j'avais été
assez gentille. Je leur avais donné leur goûter et j'avais

45

écouté les histoires de Karen. La meilleure ? Sans aucun doute, je m'étais montrée responsable. La plus drôle ? Sur ce point, j'aurais pu faire mieux. J'avais sommeil et je n'étais pas vraiment rigolote.

Je me suis redressée sur mon siège et en prenant mon air le plus enjoué :

– Ça a l'air d'être un super concours Qu'est-ce qu'on fait là, assis en rond ? Remuons-nous ! Et si on jouait au jeu du grand hôtel ?

– Ouais ! s'est écriée Karen.

C'est son jeu préféré, sans doute parce que c'est elle qui l'a inventé. C'est un jeu qui se passe dans le hall d'un grand hôtel imaginaire. Quelqu'un fait le concierge à la réception et son rôle consiste à saluer les clients qui entrent et à leur demander de signer le registre. Les autres joueurs se déguisent en différents personnages et entrent à tour de rôle dans l'hôtel. Karen s'est mise à danser autour de la pièce avec Emily Michelle. La petite gloussait et criait alors que Karen la faisait tournoyer. Andrew était en train de rire mais il a stoppé net pour crier :

– Karen, je ne veux pas être un chien, d'accord ?

Andrew récoltait toujours les pires rôles dans ce jeu, uniquement parce qu'il était le plus jeune. Il devenait fou quand Karen voulait qu'il fasse le chien d'une dame riche.

– D'accord, a hurlé Karen, Emily Michelle fera le chien.

Emily Michelle a rigolé pour toute réponse.

J'étais contente que mon idée leur plaise. De toute évidence, la baby-sitter du mois devait savoir proposer des activités amusantes. C'est alors que je me suis rendu compte qu'ils n'étaient pas tous enthousiasmés par ce jeu. Il y en avait un qui semblait franchement mécontent. David Michael se tenait à la porte, les bras croisés, l'air renfrogné. Je lui ai demandé ce qui n'allait pas.

– Je déteste ce jeu stupide, c'est pour les bébés.

– Ce n'est pas vrai, ai-je rétorqué, je vais bien y jouer moi et j'ai treize ans. Je ne suis pas un bébé.

– C'est débile, c'est toujours les mêmes personnages : Miss Chichi, Madame Mystère. Dé-bile.

– Viens par ici, David Michael, nous allons réfléchir.

Je lui ai fait signe d'approcher pour pouvoir lui chuchoter quelque chose sans que les autres entendent.

– Tout le monde est prêt ? a demandé Karen.

Elle sautillait dans la pièce, surexcitée.

– Je monte chercher un costume. David Michael, tu feras le concierge.

Karen est un peu autoritaire parfois, mais je l'ai interrompue dans ses directives.

– Une minute, Karen. David Michael et moi avons quelque chose à dire. Nous pensons que c'est ton tour de faire le concierge.

Karen a ouvert de grands yeux.

– Mon tour ? Mais...

– Il n'y a pas de mais, ai-je poursuivi. David Michael ne jouera que si c'est toi qui le fais.

Karen a haussé les épaules.

– Bon, d'accord.

Elle a couru prendre un cahier et un crayon sur le bureau de Jim et a attrapé une jolie cloche en porcelaine sur une étagère. Puis elle s'est installée à une table basse et a préparé son bureau de réception.

David Michael, Andrew et moi sommes allés dans la salle de jeux dévaliser le coffre à jouets. Le déguisement que nous avons trouvé pour David Michael était assez simple. Il portait un jean et un T-shirt blanc. Je lui ai retroussé les manches et je lui ai noué un bandana rouge autour de la tête. Puis tout le monde est redescendu.

David Michael s'est présenté à la réception et a fait sonner la cloche.

– Oui ? a demandé Karen. Que puis-je pour vous ?

– Je suis Bruce Stringbeam, a annoncé David Michael en pouffant, la grande star du rock, je veux une chambre pour moi, mon imprésario et mes amis.

Karen a éclaté de rire.

– Bruce Stringbeam ? a-t-elle répété. OK, monsieur Stringbeam, voulez-vous signer ici, s'il vous plaît.

Ensuite David Michael a joué un footballeur, David Peckham. Puis, je me suis habillée et maquillée, et je me suis annoncée sous le nom de Ladonna. Karen n'arrêtait plus de rire et, quand je suis partie ce jour-là, David Michael m'a dit que j'étais sa baby-sitter préférée. Je suis rentrée à la maison toute contente, sûre d'être élue meilleure baby-sitter du mois.

5

– Bruce Stringbeam ? a demandé Jessica. Où es-tu allée chercher ça ?

Elle riait comme toutes les autres.

Nous étions lundi après-midi, en réunion du club dans la chambre de Claudia, mais nous n'avions pas encore beaucoup travaillé. J'étais assise sur le lit à côté de Mary Anne. Claudia était appuyée contre le mur, une sucette dans la bouche. Jessica et Mallory étaient par terre, comme d'habitude. Elles se passaient et se repassaient un paquet de chips. Lucy était sur une chaise en train de se faire de minuscules tresses dans les cheveux.

– Il faut que tu m'aides pour la nuque, Claudia, a-t-elle dit, je n'y arrive pas.

– Pas de problème, tu viens quand tu veux.

– Tu feras bien attention à ne pas me coller les cheveux avec ta sucette.

– J'irai me laver les mains.

– Eh, les filles, c'est ça que vous appelez être pro ? a demandé Kristy.

Elle était assise dans son fauteuil de présidente, l'air un peu fâché. Elle venait juste d'ouvrir la séance, mais nous n'avions pas vraiment envie de travailler. Personne n'a rien dit.

– Alors ? a insisté Kristy.

Lucy a pris la parole.

– C'est lundi, d'accord, et vous savez ce que ça signifie.

Tout le monde s'est mis à grogner. Il fallait payer nos cotisations.

Lucy a sorti l'enveloppe où elle conservait notre trésor et l'a passée à Jessica.

– Allez, courage ! a-t-elle lancé avec un grand sourire.

Lucy adore récolter notre argent. Et inutile de dire que nous détestons le donner. Elle a surveillé de près l'opération. Puis, quand l'enveloppe lui est revenue, elle a compté l'argent (elle fait ça en trois secondes, c'est une bête en maths !) et a poussé un gros soupir de soulagement.

– Parfait.

Le téléphone a sonné deux secondes après et Lucy, Claudia et Kristy ont plongé dessus. C'est Lucy qui l'a attrapé la première.

– Allô, Club des baby-sitters, j'écoute. (Elle a marqué une pause.) Oh, bonjour, madame Korman. Vendredi en huit ? Oh, je suis sûre que nous aurons quelqu'un. Nous vous rappelons tout de suite, d'accord ?

Elle a raccroché.

Mary Anne consultait déjà l'agenda.

– Ce sera ou toi ou moi, Kristy, a-t-elle conclu. Pourquoi n'irais-tu pas ? Les Korman habitent ton quartier.

– D'accord, j'aime beaucoup Bill et Melody. Ils sont sympas. Et Skylar est trop mignonne.

Kristy a immédiatement rappelé Mme Korman pour mettre au point tous les détails. Après avoir raccroché, elle nous a jeté un regard circulaire avant de déclarer :

– Bon, les filles, parlons un peu de cette histoire de baby-sitter du mois.

Je m'étais demandé si quelqu'un aborderait le sujet. Je savais que tout le monde était au courant – la nouvelle s'était vite répandue – mais, jusque-là, nous n'en avions pas discuté.

Le silence a plané un long moment sur la chambre de Carla. Puis Mary Anne a pris la parole :

– Je trouve ça vraiment adorable de la part des enfants, pas vous ?

– Ce serait un grand honneur de gagner, a affirmé Jessica, j'adorerais être la baby-sitter du mois.

– Moi aussi, a tranquillement ajouté Mallory.

– Je crois que nous aimerions toutes gagner, est intervenue Kristy. J'aimerais cependant en savoir plus sur la manière dont nous serons jugées.

– Tu te demandes s'ils choisiront la plus gentille, ou celle qui prépare les meilleurs sandwichs ? ai-je demandé. Pour gagner, il faudrait savoir pourquoi les enfants préfèrent telle baby-sitter à telle autre.

– David Michael et Karen t'ont beaucoup appréciée, l'autre jour, a commenté Kristy, un peu agacée. David Michael n'a pas cessé de me dire que jamais le jeu du grand hôtel n'avait été aussi rigolo.

Je n'ai pu m'empêcher de rougir. J'espérais que Kristy n'avait pas deviné : si j'avais rendu ce jeu plus drôle, c'était dans le seul but de me faire sélectionner comme baby-sitter du mois. J'ai essayé de prendre un ton dégagé pour lui répondre :

– C'était amusant. Nous en avions un peu assez de faire toujours les mêmes personnages.

– Je vois, a dit Kristy, alors la super baby-sitter a un peu pimenté le jeu.

– Hé, les filles, est intervenue Mary Anne. Qu'est-ce qui se passe ? Nous n'allons pas toutes nous disputer pour cette histoire ! Nous avons toutes envie de gagner le concours, c'est sûr, mais nous ne devons pas oublier que nous sommes amies.

– Mary Anne a raison, a approuvé Lucy, nous devons être solidaires. Entrer en compétition ne nous mènera nulle part.

– C'est vrai, vous vous souvenez de la fête de la Science ? a renchéri Jessica. Je voulais tellement aider Jacky Rodowsky à gagner que j'en ai oublié le but de la fête : apprendre et non pas gagner.

– C'était quoi son projet déjà ? a demandé Claudia.

– Un volcan en éruption avec de la lave et des cendres tout autour, y compris sur les juges !

– C'était génial, a commenté Mallory. Jacky avait fait un super travail sur ce volcan.

– Pas vraiment, a avoué Jessica, l'air un peu honteux, c'est moi qui avais fait le boulot. Je voulais tellement qu'il gagne que j'ai fait le plus gros à sa place. Je n'avais pas l'intention de tricher. Je me suis simplement trouvée entraînée par la compétition.

– C'est exactement ce que je pense, a souligné Lucy, quand on entre en compétition avec les autres, on oublie tout. Esprit sportif, fair-play, on jette tout par la fenêtre et on ne pense plus qu'à une chose : gagner.

– Mais j'aime gagner, a dit Kristy.

– Comme tout le monde, a répondu Mary Anne, mais il faut rester solidaires et nous soutenir les unes les autres.

Claudia avait l'air d'accord.

– C'est vrai, vous vous souvenez du concours des mini-Miss Stonebrook ?

Oh, non ! J'espérais que personne ne parlerait de ça. Quel gâchis ! Claudia, Kristy, Mary Anne et moi avions décidé d'aider certaines des petites filles que nous gardions à participer à un concours de beauté. Aucune de ces petites filles n'avait le sens de la compétition. C'était nous, les baby-sitters soi-disant mûres, qui nous étions prises au jeu. Chacune gardait ses secrets pour soi, nous nous espionnions, nous nous jouions de sales tours. Chacune était déterminée à ce que « sa » candidate gagne le titre de mini-Miss Stonebrook.

– Le pire, a avoué Claudia, c'est que nous avons voulu transformer ces filles en parfaits robots, le genre d'enfants que les juges apprécieraient, enfin c'est ce que nous pensions ! En fin de compte, aucune de nos candidates n'a gagné le premier prix. La lauréate a été cette Sabrina Bouvier, que Claudia traitait de « bête de scène ». Elle savait exactement ce que les juges voulaient (y compris les tonnes de maquillage). Nos filles ont été déçues, mais nous, nous avons été drôlement soulagées quant le concours a été terminé.

– Eh bien, souvenons-nous de ce défilé et de la fête de la Science, chaque fois que nous penserons à ce concours, a dit Lucy.

– Tu as raison, a approuvé Mary Anne. Pas de médisance.

– Oui, a dit Mallory, pas de compétition.

– Je suis d'accord, a renchéri Jessica, pas de campagne.

J'ai senti que je rougissais encore. Avais-je « fait campagne » l'autre jour auprès de David Michael ? J'avais certainement fait de mon mieux pour lui montrer que j'étais une baby-sitter drôle, enjouée et imaginative. Et il n'y avait rien de mal à ça. Mais aurais-je eu autant d'imagination pour ce jeu si je n'avais pas entendu parler de ce concours de la baby-sitter du mois ?

Le téléphone a sonné. C'était Mme Rodowsky appelait qui cherchait une baby-sitter pour Jackie, Richie et Archie. J'étais la seule disponible, le job était donc pour moi. Je me suis surprise à penser au meilleur moyen d'impressionner les fils Rodowsky. Ils allaient voter, eux aussi !

Aïe ! J'étais reprise par l'envie de gagner. Le téléphone a sonné encore plusieurs fois et, à la fin de la réunion, nous avions toutes du travail pour la semaine.

Nous étions assez calmes et je me suis demandée si chacune pensait à la même chose que moi : au concours.

Mary Anne et moi sommes rentrées à la maison en vélo. D'habitude, tout en pédalant, nous bavardons mais, ce soir-là, nous ne nous sommes pas dit grand-chose.

Tandis qu'elle roulait à mes côtés, je l'ai regardée du coin de l'œil.

– Mary Anne, tu aimerais bien être la baby-sitter du mois, pas vrai ?

Elle m'a fait un signe de tête timide.

– J'aimerais bien, mais seulement à condition de gagner honnêtement. Je déteste quand nous sommes en rivalité.

J'ai approuvé.

– Moi aussi, mais je suis sûre que nous allons éviter ça, puisque nous en avons discuté, ai-je ajouté en souriant. Ce sera un concours honnête.

Mais vous savez quoi ? J'étais déjà en train de me demander si ce serait le cas.

6

– *Non, pas comme ça ! a hurlé Jenny en me lançant un regard méchant. Tu ne sais pas comment on fait.*
– *Mais si je sais ! ai-je répliqué.*

Je savais parfaitement mettre une couche à un bébé. Mais comme il s'agissait de sa petite sœur, Jenny pensait qu'elle savait mieux ce qu'il fallait faire.

– Andrea n'aime pas être aussi serrée !

Le bébé a poussé un petit cri quand Jenny a tiré sur sa couche.

– Tu vois ? Elle pleure parce qu'elle est trop serrée, a-t-elle insisté.

– Elle pleure parce que tu... oh, et puis non.

Je gardais les enfants Prezzioso et toute dispute avec Jenny était exclue. Pourquoi ? Eh bien, pour deux raisons. D'abord, parce que Jenny peut se transformer en vraie chipie. Voilà, je l'ai dit. J'aime vraiment beaucoup Jenny, mais c'est une enfant gâtée, qui n'en fait qu'à sa tête.

Où en étais-je ? Ah, oui, la deuxième raison : eh bien, il est évident que la baby-sitter du mois ne dispute pas les enfants qu'elle garde. Elle doit être calme, charmante et compréhensive. J'ai laissé Jenny finir de mettre sa couche à Andrea. Mais ça ne lui a pas suffi, elle a continué à me donner des ordres :

– Pas ce pyjama, Andrea le déteste. Elle préfère le rose.

Elle l'a sorti du tiroir.

J'ai serré les dents, pas question de s'énerver.

– Il est très joli, Jenny, lui ai-je dit calmement, mais il est un peu épais. Je ne veux pas qu'Andrea ait trop chaud.

Une bonne baby-sitter choisit avec soin les vêtements des enfants laissés à sa garde.

– Hum, d'accord. Mais c'est moi qui lui mets.

Elle m'a pris le pyjama des mains (après avoir jeté le rose par terre) et s'est mise à pousser les bras d'Andrea dans les jambes du pyjama.

Je me suis baissée pour ramasser le pyjama rose (une bonne baby-sitter ne laisse pas de désordre).

– D'accord, Jenny, ai-je dit d'un ton très patient, c'est bien, mais je crois que les bras doivent entrer par là.

Je lui ai montré comment faire passer les petits bras malmenés d'Andrea dans les manches du pyjama.

– Je le savais. Maintenant, il faut la bercer, ça l'aide à s'endormir.

– Je sais, lui ai-je répondu.

J'ai pris Andrea dans mes bras et j'allais m'asseoir dans le fauteuil à bascule quand Jenny m'a tirée par la manche.

– Tu as oublié sa couverture ! Elle aime l'avoir quand on la berce.

Elle commençait vraiment à m'agacer.

– Pourrais-tu être assez gentille pour aller la chercher et me l'apporter ? lui ai-je demandé.

Et voilà ce qu'elle m'a répondu :

– Non, je veux bercer Andrea. Je sais bien le faire. Toi, tu vas chercher la couverture.

Elle s'est juchée sur le fauteuil à côté de moi. Elle attendait que je lui mette le bébé sur les genoux. Andrea, qui avait l'air fatigué et grognon, s'est mise à pleurer.

– Bon, Jenny, ça suffit !

J'avais essayé d'être patiente, mais elle me tapait sur les nerfs. Elle pensait que c'était elle qui s'y prenait le mieux avec Andrea et, du coup, elle ne me laissait pas la moindre chance de montrer à quel point j'étais une bonne baby-sitter. J'ai fait descendre Jenny du fauteuil.

– Tu vas descendre et m'attendre en bas pendant que je couche Andrea.

– Non, a-t-elle rétorqué, les mains sur les hanches.

– Oh que si ! ai-je répliqué avec fermeté. (Je n'avais pas l'intention de discuter avec elle.) Et tout de suite.

Jenny a fait la moue.

– Je peux au moins faire un bisou à Andrea ?

– Bien sûr. C'est bien que tu aimes autant ta petite sœur.

J'ai regardé Jenny embrasser Andrea sur le front, puis je lui ai fait un signe de tête.

– Bon, vas-y maintenant. Je descends dans une minute.

Jenny est sortie, visiblement mécontente. Je me suis concentrée sur Andrea qui semblait tout près de s'endormir.

Je commençais à lui chanter une berceuse quand le téléphone a sonné. Zut!

– Jenny, ai-je appelé, aussi bas que possible.

Elle ne répondait pas et le téléphone sonnait toujours.

– Jenny, ai-je dit un peu plus fort, va répondre s'il te plaît!

Finalement la sonnerie a cessé. Mais je n'entendais pas Jenny monter les escaliers pour me dire qui avait appelé. J'ai haussé les épaules. On avait peut-être raccroché avant qu'elle ait pu atteindre le téléphone.

J'ai repris ma berceuse. Les paupières d'Andrea ont cillé quelques secondes, puis se sont fermées. Après l'avoir déposée dans son berceau et bordée, je suis descendue. Jenny était en train de dessiner dans le salon. J'ai regardé son œuvre en m'empressant de la complimenter.

– Joli dessin.

Elle a pris un crayon jaune sans dire un mot. Je lui ai demandé qui avait téléphoné.

– Monsieur Personne, m'a répondu Jenny, sans lever les yeux.

– Monsieur Personne? Qu'est-ce que ça veut dire?

– Il n'y avait personne quand j'ai dit allô.

– Tu es sûre?

– Oui, je suis sûre.

Je ne savais que penser. Disait-elle la vérité ou m'en voulait-elle de l'avoir renvoyée de la chambre d'Andrea? J'avais envie de la questionner encore, mais je ne voulais pas la contrarier davantage. J'ai décidé d'abandonner.

– Tu veux jouer à la maîtresse? lui ai-je demandé.

Je savais que c'était son jeu favori. Personnellement, je

trouve ça terriblement ennuyeux. Mais la baby-sitter du mois doit jouer aux jeux qu'aiment les enfants qu'elle garde.

– Non, a dit Jenny, en prenant un crayon bleu.

– Tu ne veux pas ? ai-je demandé, surprise.

– Non, je dessine.

– Je dessine avec toi, alors ? (Il faut savoir faire contre mauvaise fortune bon cœur !)

– Non, il me faut tous mes crayons.

– Oh...

J'ai réalisé, tout d'un coup, que je dérangeais Jenny. Elle semblait avoir envie d'être seule. J'ai donc décidé de la laisser faire ce qui lui plaisait, et nous avons passé la demi-heure suivante dans le salon, tranquillement assises chacune dans notre coin. Jenny dessinait toujours, pendant que je feuilletais un magazine d'informatique d'un ennui mortel.

Au bout d'un moment, j'ai regardé l'heure.

– Oups, Jenny, l'heure d'aller te coucher est déjà passée. Viens, on y va.

Par chance, Jenny ne s'est pas rebellée. Elle a pris son bain et a mis son pyjama en un rien de temps. Je lui ai lu une histoire et je l'ai embrassée.

– Bonne nuit, Jenny.

– Bonne nuit, a-t-elle murmuré.

Elle dormait presque déjà. Je suis sortie de la chambre sur la pointe des pieds et je suis redescendue.

Mes devoirs m'attendaient sur la table de la cuisine. J'ai fait une grimace. Je n'étais pas d'humeur à m'occuper de fractions décimales. J'ai décidé d'écrire à David. J'ai arraché une page de mon cahier d'anglais pour commencer ma lettre.

Cher David, comment vas-tu ? Et comment va cette bonne vieille Californie ? Tu me manques.

C'était nul. J'ai déchiré la feuille et j'ai recommencé.

Cher frérot, alors, quoi de neuf ? Ici à Stonebrook, c'est cool, et sous le soleil de Californie ?

C'était mieux.

Je lui ai donné les dernières nouvelles du voisinage et de maman.

Maman a nettoyé derrière le frigo l'autre jour, et devine ce qu'elle a trouvé ? Le G.I. Joe que tu avais perdu quand tu es venu la dernière fois. Je vais te l'envoyer.

Puis je lui ai parlé du concours de la baby-sitter du mois, mais sans en faire tout un plat, pour ne pas avoir l'air de vouloir gagner à tout prix.

Juste au moment où j'ajoutais un P.-S. amusant, on a sonné à la porte. J'en suis presque tombée de ma chaise. J'ai regardé l'heure. Les Prezzioso étaient-ils déjà de retour ? Ils avaient peut-être oublié leur clé. J'ai couru à la porte d'entrée, le cœur battant, et j'ai regardé par la fenêtre.

Personne.

Mon cœur s'est mis à cogner de plus belle. D'abord, le téléphone qui avait sonné et, d'après Jenny, il n'y avait personne au bout du fil quand elle avait décroché. Maintenant, c'était la sonnette de la porte d'entrée, et il n'y avait personne non plus. Que se passait-il?

J'ai regardé à nouveau par la fenêtre pour être sûre. Ensuite, j'ai déverrouillé la porte, je l'ai entrouverte en laissant la chaîne de sécurité, et j'ai aperçu quelque chose de blanc sur le paillasson. Une enveloppe!

J'ai ôté la chaîne et j'ai ouvert juste assez la porte pour attraper l'enveloppe en me penchant. Puis, je suis rentrée sans oublier de refermer à clé derrière moi. J'ai examiné l'enveloppe un moment. J'avais un mauvais pressentiment. J'ai fini par l'ouvrir et j'en ai sorti une lettre. Quelle horreur! Vous avez déjà vu les messages anonymes qu'envoient les kidnappeurs dans les films? Ils sont composées de lettres découpées dans les journaux. Les criminels font ça pour que personne ne reconnaisse leur écriture, j'imagine.

Eh bien, c'est à ça que ressemblait ma lettre. Voilà ce qu'elle disait:

Et c'était signé MONSIEUR X.

J'ai frissonné. Qui avait pu déposer cette affreuse chose sur la marche de l'escalier ? Était-ce le Monsieur Personne de Jenny ?

Ou bien Jenny ? Pouvait-elle avoir fait cela ? J'ai secoué la tête. Elle n'avait que quatre ans. Je suis monté au premier sur la pointe des pieds pour aller voir les enfants. Elles dormaient paisiblement, leur souffle était régulier.

En redescendant, j'ai glissé la lettre au milieu de mon livre de maths. « Monsieur X » m'avait bouleversée, mais je n'allais sûrement pas montrer sa lettre aux filles du club, ni leur en parler non plus. La baby-sitter du mois devait garder le contrôle de soi, et son travail auprès des enfants devait se dérouler sans heurt. Je ne pouvais prendre le risque de raconter ce qui s'était passé à qui que ce soit.

– *Youpi !*

Jackie agitait son chapeau de cow-boy au-dessus de sa tête, en faisant du rodéo sur un manche à balai.

– En avant, Vif Argent ! a-t-il hurlé, en se dirigeant vers la bibliothèque.

Boum !

Oh, non. J'aurais dû le prévoir. Jackie Rodowsky, surnommé la catastrophe ambulante, est incapable de passer une journée sans casser quelque chose. J'ai couru vers la bibliothèque (j'étais dans le salon avec Archie, le frère de quatre ans de Jackie) pour constater les dégâts. Jackie était assis au beau milieu de la pièce et souriait avec malice.

– Je parie que tu croyais que je m'étais cassé quelque chose, hein ? m'a-t-il demandé.

J'ai hoché la tête.

– Que s'est-il passé alors ?

– Rien, j'ai fait tomber cette petite table (il m'a montré du doigt une table rouge renversée dans un coin de la pièce), mais elle ne s'est même pas cassée ! a-t-il ajouté fièrement.

– Super, ai-je soupiré, soulagée. (Heureusement, les Rodowsky ne mettaient pas d'objets fragiles ou de valeur dans cette pièce où jouaient les enfants.) Mais je crois qu'il est temps de se calmer un peu. Viens avec nous dans le salon ! On est en train de jouer aux sept familles.

– C'est pour les bébés, a rétorqué Jackie. Où est Richie ? Je préfère jouer avec lui.

– Il fait ses devoirs en haut, il a besoin de calme. Allez, viens jouer avec nous. On va s'amuser.

J'étais déterminée à les distraire… j'avais toujours en tête le concours de la baby-sitter du mois.

Je m'attendais à ce que Jackie fasse toute une histoire, mais il s'est levé et m'a suivie au salon.

J'aime beaucoup venir chez les Rodowsky. Vraiment beaucoup. S'occuper de trois petites tornades rousses n'est jamais ennuyeux. C'est la première raison. La seconde, c'est Richie, l'aîné, car il a l'âge de David, mon frère, et il me fait penser à lui. Et puis Archie, le plus jeune des petits Rodowsky, est mignon comme tout. Quant à Jackie, eh bien, c'est un éternel défi. Je n'ai jamais vu un garçon de sept ans se mettre dans des situations aussi folles.

Par exemple, la toute première fois où quelqu'un du club a gardé Jackie, il a réussi à : premièrement, faire tomber la tringle du rideau de douche, alors qu'il cherchait à s'y suspendre ; deuxièmement, renverser un verre plein de jus de raisin sur la moquette du salon ; troisièmement, se coincer une main dans un pot en verre ; quatrièmement, tomber de son vélo ; et cinquièmement, déchirer son jean. Vous voyez le tableau !

Mais il peut aussi être très amusant. Je me souviens de la fois où je l'ai aidé à faire un costume de robot. Une activité pleine de crac ! et de boum !, mais très divertissante.

Bref, Jackie m'a suivie dans le salon et nous nous sommes installés par terre avec Archie. En mon absence, il avait « distribué » les cartes en faisant huit tas désordonnés. Il avait l'air content de lui.

– On joue, Carla ?

– D'accord, mais il faut distribuer à nouveau, car nous ne sommes que trois. Tu peux m'aider ?

Je prenais un tas de cartes, quand le téléphone a sonné.

– Je reviens tout de suite, ai-je dit aux garçons en me dirigeant vers la cuisine pour décrocher.

– Allô ? Allô ?

Il n'y avait personne. J'ai haussé les épaules en raccrochant. Je suis revenue au salon à temps pour empêcher Jackie d'apprendre à Archie à faire un château de cartes. J'ai fait la distribution et on a entamé la partie.

– Tu as la grand-mère Tricot ? a demandé Archie à Jackie.

– Euh, non. Je veux dire… euh… attends une minute. La grand-mère, tu as dit ? Oh, ouais, voilà.

Il a sorti une carte de son jeu et l'a tendue à Archie qui s'est tourné vers moi.

– Tu as le…

Le téléphone a sonné à nouveau. Je me suis levée pour courir décrocher.

– Désolée, Archie, ai-je crié par-dessus mon épaule, je reviens dans une seconde.

J'ai attrapé le téléphone qui se trouvait dans la cuisine.

– Allô ?

Personne n'a répondu.

Soudain, un frisson m'a parcouru l'échine. Était-ce Monsieur Personne ?

– Allô ?

Je ne m'attendais pas vraiment à une réponse. Je ne pouvais y croire. Pourquoi cela arrivait-il ? Et si c'était bien Monsieur Personne, comment avait-il pu m'appeler d'abord chez les Prezzioso et maintenant chez les Rodowsky ?

J'ai claqué des doigts. Mais bien sûr. Alan Gray ! Le garçon le plus odieux du collège. Je me suis souvenue d'une fois où il avait tourmenté les filles pendant des semaines, avant que j'arrive au club. Il avait trouvé dans l'agenda où et quand mes amies gardaient des enfants et avait donné le même type de coups de téléphone que ceux que je venais de recevoir à deux endroits différents. En plus, à cette époque, un voleur surnommé le Visiteur Fantôme sévissait dans Stonebrook. Il appelait chez les gens pour savoir s'il y avait quelqu'un. Si on lui répondait, il raccrochait. Mais si ce n'était pas le cas, il cambriolait la maison. Kristy, Mary Anne, Claudia et Lucy (qui avaient fondé le club) étaient terrifiées, naturellement. Un soir où Mary Anne était chez les Parker, elle a eu si peur qu'elle a bricolé différentes alarmes contre le cambriolage.

Alan Gray a fini par se faire prendre. Kristy a découvert le pot aux roses : il avait donné tous ces coups de fil parce qu'il était amoureux d'elle. Il voulait l'inviter à danser, mais il était trop timide pour lui demander de vive voix. Alors, il s'était rendu détestable.

Et, pour je ne sais quelle raison, il recommençait. Ah, cet Alan Gray ! J'étais furieuse contre lui, mais finalement ces coups de fil me terrifiaient moins depuis que j'imaginais leur auteur.

Alors que je retournais au salon, j'ai entendu sonner à la porte.

– J'y vais ! a hurlé Jackie et je l'ai vu sortir en trombe du salon.

J'ai essayé d'atteindre la porte la première, car une baby-sitter digne de ce nom ne laisse pas de jeunes enfants ouvrir la porte d'entrée. Mais Jackie avait une bonne tête d'avance sur moi.

Badaboum ! Il a renversé le palmier en pot du hall d'entrée, en passant devant. J'ai redressé le pot (par chance la terre ne s'était pas répandue) et Jackie a ouvert la porte.

– Il n'y a personne ! s'est-il exclamé, surpris.

Vous savez quoi ? Moi, je n'étais pas si surprise que ça.

– Regarde, a-t-il ajouté en me tendant une enveloppe, elle était sur le paillasson. C'est quoi ?

A ce moment-là, le téléphone a sonné à nouveau. J'ai levé les yeux au ciel. Jackie a filé en criant :

– Je prends !

Je l'ai vu à nouveau frôler le palmier que j'ai couru retenir avant qu'il ne tombe. J'ai mis l'enveloppe dans ma poche arrière et je me suis précipitée derrière Jackie, mais il était trop tard. Il avait décroché et, à son expression, j'ai compris qu'il n'y avait personne au bout du fil.

– Que se passe-t-il ? a demandé Richie qui entrait dans la cuisine. Jackie a encore cassé quelque chose ?

– Tout va bien, Richie, l'ai-je rassuré.

– C'est pas vrai ! s'est écrié Jackie. D'abord j'ai ouvert la porte et il n'y avait personne, ensuite j'ai répondu au téléphone, et il n'y avait personne non plus !

Richie m'a jeté un regard interrogateur. J'ai haussé les épaules en affirmant :

– Il n'y a pas de quoi s'inquiéter.

– Mais c'est peut-être un cambrioleur qui surveille la maison, a dit Richie, j'ai vu un film à la télé où...

– Un voleur ? a repris Jackie en ouvrant de grands yeux. Il faut appeler la police.

Il s'est dirigé vers le téléphone mais je l'ai tout de suite retenu.

– Attends une minute, restons calmes. Venez au salon pour que je puisse garder un œil sur Archie, nous parlerons là-bas.

Jackie et Richie m'ont suivie au salon.

– Où est passée cette lettre qu'on a reçue ? a demandé Jackie, une fois installé sur le canapé.

– Quelle lettre ?

J'avais presque oublié l'enveloppe sur le paillasson, que j'avais cachée pour ne pas en parler aux garçons.

– Ouais, la lettre, a repris Jackie, c'est peut-être une invitation à un goûter d'anniversaire.

– On a reçu une lettre ? s'est étonné Richie.

J'ai poussé un long soupir avant de sortir la fameuse enveloppe de ma poche.

– La voilà.

69

Je l'ai ouverte et c'était, hélas, un autre mot de Monsieur X, en lettres découpées :

Jackie a lu à haute voix, lentement, car les mots étaient difficiles à déchiffrer :

– Je t'ibserv… t'observe…

– C'est bizarre, est intervenu Richie, on dirait de ces lettres qu'envoient les kidn…

Je l'ai coupé avant qu'il puisse finir et effrayer Jackie.

– Ce n'est rien, ai-je expliqué, juste une blague. Un garçon de mon école qui me fait une farce.

Richie m'a regardée attentivement.

– Tu es sûr qu'on ne devrait pas appeler la police ?

– Tout à fait sûre, ai-je affirmé, en regardant l'heure à ma montre. Allez, c'est l'heure, Archie doit aller au lit et vous deux, préparez-vous à le suivre bientôt.

Richie n'avait pas l'air convaincu, mais il m'a aidé à mettre Archie au lit, puis il a enfilé son pyjama, pendant que Jackie se brossait les dents. Jackie était un peu effrayé, je l'aurais parié. Richie aussi, bien qu'il ne veuille pas l'admettre.

J'ai bordé les garçons dans leur lit, essayant de les rassurer.

– Vos parents vont bientôt rentrer à la maison, il n'y a pas de quoi s'inquiéter.

Je suis descendue et me suis dirigée vers l'annuaire. J'allais mettre un terme à l'affaire Monsieur X/Monsieur Personne, immédiatement.

« Voyons un peu, me suis-je dit, Graff, Graham, Grant, Gray, ah, voilà. » J'ai décroché le téléphone et ai composé le numéro. Une dame m'a répondu, j'ai demandé Alan.

– Alan n'est pas là, mon petit, m'a répondu Mme Gray.

Aha ! Je le savais bien. Il était dehors à sonner aux portes et à téléphoner.

– Il est allé à un match de basket à Stamford avec son père, ils rentreront tard ce soir.

Hum. J'ai vite réfléchi. Même Alan ne ferait pas des farces téléphoniques d'aussi loin. Par ailleurs, s'il était à Stamford, comment aurait-il pu déposer une lettre sur le paillasson ?

– Y a-t-il un message pour Alan ? a demandé Mme Gray.

Elle semblait un peu inquiète, sans doute à cause de mon silence.

Un message ? Euh… je n'avais pas prévu ça.

– Euh…, ai-je répondu, essayant de gagner du temps.

Mais je ne trouvais rien à dire. Après quelques secondes qui m'ont paru des heures, j'ai raccroché tout bêtement.

J'étais tellement gênée ! Heureusment que je ne m'étais pas présentée.

« Bien joué, Agatha Christie, me suis-je dit, vraiment malin. »

Je n'avais pas avancé d'un pouce dans l'identification de Monsieur X ou Monsieur Personne. Je n'étais sûre que d'une chose : ces deux personnages n'étaient qu'une seule et même personne. Et je commençais à m'inquiéter.

SAMEDI

Ça m'ennuie de dire ça, mais parfois, quand les parents établissent des règles, c'est qu'ils ont de bonnes raisons.

Par exemple, toutes sortes de règlements mis au point par mes parents semblent ridicules, comme l'interdiction de porter des minijupes ou de rester trop longtemps au téléphone.

Mais peut-être bien que ce n'est pas si bête de m'interdire de regarder des films d'horreur.

Bien sûr, je ne le reconnaîtrai jamais devant eux, mais pour Rebecca, ce règlement pourrait bien être utile, et peut-être pour moi aussi...

Ce samedi soir-là, Jessica gardait Rebecca et P'tit Bout. Elle adore garder des enfants le soir, mais elle n'a le droit de le faire que pour son frère et sa sœur. Et ça n'arrive pas souvent, depuis que sa tante Cecilia est venue vivre chez les Ramsey. A son arrivée, Jessica et Rebecca ont cru devenir folles. C'est elle qui a établi toutes les règles de vie de la famille et elle traitait les deux filles comme de vrais bébés. Maintenant, elles se sont habituées, mais parfois Jessica a l'impression qu'elle doit encore faire ses preuves aux yeux de sa tante. Elle doit agir avec maturité et se montrer responsable. Quel ennui !

Toujours est-il que ce soir-là, tante Cecilia était allée à l'opéra de New York (eh oui !). Et les parents de Jessica avaient été invités à dîner chez le patron de Mme Ramsey. C'est donc Jessica qui gardait Rebecca et P'tit Bout. Mme Ramsey venait d'acheter de nouveaux sacs de couchage à ses filles. Jessica comptait se servir du sien pour aller dormir chez ses amies et il était soigneusement rangé dans un placard. Rebecca, elle, ne pouvait se séparer du sien. Elle aimait l'étendre devant la télévision, elle disait qu'elle faisait du camping. Ce qui signifiait, en général, qu'elle s'allongeait sur le sac de couchage pour regarder le *Cosby Show*, son émission favorite.

Ce soir-là, Rebecca avait laissé P'tit Bout camper avec elle et ils s'étaient glissés tous les deux dans le sac de couchage. Rebecca chatouillait P'tit Bout, pour qu'il éclate de ce petit rire spécial qu'elle aimait tant. P'tit Bout criait plus qu'il ne riait mais, à ses cris, Jessica aurait juré qu'il adorait ça. Elle laissait donc faire Rebecca.

De toute façon, Jessica était occupée à faire la vaisselle du

73

dîner et à nettoyer la cuisine. Elle savait que sa tante serait impressionnée par une cuisine impeccable, donc elle faisait de son mieux pour la rendre plus propre encore qu'avant le dîner.

Elle fredonnait tout en s'activant. C'était une chanson qui accompagnait ses exercices de danse et elle l'avait entendue si souvent qu'elle aurait pu la chanter en dormant. Comme elle prenait la dernière assiette sur l'évier, elle a entendu P'tit Bout pousser une fois encore des cris aigus. Seulement cette fois, ils ne disaient plus : « je m'amuse comme un fou », mais plutôt : « j'en ai assez de ce jeu ». Jessica a laissé tomber son torchon pour courir au salon.

P'tit Bout pleurnichait toujours. Rebecca, l'air coupable, a levé les yeux vers Jessica.

– Je ne voulais pas… essayait-elle de dire.

– C'est bon, a répondu Jessica, je crois simplement que notre P'tit Bout a sommeil.

Ce dernier avait cessé de crier dès qu'il avait entendu la voix de Jessica. Il se frottait les yeux de manière à lui faire comprendre qu'il était prêt à dormir. Jessica l'a consolé en le prenant des ses bras.

– Viens vite au lit, mon bonhomme.

Elle a monté P'tit Bout à l'étage et l'a déshabillé. et après l'avoir changé, l'a glissé dans une grenouillère violette, ornée de dinosaures. Elle s'est assise avec lui dans le fauteuil à bascule et s'est mise à lui fredonner sa chanson du cours de danse. Mais P'tit Bout avait du mal à trouver le sommeil. Il se frottait les yeux, pleurait un peu, puis souriait à Jessica, frottait ses yeux et pleurait à nouveau.

– Becca, a appelé Jessica, peux-tu remplir d'eau un des biberons de P'tit Bout et me le monter ?

Jessica ne voulait pas donner de lait à P'tit Bout avant de le coucher, car sa mère lui avait dit que cela pouvait être mauvais pour les dents.

– J'arrive, a répondu Rebecca, qui est apparue en quelques minutes avec le biberon. Est-ce qu'il s'endort ? Il y a un film que je veux voir avec toi et il commence bientôt.

– Je redescends tout de suite, a dit Jessica, je nous préparerai du pop-corn et on pourra voir le film.

Rebecca a fait un grand sourire et s'est précipitée en bas.

Le biberon a fait merveille et, en quelques secondes P'tit Bout a sombré dans le sommeil. Jessica lui a caressé un peu la joue, a vérifié qu'il dormait et est sortie de la chambre sur la pointe des pieds.

Rebecca était dans la cuisine quand Jessica est redescendue.

– J'ai sorti le maïs et l'huile, a-t-elle fièrement annoncé.

– Super ! C'est quoi le film que tu veux voir, alors ?

Rebecca n'a pas répondu tout de suite. Puis de manière presque inaudible, elle a dit très vite :

– *L'homme-serpent-lâché-dans-la-ville.*

– Quoi ? a demandé Jessica. Je n'ai rien compris.

– *L'homme-serpent lâché dans la ville*, a répété Rebecca lentement.

– Tu plaisantes, ou quoi ? C'est un titre de film d'horreur.

– Eh bien, c'en est un.

– Becca, tu sais que tu n'as pas le droit de regarder ce genre de films.

– Pour une fois ! A l'école, tout le monde regarde ces

films. Et Charlotte l'a déjà vu et elle dit qu'il est vraiment, vraiment cool.

– Charlotte Johanssen ? Sa mère lui laisse voir des films d'épouvante ? a interrogé Jessica

– En fait, pas vraiment, mais une fois de temps en temps, Charlotte en voit un.

– Tu m'en diras tant !

Rebecca a commencé à supplier Jessica :

– S'il te plaît !

– Je ne pense pas que…

– Charlotte m'a parlé de ce concours de la baby-sitter du mois, a soudain repris Rebecca, changeant de sujet, c'est sympa. (Elle regardait Jessica du coin de l'œil.) Je me demande pour qui je vais voter.

Jessica a évidemment compris le message. Et elle n'a pu s'empêcher de mordre à l'hameçon, malgré elle.

– Oh, et puis d'accord, juste pour cette fois. Mais on éteindra si ça fait trop peur. Et tu dois me promettre de ne pas le dire à maman et à papa. Ou à tante Cecilia. Surtout à tante Cecilia.

Rebecca a acquisecé avec enthousiasme :

– D'accord, d'accord. Promis, juré, craché !

Jessica a souri.

– J'espère que ça ira, aide-moi à apporter tout ça au salon.

Elles ont chargé un plateau de verres de jus de pomme, d'un bol de pop-corn, de serviettes et se sont dirigées vers le salon.

Rebecca s'est précipitée sur le téléviseur pour l'allumer.

– Le film passe sur la six. Regarde, ça commence juste.

On voyait un vampire sur l'écran et en titre : « Nuit du

film fantastique », écrit en lettres tremblées. Le film a commencé. Au début, c'était assez drôle. Il racontait l'histoire d'un garçon qui avait avalé par erreur des produits chimiques, et qui s'était à moitié transformé en serpent. Il errait dans la ville, effrayant les gens sur son passage. Jessica et Rebecca ont éclaté de rire quand une dame a fait un saut de deux mètres en voyant l'homme-serpent se faufiler près d'elle.

Mais, peu à peu, ça se gâtait : l'homme-serpent suivait une adolescente, de l'école jusqu'à chez elle. Il se cachait dans son armoire et l'observait en train de faire ses devoirs. Il avait projeté de verser dans son verre d'eau des produits chimiques qui feraient d'elle un serpent aussi. Ainsi, il aurait de la compagnie car il se sentait seul.

Dans la scène où il se cachait dans l'armoire, la musique faisait vraiment peur. Jessica, subjuguée, regardait le serpent onduler vers la table où se trouvait le verre d'eau.

– Oh, non ! dit-elle, tout bas.

Jessica a alors entendu un son plaintif. Elle a détaché son regard de l'écran et s'est tournée vers sa sœur. Rebecca se bouchait les oreilles. Ses yeux étaient hermétiquement clos.

– Becca !

Mais elle ne l'entendait pas.

– Becca ! a répété Jessica, plus fort cette fois.

Rebecca a levé les yeux vers elle : elle était terrifiée. Jessica s'est immédiatement levée pour éteindre la télé.

– Bon, ça suffit. Je savais que c'était une erreur. Allez, viens au lit.

Rebecca n'a pas protesté. Elle tenait la main de Jessica dans les escaliers.

– Tu crois qu'il va la transformer en serpent ?

– Non, je suis sûre qu'elle sera sauvée par sa mère, a répondu Jessica, d'un ton peu convaincu.

Elle a frissonné. C'était tellement horrible qu'il valait mieux ne pas y penser.

Rebecca a eu le plus grand mal à s'endormir, cette nuit-là, et Jessica a dû rester un bon moment à côté d'elle et lui lire une histoire.

– Je veux que tu laisses la lumière, a dit Rebecca qui tombait de sommeil, et laisse aussi ma porte ouverte.

Rebecca endormie, Jessica est tout de suite redescendue, mais elle n'a pas allumé la télévision. Elle s'est écroulée sur le canapé, avec un soupir de soulagement, sachant qu'elle pouvait enfin se détendre, puisque Rebecca et P'tit Bout dormaient.

Se détendre ? La pauvre Jessica n'en a vraiment pas eu l'occasion. Ce qui s'est passé après a été bien plus effrayant que l'histoire de l'homme-serpent, mais Jessica ne nous en a rien dit pendant longtemps. Je crois qu'elle a gardé ce secret parce qu'elle avait honte d'avoir eu si peur. Comme elle est l'une des plus jeunes d'entre nous, elle pense qu'elle doit nous impressionner.

Tout d'abord, il y a eu un coup de fil dans le genre de celui que j'avais reçu. Quand elle a décroché, il n'y avait personne au bout du fil. Environ dix minutes plus tard, on a sonné à la porte. Quand elle a ouvert, il n'y avait personne non plus. Mais, sur le pas de la porte, elle a trouvé un bouquet de fleurs.

Qu'y avait-il donc de si effrayant là-dedans ? Eh bien, voilà : il n'y avait pas de fleurs au bout des tiges. Juste un bouquet de tiges sèches. En plus, elles étaient accompagnées d'un mot de Monsieur X, évidemment :

Avec tous les voeux
d'un admirateur
secret.

A l'instant où Jessica se remettait de ce choc, elle a entendu un cri strident, venant de l'étage. Le cœur battant, elle a monté les escaliers. Elle a trouvé Rebecca assise dans son lit en train de pleurer. Elle venait de faire un cauchemar sur l'homme-serpent.

Rebecca pleurait encore quand tante Cecilia est rentrée à la maison. Elle a bien sûr tout de suite demandé des explications.

– Qu'est-ce qui se passe ?

Rebecca lui a tout raconté. Jessica n'a pas pu l'arrêter, mais elle a évité de parler du faux coup de fil et du bouquet fané. Ce qui n'a pas empêché tante Cecilia d'être furieuse contre Jessica et Jessica d'être en colère contre Rebecca, qui avait vendu la mèche. Après cette folle soirée, elle savait qu'elle avait gâché ses chances d'être la baby-sitter du mois.

Quelques jours plus tard, Mary Anne et Mallory se trouvaient chez les Pike pour garder les enfants. Aucune des deux ne savait ce qui nous était arrivé à Jessi et à moi.

Nous avions décidé l'une comme l'autre de ne pas parler de Monsieur X, en raison du concours et parce que tout ça n'avait rien de drôle. Voilà ce qui s'est passé chez les Pike.

M. et Mme Pike étaient partis depuis une demi-heure environ. Mallory et Mary Anne surveillaient le déroulement du dîner qui, comme toujours chez les Pike, était mouvementé.

En effet, M. et Mme Pike ont décidé, il y a longtemps, de ne pas être trop exigeants sur la tenue d'une maison de huit enfants. Ils pensent qu'établir un tas de règles à propos des repas est particulièrement stupide. Ils font simplement des réserves de toutes sortes d'aliments et les enfants sont autorisés à manger ce qu'ils veulent.

Ça semble marcher. Les enfants Pike ont l'air robustes. Le seul problème dans tout ça, c'est qu'une absence de règles alimentaires conduit à des épisodes très difficiles dans la cuisine des Pike. Quand, par exemple, les enfants sont dans leur phase beurre de cacahuète et sandwichs à la sardine. (Aïe, aïe, aïe !) Par chance, ce soir-là, Mallory avait décidé d'éviter le charivari qui ne manquerait pas de se déclencher si chacun de ses sept frères et sœurs optait pour le dîner de son choix.

Elle a préparé un énorme plat de spaghettis, le seul plat qu'ils aiment tous. Mais, si elle s'imaginait obtenir un dîner calme et discipliné, elle se trompait. Chacun voulait manger ses spaghettis différemment. Je suppose que dans une famille de cette taille, les enfants ont besoin de s'affirmer comme individus, et toute occasion est bonne. Les triplés voulaient leurs spaghettis dans des bols à céréales. Mais ils se querellaient sur la couleur des bols.

– Je veux le jaune, a dit Adam.

Jordan ne voulait pas le laisser faire à sa guise.

– C'est toujours toi qui as le jaune, je le veux cette fois.

– Battez-vous pour le jaune, est intervenu Byron, pourvu que j'aie le bleu.

– Le bleu ? J'avais oublié qu'on en avait un bleu, a continué Adam.

Il l'a arraché des mains de Byron. Ce dernier a ouvert la bouche pour protester, mais Mallory est intervenue.

– Vous aurez tous un bol blanc, maintenant asseyez-vous et mangez.

Vanessa, neuf ans, a été la suivante à faire une histoire à propos de la vaisselle.

– Mon assiette est ébréchée, je ne peux le supporter.

Vous ai-je dit que Vanessa voulait être poète ? Elle parle en rimes aussi souvent que possible.

Mary Anne voyait bien que l'assiette de Vanessa n'était pas du tout ébréchée – c'était juste le prétexte à faire une rime – mais elle lui en a donné quand même une autre.

Puis Nicky est entré en scène.

– Je veux manger avec des baguettes, a-t-il annoncé.

Mallory l'a regardé, surprise.

– Où as-tu pêché cette idée ?

– J'ai vu des gens le faire à la télé, ça avait l'air drôle.

Mallory doutait légèrement que Nicky, huit ans, soit capable de manger des spaghettis avec des baguettes, mais elle a décidé de lui faire plaisir. Elle savait qu'il y en avait une paire dans un tiroir de la cuisine et elle s'est mise à sa recherche.

Pendant ce temps, Mary Anne s'occupait de Margot qui se montrait très difficile sur la façon de disposer ses spaghettis sur son assiette.

– La sauce ne doit pas toucher un seul spaghetti avant que je les mélange.

La pauvre Mary Anne a essayé trois fois de suite de lui préparer une assiette selon ses désirs. Puis elle a renoncé et a invité Margot à se servir elle-même.

Et Claire ? Claire n'a que cinq ans et elle faisait l'intéressante. Ses spaghettis étaient déjà servis dans son bol décoré préféré et elle les mangeait un par un, essayant de les aspirer, imitant les triplés. Elle avait pourtant beaucoup de mal à « capturer » ses spaghettis, elle les poursuivait avec sa fourchette en hurlant :

– Venez ici stupides petites-bêbêtes-gluantes-spaghettis !

Enfin, tout le monde a été servi. Mary Anne et Mallory se sont écroulées sur leurs chaises, en échangeant un sourire las. Et Nicky s'est mis à chantonner :

– Joli petit ver de terre...

– Ah, ça, non, Nicky, a très vite réagi Mallory. Pas question de chanter ça quand on mange des spaghettis. Tu sais que ça rend Margot malade.

Nicky a cessé une minute. Puis il a entamé une nouvelle chanson :

– De beaux boyaux bruyants...

– Ça non plus, a rétorqué Mallory. Et si tu arrêtais de chanter pour de bon ?

– Pas de chanson, pas de chanson, a-t-il fredonné.

Jordan et Adam s'y sont mis aussi :

– Pas de chanson, pas de chans...

Et puis, juste au moment où Mallory allait perdre patience, on a sonné. Elle a bondi joyeusement et a couru ouvrir. Vous avez deviné ? Eh oui, il n'y avait personne. Juste un mot écrit. De Monsieur X évidemment, qui disait ceci :

A la place du mot « œil », on avait collé l'image d'un

énorme et horrible globe oculaire qui fixait Mallory bien en face.

– Ma-Mary Anne ? a-t-elle crié de l'entrée, peu-peux-tu venir vite ?

Mary Anne est sortie en courant de la salle à manger sans remarquer qu'Adam était sur ses talons. Mallory ne l'a pas vu non plus.

– Regarde, ce n'est rien, hein ? Juste une blague idiote.

Elle ne voulait pas montrer sa peur à Mary Anne. La baby-sitter du mois ne se laisserait pas effrayer aussi facilement.

– Tu as raison, a répondu Mary Anne en adoptant un ton d'adulte, inutile de s'inquiéter pour ça. Mais assurons-nous que les enfants ne voient rien. Eux, ils pourraient être effrayés.

Elle espérait que sa voix était calme et posée.

A ce moment-là, Adam est sorti en courant de derrière le porte-manteau et a attrapé la lettre :

– C'est quoi ? Je veux voir.

Il a lu le mot et est devenu tout blanc.

– Quelqu'un veut faire du mal à Frodo ! Il faut le protéger !

Et avant que Mary Anne et Mallory aient pu l'arrêter, il s'est rué dans la salle à manger pour annoncer la nouvelle aux autres.

Nicky a tout de suite hurlé :

– Frodo est en danger ! Nous allons le protéger.

Il a monté quatre à quatre les escaliers, ses frères et sœurs à la queue leu leu derrière lui, et il a sorti Frodo de sa cage.

– Nous devrions le cacher.

Jordan avait une idée.

– Je sais, mettons-le dans une boîte à chaussures. Comme ça, quand Monsieur X viendra près de la cage, Frodo n'y sera pas.

Il a couru dans sa chambre et a pris la boîte de ses baskets neuves. Adam et Byron l'ont aidé à faire des trous pour l'aération. Puis ils ont installé Frodo dans la boîte (avec un gant de toilette en guise de lit) et ils l'ont caché en haut d'un placard.

Mary Anne et Mallory étaient désarmées. Il n'y avait aucun moyen d'empêcher les enfants de vouloir « sauver » Frodo. Mais elles se sont senties soulagées quand les triplés ont décidé d'un commun accord qu'il était en sécurité sur le placard.

Par malheur, dix minutes plus tard, Vanessa a pensé que Frodo risquait d'avoir peur, tout seul dans le noir.

– Il faut un meilleur endroit, mais où ? Dehors ?

Margot a eu l'idée de mettre la boîte à chaussures dans le four.

– Personne n'ira chercher là, a-t-elle expliqué, et on peut le surveiller par la vitre.

Mallory l'en a dissuadée en faisant remarquer que quelqu'un pourrait allumer le four, sans regarder d'abord à l'intérieur.

Margot a répondu, paniquée :

– On ne veut pas faire cuire Frodo, on veut le sauver !

Nicky a décidé que la meilleure solution était de monter la garde, à tour de rôle.

– Comme ça, on sera là si quelqu'un veut lui faire du mal, a-t-il conclu.

Les enfants sont partis en groupe au salon avec Frodo.

Pendant ce temps, Mary Anne a vérifié que les portes et les fenêtres étaient bien fermées, au cas où. Mais, quand elle a ouvert la porte de service pour jeter un coup d'œil dehors, elle a reçu un choc plutôt désagréable. Il y avait une souris morte sur le seuil !

– Mallory ! (Mallory est arrivée en courant.) Regarde, tu penses que c'est un avertissement ? J'ai peur. (Cette fois, elle ne songeait pas à cacher son inquiétude.)

– Je ne sais pas, lui a répondu Mallory, j'ai un peu peur aussi. Mais les enfants ne doivent pas s'en rendre compte. La souris a peut-être été déposée là par un chat, après tout.

Elle a pris un balai et a envoyé le rongeur dans les buissons.

Après une longue conversation, Mallory et Mary Anne sont tombées d'accord pour garder secrets les événements de la soirée, car elles pensaient que l'histoire ne ferait qu'effrayer tout le monde, sans raison. Elles étaient convaincues qu'un farceur était derrière tout ça et qu'il n'y avait pas de quoi avoir peur.

Quand Mary Anne est rentrée à la maison ce soir-là, je dormais. Une fois dans sa chambre, elle a mis longtemps à se calmer avant de pouvoir s'endormir.

Au milieu de la nuit, je me suis réveillée brutalement et j'ai regardé autour de moi dans le noir. Je ne savais pas ce qui m'avait réveillée mais, tout en scrutant l'obscurité, j'ai entendu de drôles de bruits : scratch, scratch, pfft, pfft ! Les bruits venaient du passage secret qui aboutit dans ma chambre ! J'étais si terrifiée que je me suis précipitée dans la chambre de Mary Anne. Je l'ai secouée pour essayer de la réveiller. Elle a poussé un cri aigu. Je lui ai dit de se taire, puis j'ai fermé la porte à clé – au cas où – et j'ai allumé.

– Mary Anne, c'est moi, ai-je chuchoté, j'ai entendu du bruit dans le passage !

– C'est Monsieur X ! a-t-elle annoncé dans un sifflement. Il est dans notre maison ! Oh, mon Dieu !

– Monsieur X ? Tu en as entendu parler, toi aussi ?

– Il était chez les Pike, ce soir, a-t-elle répondu.

Elle m'a raconté l'histoire et je lui ai parlé à mon tour de mon expérience avec Monsieur X.

– Pourquoi ne m'as-tu rien raconté plus tôt ? m'a-t-elle demandé.

– Je ne sais pas, je voulais me montrer une baby-sitter accomplie et gagner le concours, j'imagine.

Mary Anne a hoché la tête.

– Je comprends. Au début, j'ai pensé la même chose. Et Mallory aussi, sans doute. Nous avons décidé de n'en parler à personne, mais nous devrions quand même. Ça devient plutôt inquiétant, non ?

– Je ne sais pas, je continue à penser que nous devrions garder ça pour nous. Après tout, Monsieur X n'a encore vraiment rien fait. C'est juste quelqu'un qui nous fait marcher. Je serais morte de honte si cette personne découvrait à quel point ses bouts de papier débiles nous paniquent.

– Quand même, et ces bruits ? Tu crois que Monsieur X peut être dans le passage ?

J'ai réfléchi un moment.

– Non, je parie que ce sont des écureuils ou quelque chose comme ça. Il n'y a pas de quoi s'inquiéter.

Malgré tout, j'ai passé le reste de la nuit dans la chambre de Mary Anne.

Vendredi

Oui, vendredi 13.

La nuit était sombre et orageuse en plus. Il aurait pu arriver n'importe quoi - et il s'est passé un tas de choses.

Attendez que je commence par le début.

Le lendemain du baby-sitting de Mary Anne chez les Pike, Kristy gardait les petits Korman mais elle ignorait encore tout de ce qui était arrivé à Mary Anne et Mallory. Allait-elle à son tour avoir affaire avec Monsieur X ?

Quand Kristy est partie de chez elle, le ciel était couvert et le vent soufflait légèrement. Quand elle a sonné à la porte des Korman, elle a remarqué que le ciel avait viré au vert-jaune. Les arbres pliaient sous les rafales de vent, quelques gouttes de pluie tombaient déjà.

– Bonsoir, Kristy ! l'a saluée Mme Korman. On dirait qu'un

vilain orage se prépare, je ferais bien de prendre mon parapluie. Rentre vite, avant d'être trempée. Skylar dort et...

A ce moment-là, Bill, neuf ans, est arrivé en courant dans l'entrée.

– Ouah ! Regardez le ciel ! Je vais prévenir Melody qu'il va y avoir de l'orage. Elle a peur du tonnerre.

Il a couru à la recherche de sa sœur. Melody a rejoint Kristy, bouleversée. Elle n'a que sept ans et elle est assez peureuse.

– Bill dit qu'il va y avoir un gros orage, a-t-elle gémi, et comme en plus on est vendredi treize, il peut arriver des choses horribles.

Kristy a froncé les sourcils.

– Bill, pourquoi fais-tu peur à ta sœur ?

Puis elle a souri à Melody pour la rassurer.

– C'est une superstition de croire à ces histoires de vendredi treize et un orage n'est... hum... qu'un orage. Il va vite passer.

Kristy avait oublié qu'on était un vendredi treize, et elle aurait bien aimé que Bill ne le lui rappelle pas. Elle n'est pas vraiment superstitieuse, mais, bon, vous comprenez.

– Vous savez quoi ? a-t-elle poursuivi. On va fermer toutes les fenêtres pour être bien au chaud et à l'abri dans la maison. Comme ça, cet affreux orage ne nous embêtera pas.

Melody avait l'air séduite par l'idée de Kristy.

– Oh, d'accord, mais on le fait ensemble, hein ? J'ai encore peur.

Ils ont fait le tour de la maison en vérifiant toutes les fenêtres. Au fait, la maison des Korman est très grande. Peut-être plus encore que celle de Kristy.

En atteignant le seuil du premier étage, ils ont entendu un cri aigu et sinistre. Kristy m'a raconté plus tard qu'elle s'en est mordu la langue d'effroi. Melody, qui s'était collée contre elle, lui a presque sauté dans les bras.

– Que… qu'est-ce que c'est ? a demandé Bill.

Il était livide.

– Je ne sais pas, a répondu Kristy, mais ça venait de cette direction.

Elle a désigné du doigt le hall d'entrée en bas. Et elle s'y est dirigée.

– Non, non, a dit Melody, en essayant de la retenir, je ne veux pas y aller !

Il y a eu un nouveau cri, et soudain le visage de Bill de blanc est redevenu tout rose. Il semblait embarrassé.

– Vous savez quoi ? J'ai compris, c'est Skylar !

Kristy a éclaté de rire, soulagée.

– Tu as raison ! Je ne l'ai jamais entendue crier de cette façon, je n'aurais jamais cru qu'un bébé puisse pousser ce genre de hurlement.

Cette fois, elle a couru vers la chambre de Skylar, en espérant que ni Bill ni Melody n'avaient remarqué qu'elle avait eu peur et que même si c'était le cas, cela ne les empêcherait pas de voter pour elle.

– Skylar crie comme ça parce qu'elle fait ses dents, a expliqué Bill, maman dit qu'on dirait la cabosse, un truc comme ça.

Melody a ri avant de reprendre son frère :

– Pas cabosse, Carabosse. La fée Carabosse, c'est une sorcière. J'espère qu'elle ne va pas crier comme ça sans arrêt. Ça fait mal aux oreilles.

Pour l'instant, Melody semblait avoir oublié l'orage.

Entre-temps, ils étaient parvenus à la chambre de Skylar, et Kristy, qui l'avait sortie de son berceau, tentait de l'apaiser.

– Là, là, je suis là maintenant. Tout va bien. (Skylar a cessé de crier et a souri à Kristy.) Bon, a-t-on fini de fermer les fenêtres ? On dirait que l'orage se rappro...

Boum ! Un énorme coup de tonnerre a éclaté. Melody a hurlé et a essayé de se mettre à l'abri sous le berceau de Skylar. Kristy a tout de suite trouvé les mots pour la tranquilliser.

– Tout va bien, le tonnerre ne te fera pas de mal. Allons à la cuisine boire un chocolat chaud.

Elle a fait descendre les enfants. Après avoir installé Skylar dans son parc, Kristy s'est attelée à la préparation du chocolat. Elle espérait qu'il aurait des vertus calmantes. L'orage approchait et Melody était très, très nerveuse. Juste quand Kristy versait le lait dans une casserole, un autre coup de tonnerre a retenti et la lumière s'est éteinte.

– Oh, non ! a gémi Melody, en se mettant à pleurer. J'ai peur.

Bill a soufflé en imitant un fantôme :

– Wouhou, Wouhou, je vais t'attraper...

Kristy ne l'a pas laissé faire.

– Bill !

Elle a réfléchi très vite. Un, il fallait calmer Melody. Deux, elle devait trouver des lampes de poche. La maison était affreusement sombre. Kristy a repensé au vendredi treize. Un frisson l'a parcourue. Brr, elle avait la chair de poule.

Heureusement, l'électricité est revenue à ce moment précis. Kristy a reposé la brique de lait et a embrassé Melody.

– Tu vois ? Il y a à nouveau de la lumière. Tout va bien.

Melody reniflait.

– J'espère qu'elle va rester.

Kristy a alors eu une idée.

– Hé, les enfants, vous savez jouer à la Maison de grand-mère ? Vous savez, ce jeu où le premier joueur dit : « Je vais chez grand-mère, je lui apporte du chocolat. » Puis le deuxième dit : « Je vais chez grand-mère, je lui apporte du chocolat et une paire de chaussons. » Chaque joueur doit se souvenir de tout ce qui a été apporté.

Elle espérait que le jeu distrairait Melody. Bill s'est tout de suite exclamé :

– Ouais ! Je commence, d'accord ?

Kristy a hoché la tête, tout en lui tendant une tasse de chocolat.

– Je vais chez grand-mère, a-t-il commencé, et je lui apporte un ver gluant !

– Beurk ! Il ne peut pas apporter ça, hein, Kristy ?

– Il peut apporter ce qu'il veut, a répondu Kristy à Melody en lui tendant une tasse de chocolat. Après ce sera ton tour et tu pourras apporter ce que toi tu veux.

– Je vais chez grand-mère, a entonné Melody, qui réfléchissait en parlant, et je lui apporte un… (elle a froncé le nez) un ver gluant et… et… et… un joli chiot ! a-t-elle ajouté, rayonnante.

– Bien ! a dit Kristy.

Elle s'est assise à la table avec sa propre tasse de chocolat et des biscuits pour tout le monde. Skylar n'a pas tardé à en ronger un avec grand plaisir.

– D'accord, c'est à moi. Je vais chez grand-mère et je lui

apporte un ver gluant, un joli chiot et une girafe géante ! a ajouté Kristy.

Le jeu s'est poursuivi un moment. Bill était au beau milieu de son énumération : ... « une girafe géante, deux tortues qui muent, cinq paires de baskets fluorescentes, dix petits poissons d'argent, un fromage qui sent mauvais... », quand Kristy a constaté que l'orage était fini. Le tonnerre n'était plus qu'un écho lointain. Elle a poussé un soupir de soulagement, mais soudain le téléphone a sonné tout près d'elle. Kristy a sursauté.

– A-Allô ?

Pas de réponse.

– Allô ! a répété Kristy. (Elle déteste ce genre d'appels bizarres.) Qui est à l'appareil ?

– Oh, chérie, a dit une voix, je suis désolée. Je ne t'ai pas entendue la première fois. C'est maman.

– Maman ! Qu'est-ce qui se passe ?

– Je voulais juste m'assurer que tout allait bien, la lumière a été coupée un instant chez nous, mais elle est revenue. C'était pareil pour vous ?

– Oui, a dit Kristy, la lumière est revenue ici aussi. Tout va bien. Merci d'avoir appelé.

Bill n'avait pas fini la liste de la « grand-mère », quand Kristy a raccroché.

– ... fourmilier, une boîte de mots très durs à prononcer et un ours rose en peluche. (Il a souri triomphalement.) J'y suis arrivé !

– Bravo, l'a félicité Kristy, mais devine ce qu'on va faire maintenant ?

– Aller au lit, je parie, est intervenue Melody.

– Exactement, a dit Kristy, je vais coucher Skylar, pendant ce temps-là, brossez-vous les dents et enfilez vos pyjamas.

Une fois tout le monde au lit, Kristy est redescendue et s'est pelotonnée sur le canapé avec un livre.

La maison était calme. Kristy a pensé à cette histoire de vendredi treize et a souri.

– Pas de quoi en faire une histoire, s'est-elle dit à haute voix. Je savais que ce n'était qu'une supersti…

On a sonné à la porte.

Kristy a sursauté à nouveau. Qui pouvait venir à une heure pareille ? Après un instant de panique, elle s'est armée de courage et est allée voir qui c'était. Elle a d'abord regardé par la fenêtre, juste pour s'assurer qu'il ne s'agissait pas d'un cambrioleur.

Personne.

Kristy ne savait pas trop quoi faire. Au bout de longues secondes, elle a mis la chaîne de sûreté et a entrouvert la porte.

– Oh ! Vous m'avez fait peur !

C'était M. Papadakis, un voisin, qui est aussi le papa d'enfants que nous gardons. Il s'était penché pour lacer sa chaussure, c'est pourquoi Kristy ne l'avait pas vu.

– Bonsoir, Kristy, je ne te savais pas là ce soir. Je venais chercher l'imperméable de Cornélia. Elle l'a oublié ici cet après-midi et je pense qu'elle en aura besoin demain matin.

Voilà comment s'est déroulé le vendredi treize de Kristy.

– J'ai eu tellement honte ! s'est exclamée Mallory. (Elle est devenue cramoisie à cette pensée.) Je devais être dans la lune. Je pensais à autre chose, quoi. Et j'ai appelé le professeur, « maman ». Vous vous rendez compte ?

– Ça ne m'étonne pas, lui ai-je dit. Une fois, j'ai fait la même chose avec ma maîtresse de CP. Mais, par chance, personne d'autre ne m'a entendue.

Nous étions toutes dans la chambre de Claudia pour notre réunion du lundi. Mais une fois lancées dans nos petites histoires, impossible de nous arrêter.

Claudia a déballé une sucette et l'a mise dans sa bouche.

– Une fois, je me suis trompée de salle de cours, a-t-elle raconté en riant ; le pire, c'est que je ne me suis aperçue de mon erreur qu'après environ dix minutes de cours !

Nous avons éclaté de rire.

Lucy a pris le relais :

– Je crois que le truc le plus embarrassant qui me soit arrivé, c'est en faisant les courses avec ma mère. J'ai acheté une super paire de boucles d'oreilles, je me suis mise à bavarder avec la vendeuse, je ne sais plus de quoi au juste, et à la fin, j'ai dit au revoir sans emporter mes boucles. Je m'en suis souvenu une demi-heure plus tard, et j'ai dû retourner au magasin.

– Ouh là ! s'est écriée soudain Kristy, en regardant l'heure. Il est cinq heures et demie et je n'ai pas encore ouvert la séance. Allez, au travail !

La réunion a immédiatement commencé. Lucy a ramassé l'argent des cotisations et a fait son rapport sur la somme dont nous disposions. Mary Anne a demandé que nous lui fassions connaître les éventuels changements de nos emplois du temps. Le téléphone a sonné deux fois, on s'est distribué les gardes d'enfants. Puis, il y a eu une accalmie.

– Vous savez, a dit Kristy, je viens juste de me souvenir d'un truc gênant qui m'est arrivé. C'était chez les Korman, l'autre soir, quand M. Papadakis est venu sonner à la porte. D'abord, je n'ai vu personne et c'est à peine si j'ai ouvert la porte. Puis, quand j'ai compris que c'était lui, je me suis sentie un peu embêtée. Il a dû croire que j'étais idiote.

– Une chance pour toi que tu aies eu affaire à lui et pas à Monsieur X, ai-je dit sans réfléchir.

Mary Anne et Mallory se sont tournées vers moi, ouvrant de grands yeux.

Kristy, qui ne comprenait pas de quoi il s'agissait, m'a questionnée :

– Monsieur X ? Qui est-ce ?

– Oh, personne, ai-je dit (et je ne mentais pas tout à fait).

– Nous pourrions peut-être en parler, a proposé Mary Anne. Après tout, pourquoi garder le secret ?

– Je crois que nous devons faire quelque chose, est intervenue Jessica. J'ai peur qu'il fasse pire qu'envoyer des petits mots et un bouquet fané.

– Mais de quoi parlez-vous enfin ? nous a coupées Kristy.

– Je crois savoir, a répondu Lucy. Je ne voulais rien dire mais, récemment, il m'est arrivé des choses bizarres. La semaine dernière, quand j'étais chez les Perkins, j'ai reçu trois coups de téléphone, et on m'a raccroché trois fois au nez. Et puis, jeudi, j'ai eu cette lettre (elle a brandi une enveloppe).

– D'accord, a repris Kristy, des lettres, des coups de fil ? Que se passe-t-il ?

– Tu ne sais vraiment pas ? ai-je demandé. Il ne s'est rien passé de bizarre, pendant tes baby-sittings ?

– Je n'en sais rien, j'ai cru que vendredi dernier ça allait mal tourner. En plus, c'était vendredi treize et tout et tout... Mais quand on a sonné, que ce soit au téléphone ou à la porte, il y avait bien quelqu'un. Maintenant, s'il vous plaît, expliquez-moi tout. Ça a l'air sérieux.

A tour de rôle, nous lui avons raconté nos aventures. Et, à mon avis, à chaque récit, Monsieur X devenait de plus en plus inquiétant.

J'ai parlé de ma soirée chez les Prezzioso et de ce qui était arrivé chez les Rodowsky. (J'ai même raconté mon coup de téléphone à la mère d'Alan Gray.) Jessica a raconté son appel téléphonique bidon, puis a parlé du bouquet fané. (Horrible !) Mary Anne et Mallory ont fait le récit de leur soirée chez les Pike. Lucy nous en a dit plus sur ses expériences. Puis Claudia a pris la parole.

– Il m'est arrivé quelque chose aussi, chez Charlotte. J'ai cru qu'il s'agissait d'une blague quand je me suis rendu compte qu'il n'y avait personne au bout du fil.

Kristy nous a jeté un regard circulaire.

– Je n'arrive pas à y croire. Pourquoi n'avez-vous rien dit ?

Elle a regardé Mary Anne.

Mary Anne a regardé ses mains, qu'elle avait croisées sur sa poitrine.

– Désolée, a-t-elle dit d'une petite voix, j'imagine que je ne voulais pas t'inquiéter.

Puis elle a jeté un coup d'œil autour d'elle et a repris sa respiration.

– Non, ce n'est pas pour ça. Pour être tout à fait honnête, si je ne t'ai rien dit, c'est à cause du concours de la baby-sitter modèle. Je ne voulais pas que l'on sache que je n'étais pas une baby-sitter irréprochable.

– Mary Anne ! s'est écriée Kristy. C'est ridicule. Nous sommes toutes de très, très bonnes baby-sitters, mais personne n'est parfait. De toute façon, ce qui s'est passé n'était pas ta faute.

Mary Anne s'est mise à renifler, signe d'un déluge imminent. J'ai pensé qu'il valait mieux que j'intervienne :

– Je te comprends, Mary Anne. J'ai gardé pour moi mes mésaventures avec Monsieur X pour les mêmes raisons.

– C'est fou ! s'est exclamée Jessica. Je croyais qu'il ne devait pas y avoir de compétition entre nous et regardez ce qui s'est passé ! C'est idiot de n'avoir rien dit. Et si Monsieur X était dangereux ? Ça aurait pu mal tourner.

– Bon, maintenant, il n'y a plus de secret, a conclu Kristy, et il est temps d'essayer d'éclaircir ce mystère.

– Il y a une chose que je voudrais bien savoir, a dit Claudia, pourquoi Monsieur X ne s'en est-il pas pris à Kristy? C'est la seule qui n'en ait pas entendu parler.

Notre présidente a haussé les épaules.

– Je suis sûre qu'il viendra rôder autour de moi, quand l'occasion se présentera. Maintenant, montre-moi ce mot, Lucy. Y en a-t-il une autre qui ait un de ces petits mots sur elle?

L'un des miens était dans ma poche. Je portais le même pantalon que chez les Rodowsky. Mais Jessica n'avait pas le sien. J'ai donné le papier à Kristy et elle l'a mis à côté de celui de Lucy.

– Regardons-les attentivement, on va peut-être découvrir ce qu'ils ont en commun. Est-ce que Monsieur X utilise un magazine en particulier pour découper ses messages, par exemple?

Elle a étudié les lettres de près.

J'ai observé Kristy. Une idée me venait à l'esprit. J'essayais de la chasser, mais rien à faire. Kristy faisait comme si elle était très concernée par nos problèmes avec Monsieur X. «Faisait comme si»: l'expression me laissait rêveuse. Faisait-elle semblant? En savait-elle plus qu'elle ne le laissait croire? Pourquoi n'avait-elle pas reçu de missive? Était-ce parce que... oh, non, pas ça! Était-ce parce que Kristy et Monsieur X n'étaient qu'une seule et même personne?

Je savais à quel point Kristy désirait être la baby-sitter du mois. Bien sûr, nous voulions toutes gagner, mais si vous connaissiez Kristy aussi bien que moi, vous sauriez qu'elle peut être très, très acharnée quand il s'agit de gagner. Et, en tant que présidente du Club des baby-sitters, elle avait sûrement pensé qu'elle devait à tout prix remporter le concours.

– Qu'y a-t-il ? m'a demandé Kristy.

J'avais dû la fixer sans arrêt, pendant que ces terribles pensées m'agitaient.

– R-rien...

Heureusement, le téléphone a sonné juste à ce moment-là.

Kristy m'a lancé un drôle de regard et a plongé sur le téléphone. J'étais infiniment reconnaissante à la personne qui appelait, peu importe qui c'était. J'avais été sauvée par le gong. En aucun cas, je n'allais accuser Kristy de quoi que ce soit, surtout pas au beau milieu d'une réunion.

L'appel venait du Dr Johanssen, qui cherchait une baby-sitter pour Charlotte, vendredi soir. Mary Anne a vérifié l'agenda.

– C'est pour toi, si tu veux bien, Claudia, toutes les autres sont prises.

– Super, a déclaré Claudia, j'irai.

Elle a appelé le Dr Johanssen pour l'en informer.

– J'espère seulement que Monsieur X ne fera pas une apparition, a-t-elle commenté après avoir raccroché. Cette histoire me rend nerveuse.

– Je te comprends, a dit Kristy. En fait, je préférerais que nous gardions les enfants à deux. J'aurais voulu venir avec toi vendredi, mais je dois m'occuper de Karen et d'Andrew.

Hum. Elle semblait vraiment inquiète, elle avait aussi l'air sincère. Bon, je me trompais peut-être. Et puis, comment Kristy aurait-elle pu être dans les parages à chaque fois ?

C'était impossible. Je culpabilisais d'avoir eu le moindre soupçon à son sujet et je me suis promise de ne plus y penser.

Kristy continuait à examiner les lettres.

– Je ne trouve aucun indice sur celles-là. Dommage que nous n'ayons pas les autres. Pouvez-vous penser à les prendre avec vous pour la prochaine réunion ? Entre-temps, a-t-elle poursuivi, soyez prudentes.

J'ai pouffé. Elle avait l'air d'un commissaire de police s'adressant à son équipe.

– Qu'y a-t-il de si drôle ? a-t-elle demandé.

Je lui ai expliqué et tout le monde s'est mis à rire. C'était bon de rire. Ça détendait l'atmosphère. Ce n'était pas si grave. Quelques coups de fil, trois ou quatre petits mots stupides. Tout ceci ne rimait à rien. Monsieur X finirait bien par se lasser de son petit jeu, au bout d'un moment, et il nous laisserait tranquilles.

La réunion a pris fin dans la bonne humeur. Nous n'avions pas résolu le mystère de Monsieur X mais, au moins, nous étions moins inquiètes.

Vendredi

Qui que soit Monsieur X, j'aimerais bien le voir disparaître de la surface du globe. Même s'il n'est pas dangereux, c'est quand même un poison, une vraie plaie. Et j'aimerais qu'il cesse de nous casser les pieds.

Claudia gardait Charlotte Johanssen, ce vendredi soir. Et elle se désolait parce que sa meilleure amie, Lucy, faisait quelque chose de bien, bien plus excitant que du baby-sitting. Lucy était allée à New York voir son père, qui avait eu des billets pour une soirée très spéciale : la première mondiale d'un nouveau film où elle aurait la chance de rencontrer la star du film, Rik Devine.

– Il est vraiment craquant ! Dire qu'elle va le voir en vrai, murmurait Claudia tout en lavant les assiettes de son dîner avec Charlotte.

– Quoi ? a demandé Charlotte. A qui tu parles ?

– Oh, à personne, a soupiré Claudia. Je veux dire, rien. Oh, et puis laisse tomber.

Elle savait qu'elle ferait mieux d'arrêter de rêver tout éveillée et de s'occuper de Charlotte. Elle n'était pas à New York, en train de descendre d'une Rolls, accueillie par la foule en délire. Elle était à Stonebrook et gardait l'une des enfants qu'elle préférait. Il fallait s'en accommoder.

Charlotte semblait justement vouloir qu'on s'occupe d'elle.

– Qu'est-ce qu'on pourrait faire, maintenant ? Je m'ennuie.

Elle s'ennuyait ! Claudia a brusquement fait attention à elle. Les enfants qui s'ennuient ne votent pas pour leur baby-sitter.

– Eh bien, qu'aimerais-tu faire ?

– Je ne sais pas…, a répondu Charlotte, morose.

– Tu veux jouer au Monopoly ?

C'était une offre généreuse de sa part. Jouer au Monopoly peut être souvent une aventure longue et tortueuse, mais, avec Charlotte, c'est pire que tout. C'est une enfant très réfléchie, et elle pèse le pour et le contre au moins dix minutes avant de jouer, jusqu'à ce que vous en grinciez des dents d'impatience. Le jeu peut durer des heures.

– J'en ai assez du Monopoly, a déclaré Charlotte, c'est barbant et je ne gagne jamais.

« Ouf, tant mieux », s'est dit Claudia. Mais il fallait trouver autre chose. Elle a réfléchi un instant.

– Et si nous faisions des gâteaux ?

Tant pis pour le désordre (qu'elle devrait ranger par la suite) ! Ça en valait la peine, si la pâtisserie réussissait à distraire Charlotte.

La petite fille a froncé les sourcils en secouant la tête.

– Maman dit que je dois éviter les sucreries, j'avais deux caries, la dernière fois que je suis allée chez le dentiste. Tu vois ? (Elle a ouvert la bouche pour montrer ses plombages.)

– Je vois, bon, et si on regardait ce qu'il y a à la télé ?

Nous avons rarement recours à la télévision pour distraire les enfants que nous gardons, mais parfois, quand nous sommes à court d'idées, nous l'allumons. Et Claudia était à court d'idées.

– Je sais déjà ce qu'il y a, a répliqué Charlotte, et je ne veux pas regarder. Y a que des bêtises ce soir.

Claudia me l'a dit plus tard, elle avait eu l'impression de se cogner la tête contre un mur de brique. Charlotte semblait décidée à repousser toutes ses suggestions, quelles qu'elles soient. Heureusement, elle a eu une idée de génie.

– Hé, Charlotte, j'avais oublié, j'ai apporté mon coffre à jouets avec moi ce soir.

– Ouais ! a crié Charlotte, ravie. Où est-il ?

– Dans l'entrée.

La petite est partie le chercher en courant. Claudia s'est assise en hochant la tête. Pourquoi n'y avait-elle pas pensé plus tôt ?

Charlotte est revenue avec la boîte dans les bras.

– Il est vraiment beau, ton coffre ! Tu l'as redécoré ?

– J'en avais assez des paillettes roses, alors j'ai essayé mes nouvelles peintures acryliques sur le carton.

– C'est vraiment, vraiment cool, a commenté Charlotte en tournant la boîte dans tous les sens pour bien l'observer. J'adore ces sirènes, a-t-elle ajouté en les montrant du doigt.

– Merci, je pourrais peut-être apporter la peinture, la prochaine fois, et tu pourrais l'essayer.

Les yeux de Charlotte se sont illuminés.

– Vraiment ? Si tu fais ça, je pourrais voter pour t…

Elle a vite mis la main devant sa bouche.

– Oups, je ne dois pas parler de ça, hein ?

Claudia a souri.

– C'est bon, ton secret n'a rien à craindre avec moi. Maintenant, voyons un peu ce qu'il y a là-dedans, a-t-elle dit en ouvrant le coffre. La plupart des objets ne convenaient pas pour l'âge de Charlotte – des cubes, des puzzles pour bébés, des anneaux pour se faire les dents et des hochets. Mais Charlotte s'est précipitée sur les livres en demandant à Claudia :

– Qu'as-tu apporté cette fois ?

Nous savons toutes que Charlotte adore lire et, en général, nous essayons de passer à la bibliothèque avant de venir la garder. Claudia a de la chance : comme sa mère est bibliothécaire, elle reçoit les nouveautés directement dans sa chambre.

– Oh, là, là ! s'est exclamée Charlotte, un nouveau livre de Beverly Cleary ! Ça parle de l'écriture cursive, juste ce que nous apprenons en classe.

Claudia s'est réjouie de voir Charlotte si contente de ce nouveau livre.

– Pourquoi ne t'allongerais-tu pas sur le canapé avec le livre ? Je ferais mon devoir de maths pendant que tu liras.

– Oh, non, je veux que ce soit toi qui me le lises. J'adore qu'on me lise des histoires et maman est toujours trop occupée.

– Bon, d'accord.

Claudia a haussé les sourcils. Charlotte ne lui facilitait pas la tâche ce soir. Elle se rendait compte qu'il allait vraiment falloir mériter les voix des électeurs. Elle a ouvert le livre et s'est mise à lire.

Charlotte s'est pelotonnée à côté d'elle sur le canapé.

Claudia aussi était captivée par cette histoire d'une petite fille qui ne veut pas apprendre à écrire parce que c'est trop dur. Cela lui rappelait bien des choses personnelles. Mais, au bout de deux chapitres, elle a senti que sa gorge s'irritait. C'était dur de lire à haute voix pendant longtemps.

– Je dois m'arrêter, Charlotte, ma voix se fatigue.

– Oh, s'il te plaît, j'ai envie de connaître la suite. On ne peut pas s'arrêter maintenant.

Charlotte a pris le livre des mains de Claudia.

– C'est moi qui vais lire pour toi.

Et elle a commencé le chapitre suivant. Claudia s'est demandé durant un instant si la baby-sitter du mois permettrait une chose pareille, mais elle a aussitôt oublié le concours. Elle s'est lovée près de Charlotte et l'a écoutée lire avec joie.

Charlotte lisait très bien. Elle a à peine buté sur les mots difficiles et elle ne s'est arrêtée qu'une seule fois pour demander le sens d'un mot. Elle a lu d'un trait deux chapitres à la suite, puis a tendu à nouveau le livre à Claudia.

– A toi maintenant.

Elles ont lu ainsi à tour de rôle, assises ensemble sur le

canapé. C'était une soirée agréable et Claudia en avait oublié la super sortie de Lucy.

Mais, au moment où Claudia était sur le point de finir le chapitre six, le téléphone a sonné. Elle a levé les yeux au ciel.

– Oh, zut. (Elle était si bien sur le canapé.)

– J'y vais, a proposé Charlotte.

– D'accord, a dit Claudia, en se blottissant dans les coussins moelleux.

Mais elle s'est rappelé Monsieur X. L'appel pouvait venir de lui et Charlotte aurait peur si personne ne répondait. Elle s'est tout de suite levée.

– Attends, ne bouge pas, Charlotte, je prends. Tu restes là et tu marques la page du livre. Je reviens tout de suite.

Quand Claudia a pris le téléphone et a dit « Allô ? », il n'y a pas eu de réponse. Elle a fait une grimace en raccrochant. Sa soirée tranquille était gâchée.

Elle est retournée vers le canapé et a essayé de se concentrer sur le livre mais sans succès. Elle a même buté sur des mots qui n'auraient posé aucun problème à Charlotte.

La fillette lui a jeté un drôle de regard.

– Qu'est-ce qu'il y a, Claudia ? Qui a appelé ?

– Euh… personne, je veux dire, c'était un faux numéro. Et il n'y a rien. Tout va bien.

Mais Charlotte a pris le livre des mains de Claudia en lui disant gentiment :

– Je vais finir, j'aime lire pour toi.

Elle a repris l'histoire là où Claudia l'avait laissée.

Claudia souriait en écoutant son ton sérieux. Elle se disait que Charlotte était vraiment adorable, quand quelque chose a attiré son attention. Elle a entendu un bruit à la porte d'entrée, comme un froissement. Quelqu'un rôdait dehors.

Monsieur X !

Elle pourrait peut-être le prendre sur le fait, si elle marchait sur la pointe des pieds jusqu'à la porte et qu'elle l'ouvrait d'un coup. Elle ne s'est même pas demandé si ce plan était judicieux. Elle s'est levée, tout simplement, au milieu d'une phrase de Charlotte et a couru vers la porte.

– Claudia, où vas…, a demandé Charlotte, mais Claudia n'écoutait pas.

Elle est arrivée à la porte et l'a ouverte toute grande.

Il n'y avait personne. Pas de lettre non plus. Et pas de bouquet fané. Mais il y avait quelque chose sur les marches. Claudia n'en croyait pas ses yeux. « C'est quoi ce truc gluant ? C'est dégoûtant, on dirait du vomi », a-t-elle pensé. Elle a éclairé le perron et est allée voir de plus près.

– Oh ! Beurk ! a-t-elle crié en comprenant ce que c'était.

Des haricots blancs à la sauce tomate !

Quelqu'un avait renversé des conserves de haricots blancs sur le perron.

Claudia a gémi. Comment allait-elle nettoyer tout ça ? Et cet épisode jouerait-il contre elle dans le concours de la baby-sitter du mois ?

Sûrement pas, du moment que Charlotte ne voyait pas les haricots.

Mais, à cet instant, Charlotte a passé sa tête par la porte.

– Qu'est-ce que tu fais ? Et c'est quoi, ce truc dégoûtant ?

– Rien, a vite répondu Claudia.

Mais il fallait qu'elle trouve une explication. Évidemment, elle ne lui avait pas parlé de Monsieur X.

Elle a fait passer tout ce gâchis pour une blague et Charlotte a accepté de ne rien raconter à ses parents. Elle a même aidé Claudia à ramasser. Elles ont ensuite lavé le perron au jet, éliminant le moindre haricot. Claudia a croisé les doigts pour que les Johanssen n'en retrouvent pas dans leur massif d'arbustes et ne se posent pas de questions.

Tout en travaillant, Claudia réfléchissait. Elle n'était pas vraiment effrayée par ce qui était arrivé, mais plutôt agacée d'avoir à nettoyer derrière Monsieur X. Il lui avait gâché sa soirée ! Comme s'il le faisait exprès. Elle commençait à se demander si cette histoire n'avait pas un lien avec le concours de la meilleure baby-sitter. Oui, mais lequel ?

Le mardi suivant, je me sentais un peu abattue en me rendant chez les Newton. Le Club n'avait pas avancé d'un pouce dans l'élucidation de la mystérieuse affaire de Monsieur X.

Nous n'avions ni indice, ni suspect, rien. Juste au moment où nous voulions passer pour les meilleures des baby-sitters, Monsieur X nous rendait la tâche impossible.

J'avais prévu d'aller garder Simon et Lucy Jane, cet après-midi-là, et j'étais résolue à faire de mon mieux pour oublier Monsieur X et pour me consacrer uniquement aux enfants et à leurs jeux. Pas tant pour gagner ce sacré concours, mais simplement parce que ces enfants-là méritaient toute mon attention.

Après avoir sonné à la porte des Newton, j'ai respiré un grand coup. « Concentre-toi », me suis-je dit. Simon a ouvert la porte et sans me laisser dire un mot, s'est mis à me décrire son nouveau jouet, Lucy Jane pleurait parce qu'il fallait la changer et lui donner son biberon et Mme Newton s'est excusée, parce qu'elle était en retard et qu'elle « devait filer ». Je n'ai pas eu le temps d'avoir une seule pensée pour Monsieur X.

J'ai admiré le jouet de Simon et j'ai changé la couche de Lucy Jane. Ensuite, j'ai préparé un biberon pour Lucy Jane et un goûter pour Simon (des tartines de miel et de beurre de cacahuète – il adore ça).

Des enfants que j'ai l'habitude de garder, Simon est l'un de mes préférés.

D'abord, il a quatre ans, un âge super. Il commence tout juste à apprendre des tas de choses sur le monde et il est enthousiaste et curieux de tout. Ensuite, c'est un amour de gamin. Il est très affectueux, pas capricieux et il adore sa petite sœur. Pas de rivalité fraternelle ici !

Et c'est bien normal qu'il aime tant Lucy Jane. C'est un bébé adorable. Ses cheveux sont bruns et fins, elle a de beaux yeux, d'un bleu profond, et elle a déjà compris que sourire aux gens est le meilleur moyen de les voir vous sourire en retour.

Pendant que je rangeais le goûter, Simon m'a fait la conversation.

– Tu sais quoi ? Hier, je ne suis pas allé à l'école, j'ai dû rester à la maison.

– Oh, vraiment ?

Je le savais par sa mère quand elle nous avait appelées pour ce baby-sitting. Simon désigne par « hier » tout ce qui concerne le passé récent et le futur par « demain ». J'ai donc pensé qu'il me parlait d'un jour de la semaine dernière, où sa mère avait dit qu'il avait un petit rhume.

– Tu étais malade ? lui ai-je demandé.

Il a approuvé de la tête en ouvrant de grands yeux.

– Je me sentais très mal.

– Tu as vomi ?

Quand on est petit, vomir est la pire des choses (et ça n'est pas drôle non plus quand on est plus grand).

– Non, a dit Simon, mais c'était pareil.

Je me suis retenue de rire. Il avait l'air si grave.

– Mais tu vas beaucoup mieux maintenant, non ? Tu es prêt à bien t'amuser, aujourd'hui, pas vrai ?

– Ouais ! a-t-il hurlé.

Il a bondi de son siège et a couru vers la chaise haute de Lucy Jane.

– Viens, Lucy Jane, ma petite chérie ! Finis ton biberon, on va jouer !

Lucy Jane lui a fait un grand sourire en laissant tomber son biberon par terre.

– J'imagine qu'elle n'en veut plus, ai-je conclu.

J'ai ramassé le biberon et libéré Lucy Jane de sa chaise haute.

– Maintenant, ai-je proposé à Simon, si nous sortions jouer à la balançoire ?

J'avais remarqué qu'il débordait d'énergie, cet après-midi-là. Il avait besoin de se dépenser.

– Ouais ! s'est-il écrié.

Puis, il s'est tu et une ombre est passée sur son visage.

– Euh... je veux dire, a-t-il repris d'un air plein d'arrière-pensées, on pourrait aller jouer dans le jardin de devant ?

– Bien sûr, comme tu veux.

D'habitude, Simon adore qu'on le pousse de plus en plus haut sur la balançoire mais, s'il n'en avait pas envie, je comprenais.

– Mais qu'allons-nous faire alors ? lui ai-je demandé.

– Tu peux m'aider à frapper ? Quand la saison de base-ball va commencer, je veux être le meilleur des Imbattables.

C'est le nom de l'équipe de base-ball que Kristy entraîne. Simon est l'un des plus jeunes du groupe et je sais qu'il fait vraiment de son mieux – mais il a peur de la balle. Il se baisse dès qu'elle arrive tout près de lui.

– Bien sûr, si Lucy Jane est d'accord pour nous regarder depuis son parc.

J'étais bien certaine qu'elle allait coopérer au moins un moment. Lucy Jane aime regarder jouer son frère.

– Très bien ! Je vais chercher la balle.

J'ai soudain eu une idée.

– Attends une seconde, Simon, je crois avoir de quoi remplacer la balle dans mon coffre à jouets.

Je suis allée chercher le coffre que j'avais laissé sur la table de l'entrée, et je me suis mise à fouiller à l'intérieur. J'étais sûre que la vieille balle en mousse de David était encore là. Je pensais que, si nous utilisions cette balle pour l'entraînement, Simon pourrait peut-être surmonter sa peur : une balle en mousse ne peut pas vraiment faire mal.

Une fois dehors, j'ai installé Lucy Jane dans son parc, à l'ombre d'un arbre. Je lui ai donné quelques jouets : une poupée, des anneaux de caoutchouc et un petit bol en plastique, qu'elle semblait adorer. Puis, j'ai commencé à lancer

113

la balle à Simon. Je lui ai envoyée de loin, de près, très haut, très bas et il faisait de son mieux pour la rattraper chaque fois. Il n'a pas essayé une seule fois de l'esquiver, comme il le faisait généralement.

Après dix ou vingt lancers, je me suis arrêtée pour lui dire :

– Tu sais, je crois que tu attrapes beaucoup mieux la balle quand tu n'as pas peur qu'elle te cogne.

– Je sais, je n'ai pas peur de celle-là, a-t-il dit en regardant la balle en mousse. Alors, pendant un vrai match, je n'ai qu'à me dire que la balle est en mousse, pas vrai ?

– Oui, voilà.

J'étais contente que mon idée ait eu du succès et que Simon ait retenu quelque chose de notre entraînement.

– Et si nous passions à autre chose maintenant. Que dirais-tu d'une petite promenade avec Miss Lucy Jane ? Je crois qu'elle en a assez, ai-je dit en me tournant vers elle.

Elle commençait effectivement à s'agiter un peu.

– D'accord ! a répondu Simon. Je veux pousser la pous… (il s'est arrêté au milieu de sa phrase), Oh, non, on ne peut pas aller se promener. Il faut qu'on reste près de la maison, jusqu'à ce que Mel passe.

– Mel ? ai-je demandé, étonnée.

Simon a mis la main devant sa bouche :

– Je ne devais pas le dire, tant pis.

– Simon, ai-je repris sur le ton de la mise en garde, pourquoi Mel doit-il passer ?

Simon semblait bien attrapé.

– Il… il va faire un contrôle secret de baby-sitting sur toi. Il a dit que c'était pour le concours. Il a dit que ce serait d'une grande aide si je m'assurais qu'on reste à la maison aujourd'hui.

Il m'a fait son regard charmeur.

– Hé, peut-être que tu vas gagner, Carla! Tu es une baby-sitter super.

Je lui ai souri.

– Merci.

Mais, tout en souriant et en essayant d'agir normalement, je faisais travailler mes méninges à trois millions de kilomètres à l'heure. Mel Tucker contrôlait en secret les baby-sitters? Quelque chose clochait. J'ai essayé de réfléchir. Tout ça ne collait pas. Et j'ai compris. Ne me demandez pas pourquoi ni comment, mais je savais, un point c'est tout: Mel Tucker était Monsieur X.

Pourtant, cela n'avait pas de sens. Je n'avais pas la moindre idée de ce qui poussait Mel à harceler les filles du Club des baby-sitters. Je ne savais pas quel but il poursuivait en envoyant des messages anonymes, en donnant des coups de téléphone mystérieux ou en faisant ces choses bizarres sous le nom de Monsieur X. Mais j'étais sûre de moi. Et j'étais quasiment certaine qu'en restant chez les Newton avec Simon et Lucy Jane le reste de l'après-midi, il se passerait quelque chose qui me donnerait raison.

– Entendu, ai-je dit. Simon, ce n'est pas grave que tu me l'aies dit. Je saurai garder ton secret.

Il a souri.

– Tu ne le diras pas à Mel? a-t-il demandé.

– Non, oublions cette promenade, et restons ici. Je crois que Lucy Jane est prête pour une petite sieste, de toute façon.

Elle se frottait les yeux, l'air fatigué. Je l'ai prise dans mes bras et j'ai ramassé autant de jouets que je pouvais. Elle en avait jeté un peu partout. Simon a emporté le parc en m'annonçant fièrement :

– Je peux le porter !

– Je suis impressionnée, tu deviens un très grand garçon et tu es d'une très grande aide.

Simon, rayonnant, m'a suivie à l'intérieur de la maison. Je l'ai installé dans la salle de jeux avec son puzzle favori et je suis montée à l'étage avec Lucy Jane. Il ne lui a pas fallu longtemps pour s'endormir. Simon avait déjà terminé son puzzle et en avait commencé un autre quand je suis redescendue.

– Celui avec le gros oiseau est plus dur, m'a-t-il dit.

Il s'est penché sur le puzzle, très concentré. J'ai bien vu qu'il ne désirait aucune aide. Je me suis adossée à ma chaise, revenant à mon idée : Mel Tucker = Monsieur X. Pourquoi ? Pour s'amuser ? Mais pourquoi concentrait-il son attention sur nous, les baby-sitters ?

– Voilà ! s'est exclamé Simon, en posant la dernière pièce du puzzle. J'y suis arrivé !

– Bravo, et maintenant, que veux-tu...

Juste à ce moment-là, on a sonné à la porte. Ah, ah ! J'avais le sentiment que ce n'était pas le facteur, si vous voyez ce que je veux dire. J'ai filé comme une folle à la porte, espérant prendre Monsieur X en flagrant délit, mais il était trop rapide pour moi. Le temps que j'ouvre la porte, il n'y avait déjà plus personne. Vraiment personne, à part la poupée de Lucy Jane. Et il lui manquait la tête !

– Oh ! ai-je crié sans pouvoir me contrôler.

– Quoi ? a demandé Simon, derrière moi.

Je devais me calmer.

– Rien, rien.

– Tu viens ?

– J'arrive dans une seconde.

– Mais j'ai fini mon puzzle, m'a-t-il rappelé.

– Oh, très bien. Va chercher un livre alors. Je te le lirai.

Je pensais que cela lui prendrait quelques minutes. Simon est parti à la recherche d'un livre et j'ai couru dans le jardin, à la recherche de la tête de la poupée. Je ne voulais pas que Mme Newton rentre chez elle et trouve la poupée de Lucy Jane décapitée. Mais la tête n'était nulle part.

J'ai passé le reste de l'après-midi à essayer de distraire Simon, tout en cherchant la tête de la poupée, mais le petit garçon sentait qu'il se passait quelque chose de bizarre. Finalement, j'ai fourré la poupée dans le panier à jouets, plein à ras bord, en espérant que Mme Newton ne remarquerait rien.

En rentrant chez moi, ce jour-là, j'ai couru tout droit dans la chambre de Mary Anne pour lui raconter ce que Simon m'avait dit à propos de Mel. Puis je lui ai parlé de la poupée. Mais, elle ne semblait pas faire le lien.

– Alors, tu ne vois pas ? ai-je insisté. C'est évident : Mel est Monsieur X !

– Je n'en suis pas sûre, a répondu Mary Anne. (Elle est toujours si prudente.) Je vois bien pourquoi tu le soupçonnes. Mais il faut qu'on prenne Mel sur le fait avec des témoins. Ensuite, nous saurons vraiment.

– Tu as raison, il nous faut un plan.

Nous avons réfléchi environ deux secondes, et puis nous avons dit presque en chœur :

– Appelons Kristy.

Kristy était très excitée en entendant mon histoire. Je m'en voulais d'avoir pu la soupçonner, ne serait-ce qu'un instant, d'être Monsieur X. Quelle idée ridicule ! Elle a décidé que la prochaine réunion du club serait une réunion extraordinaire et que notre but principal serait d'établir un plan pour confondre Mel. Les jours de Monsieur X étaient comptés.

Notre réunion extraordinaire a été l'une des plus réussies de toutes. Je dois dire qu'en temps de crise – et le club en a traversé de rudes – nous sommes très efficaces.

On a décidé d'un plan. Et quel plan ! Idéal pour prendre Monsieur X sur le fait !

Et, pour une fois, l'idée de génie n'est pas venue de Kristy. En fait – devinez quoi ? – c'est la mienne ! Kristy et les autres y ont ajouté quelques touches finales et, le samedi soir, nous étions fin prêtes.

Pendant plusieurs jours, j'ai fait savoir un peu partout que j'allais garder des enfants le samedi soir. Un de mes cousins devait, soi-disant, me rendre visite et je devais prendre soin de lui, pendant que maman et le père de Mary Anne sortiraient avec ses parents. J'ai aussi raconté que je serais seule, car Mary Anne devait faire un baby-sitting à l'autre bout de la ville.

J'ai fait passer l'information à des tas de gens, afin d'être sûre que Mel en entendrait parler. Cette fois-là, j'attendais de pied ferme la visite de Monsieur X! J'en ai parlé à Gabbie et à Myriam Perkins, à la bibliothèque. Je l'ai dit à Nicky Pike ainsi qu'aux triplés. Je l'ai dit à Simon Newton, quand je l'ai rencontré au supermarché avec sa mère. Et enfin à Rebecca Ramsey, un soir, au téléphone alors que je voulais parler à Jessica. Par chance, aucun enfant n'a trouvé mon histoire bizarre. Je ne voulais pas qu'ils aient le moindre soupçon. Mais je tenais à ce que Mel soit au courant. Je savais qu'il connaissait le passage secret sous notre maison. Tous les enfants du voisinage pensent que c'est un truc super. J'avais le sentiment que Mel pourrait bien se servir de ce passage pour me faire peur!

Je me demandais, en fait, s'il n'avait pas déjà essayé, la fois où Mary Anne était rentrée de chez les Pike et qu'elle avait eu très peur. J'avais entendu des bruits bizarres, cette nuit-là, mais je n'étais pas sûre que Mel en ait été l'auteur, car il était très tard.

En tout cas, si Mel faisait ce à quoi nous nous attendions, il pénétrerait dans le passage par l'entrée de la grange. Et une fois là, il serait piégé!

Maman et Frederick sortaient ce soir-là. A huit heures moins le quart, j'ai entendu frapper à la porte de service.

– Mary Anne! ai-je soufflé. (Elle était à la maison bien sûr. Sa garde d'enfants était un mensonge.) Vite, fais-les entrer!

J'étais dans le salon, en train de bien fermer les rideaux pour que personne ne nous voie.

Quand Mary Anne a ouvert la porte, elle a trouvé Kristy,

Claudia, Lucy, Jessica et Mallory écroulées de rire sous le porche.

– Hé, les filles, du calme ! Hé, arrêtez, c'est du sérieux ce soir !

Elles se sont mises à rire de plus belle. J'ai secoué la tête, essayant de prendre un air outré. Mais je ne pouvais m'empêcher de rire comme une folle. Je crois que c'était nerveux et que rire était un bon moyen de nous détendre un peu. Impossible de nous arrêter. Dès que nous commencions à nous calmer, quelqu'un disait :

– Allez, chuuut, maintenant ! avec un doigt sur la bouche.

Et à nouveau, on ne sait pourquoi, tout le monde s'écroulait de rire.

Nous avons enfin réussi à nous ressaisir. Nous nous sommes assises autour de la table pour revoir très vite notre stratégie. Mary Anne a versé les boissons et j'ai fait passer un bol de chips en demandant à tout le monde :

– Bon, chacune sait ce qu'elle a à faire ?

Nous avions toutes un rôle à jouer en fonction du plan.

Mes amies ont hoché la tête.

– Très bien, j'ai la liste de tout ce que nous devons faire, ai-je poursuivi en la fixant sur le tableau. Relisons-la en vitesse.

J'ai entendu glousser en face de moi et, en levant la tête, j'ai vu Lucy étouffer un éclat de rire.

– Désolée, mais on dirait un général qui commande une armée. Tout ça pour attraper le petit Mel Tucker en train de faire une farce !

Avant que je puisse ouvrir la bouche, Kristy a lancé un regard noir à Lucy.

– Je pense que Carla a fait un super boulot, il faut tout bien préparer, sinon nous ne sommes pas sûres de réussir.

– Écoutez, écoutez, est intervenue Claudia, nous voulons absolument réussir. Je ne tiens pas à ce que ce petit poison fasse un seul coup de plus. Je veux qu'on attrape Mel.

– Et si ce n'est pas lui ? a demandé Mary Anne d'une petite voix. Nous n'avons aucune preuve. Ça ne me plaît pas de décréter que Mel est Monsieur X. C'est comme si on le déclarait coupable sans procès.

– Mary Anne, ai-je répondu, essayant de rester calme, nous en avons déjà parlé, tu te souviens ? Tant pis si ce n'est pas Mel. Ce plan nous permettra de prendre Monsieur X sur le fait, que ce soit Mel ou un autre, ou même la reine d'Angleterre !

Nous nous sommes mises à rire à nouveau. Mais avant que le rire devienne incontrôlable, j'ai montré ma liste.

– Bon, revenons à notre plan. Il faut désigner l'équipe de la grange.

– L'équipe de la grange ? a demandé Mary Anne. Oh, j'imagine que ce sera Kristy, Lucy et moi, non ?

– Exactement, ai-je répondu, maintenant vérifions le signal. Quand je hoche la tête, ça veut dire quoi ?

– Hum..., ça veut dire quoi ?

– Mary Anne !

– Ça va, ça va, quand tu hoches la tête, nous devons partir pour la grange.

– Bon, voyons l'équipement maintenant. Les lampes de poche ?

– C'est bon, a dit Kristy.

– Le polaroïd ?

– C'est bon, a répondu Lucy.

– La pellicule ?

– Je l'ai, a affirmé Mary Anne.

– Dans ce cas, chargeons l'appareil photo, et maintenant, l'équipe de la maison, vous êtes prêtes ?

– Ouais, a fait Jessica.

– C'est bon, a ajouté Mallory.

– Prête, a renchéri Claudia, j'ai l'appareil photo, il est chargé.

Nous ne savions pas si des photos seraient nécessaires, en raison du nombre de témoins présents, mais nous pensions qu'un instantané de Monsieur X, pris sur le fait, serait une preuve ultime. On ne peut rien contre une photo.

– Je crois que nous sommes prêtes, ai-je conclu.

J'aurais presque voulu que la liste soit plus longue. Je découvrais que commander était amusant. Pas étonnant que Kristy adore être présidente. Toutefois, je n'aimerais pas avoir ce genre de responsabilité tout le temps. Je ne raffolais pas de la tension nerveuse et des maux d'estomac qui l'accompagnaient. J'ai pris un biscuit pour détourner mon esprit de tout ça.

– Qu'est-ce qu'on fait maintenant ? a demandé Jessica.

Je lui ai répondu, la bouche pleine :

– On attend. Monsieur X peut arriver d'une minute à l'autre.

D'une minute à l'autre ? Nous sommes restées assises au moins une heure. Pour passer le temps, nous avons parlé du garçon de nos rêves, puis de ce que serait le lycée et quel personnage de l'histoire nous aurions aimé être. Enfin ce genre de choses. Nous avions parlé de tout ça des millions de fois mais c'était toujours aussi drôle. Après avoir épuisé nos sujets de conversation préférés (ce qui n'arrive pas très souvent), nous avons attendu sagement l'arrivée de Monsieur X.

Nous avons bien fait, car ce dernier est arrivé presque sans un bruit. Pour un peu, je ne l'aurais pas entendu. Mais il était bien là : des pas très légers, juste là où le passage secret longeait la cuisine. J'ai mis un doigt sur ma bouche.

– Chuut.

J'ai désigné le mur d'un geste en haussant les sourcils. Puis, sur la pointe des pieds, j'ai quitté la cuisine, en espérant que les autres se souviendraient qu'elles devaient me suivre.

Elles l'ont fait. Nous sommes montées à l'étage, en file indienne, sur la pointe des pieds, dans un silence étonnant. Il n'y a pas eu de fou rire et personne n'a trébuché ou heurté une table. J'étais fière de nous.

Quand nous sommes arrivées à ma chambre, Monsieur X avait commencé son cirque. Scratch scratch ! Il grattait le mur avec ses ongles. Houuuuu ! Il gémissait comme un fantôme. Hi hi hi ! Il riait comme un démon.

C'était assez drôle. Mais je me suis rendu compte que, si j'avais été seule dans la maison, j'aurais été morte de peur. Il était temps de prendre Monsieur X en flagrant délit. J'ai regardé Mary Anne, Kristy et Lucy en hochant lentement la tête. Elles en ont fait autant, avec sérieux. Puis elles ont quitté la pièce. J'ai regardé ma montre. Mary Anne et moi avions compté deux minutes et demie pour aller de ma chambre à la grange. Quand mes amies sont sorties, il était huit heures trente-quatre.

Je leur ai donné jusqu'à huit heures trente-sept, juste pour avoir de la marge. Puis j'ai regardé Mallory, Jessica et Claudia en levant les sourcils.

– Prêtes ? ai-je demandé, en remuant les lèvres sans faire de bruit.

Elles ont hoché la tête. Je suis allée jusqu'au passage secret et, d'un coup, j'ai ouvert la porte.

– Ha, ha ! ai-je crié en chœur avec Mallory, Jessica et Claudia.

Mel Tucker m'a fixée avec de grands yeux ronds. Il avait l'air terrifié. Un instant, j'ai cru qu'il allait pleurer. Mais il a fait demi-tour et a redescendu le passage. J'ai mis ma tête dans l'ouverture, espérant entendre ce qui se passait à l'autre bout : l'écho d'un faible « ha ha ! » n'a pas tardé à me parvenir.

J'ai couru en bas, les autres derrière moi, et en une minute on a rejoint « l'équipe de la grange », plus Mel, dans la cuisine. Personne n'avait pensé à prendre une photo de Monsieur X, mais tant pis, Mel était le coupable, de toute évidence. Il se tenait au milieu de la pièce, rouge de honte.

– Je n'ai rien fait ! s'est-il écrié. J'étais juste…

– Oui ? lui ai-je demandé. Tu étais juste quoi ?

Mel a réfléchi, mais il ne trouvait rien à dire. Il s'est mordu les lèvres et j'ai vu les larmes lui monter aux yeux. J'étais sûre que le jour où je prendrais Monsieur X sur le fait, je lui dirais ce que j'avais sur le cœur. Je le gronderais pour nous avoir fait peur et s'être rendu odieux. Mais, quand je l'ai vu pleurer, ma colère est retombée. Ce n'était pas un démon : rien qu'un petit garçon au visage sale et sillonné de larmes, avec un trou dans son jean.

125

Je suis allée vers lui et me suis accroupie.

– Ce n'est rien, Mel.

J'ai ouvert les bras, mais il a reculé. Il avait l'air gêné.

– Ce n'est rien, ai-je répété.

Il s'est avancé d'un pas vers moi et s'est jeté dans mes bras. Je l'ai serré bien fort.

Wouah ! La Capture de Monsieur X. *Quel super titre de film ! Mais la fin était plutôt triste. Quand Mel a enfin cessé de pleurer, Kristy et moi l'avons ramené chez lui.*

En chemin, il nous a tout avoué. En fait, pas vraiment tout. Mel disait ne rien savoir sur la souris morte, trouvée par Mary Anne, derrière chez les Pike.

– Beurk ! s'est-il exclamé. J'aime bien les souris vivantes, mais je n'irais pas en ramasser une morte.

Il niait aussi avoir été dans le passage la même nuit.

– C'était un écureuil.

Kristy et moi nous sommes montrées gentilles avec Mel. Je crois qu'elle pensait comme moi : c'était juste un petit garçon inquiet, qui avait plus besoin d'aide que d'autre chose. Nous savions qu'il avait conscience d'avoir mal agi. Il a répondu à toutes nos questions sur ses blagues. Puis, au moment de tourner au coin de la rue, je lui ai posé une dernière question.

– Pourquoi as-tu fait ça, Mel ?

Il m'a regardée et, à nouveau, ses yeux se sont remplis de larmes.

– Parce que vous m'avez fait avoir des ennuis, voilà pourquoi.

– Que veux-tu dire ?

– Mme Hobart a appelé mes parents pour leur dire qu'elle savait par sa baby-sitter que j'embêtais ses enfants. Et alors ? Ça regardait personne.

– Attends un peu, l'a repris Kristy. Si, c'est un problème. Tu dois apprendre à ne plus malmener les enfants qui sont différents de toi.

– C'est ce que mon père a dit, a répondu Mel, la tête basse. Il était très en colère. Maman aussi. Et ils m'ont puni pour deux mois !

– Et alors tu t'es transformé en Monsieur X ? ai-je demandé. Mais tu vas avoir encore plus de problèmes maintenant.

Mel a hoché la tête.

– Je sais, ce concours de baby-sitters m'a donné une occasion unique. C'était facile de savoir où vous étiez. J'ai raconté que je vous observais pour le concours. Les autres enfants étaient contents de me le dire, puisqu'ils croyaient que ça aiderait leur baby-sitter préférée à gagner. (Il avait l'air malheureux.) Maintenant j'ai tout gâché. Maman a dit que si mon comportement ne s'améliorait pas, je devrais aller voir un psi... psico…

– Un psychologue, a rectifié Kristy, en me lançant un

coup d'œil. Tu sais, Mel, ce ne serait pas si mal. Un psychologue est comme un docteur des sentiments. Il peut t'aider à trouver pourquoi tu es triste ou fâché et t'apprendre à te sentir mieux.

J'ai souri à Kristy. Elle avait expliqué tout cela si bien !

Mel semblait plein d'espoir.

– Vraiment ? Je ne savais pas. Je croyais que le psi... psicho... le docteur des sentiments allait juste me punir.

Pauvre Mel. Il avait l'air d'un petit enfant effrayé qui ne sait pas comment gérer sa colère. Et quand nous avons sonné chez lui, il avait l'air plus effrayé que jamais.

D'abord, ses parents se sont fâchés. Quand nous avons expliqué la situation, ils se sont un peu calmés et Mme Tucker a dévisagé son fils, l'air désolée.

– Oh, Mel !

M. Tucker avait gardé un air sévère mais ensuite les parents de Mel se sont baissés pour l'embrasser. Sa mère lui a demandé :

– Ça ne va pas, n'est-ce pas ? Il est temps que nous ayons une petite conversation.

Nous les avons regardés se diriger, main dans la main, vers le canapé. Mel s'est retourné, nous a fait un pauvre sourire et un signe de la main. Puis, M. Tucker nous a raccompagnées au bout de la rue.

– Mel a des problèmes en ce moment, nous a-t-il expliqué. Nous avons tout essayé, mais nous ne savons plus que faire pour l'aider. Nous nous faisons tant de soucis pour lui. Ma femme a entendu parler d'une psychologue formidable pour enfants. Je vais l'appeler pour prendre rendez-vous, dès lundi matin. Mel trouvera peut-être là l'aide dont il a besoin.

Il avait l'air triste.

– Mel a pourtant un bon fond, ai-je fait remarquer (je n'étais pas sûre qu'il fallait dire quelque chose, mais c'était sorti tout seul). Quand il taquine les enfants, ce n'est pas pour leur faire du mal. Je suis certaine que ça va s'arranger.

Kristy et moi sommes rentrées ensemble à la maison et, juste avant d'arriver, je me suis arrêtée.

– Il faut que je te dise quelque chose, Kristy. Pendant un moment, j'ai cru que tu étais Monsieur X.

– Quoi ? Pourquoi aurais-je fait ça ?

Avant que je puisse répondre, elle a deviné :

– Oh, à cause du concours, c'est ça ?

– Oui, Kristy, je suis si désol...

Elle a agité une main.

– Ne t'en fais pas, les autres pensaient sûrement la même chose. Le fait que Monsieur X ne s'en soit jamais pris à moi devait paraître suspect.

– Maintenant nous savons pourquoi. Mel n'aurait jamais pu venir dans ton quartier tout seul. Et tu n'as travaillé que près de chez toi récemment.

Ce soir-là, nous avons fêté «la capture de Monsieur X». En notre absence, les autres avaient commandé des pizzas. Et pendant que nous racontions le retour de Mel chez lui, les pizzas sont arrivées.

Nous nous sommes assises à la table de la cuisine et chacune a pris une part bien chaude.

– Puis-je proposer un toast ? ai-je demandé, avant que l'on commence à manger. Au Club des baby-sitters !

– Et à Monsieur X, a enchaîné calmement Kristy, qu'il soit plus heureux à l'avenir.

Nous avons levé notre pizza en l'air et nous avons fait semblant de trinquer avec, avant de la dévorer.

Le lundi suivant, dans l'après-midi, nous étions au beau milieu de notre réunion du club, quand on a frappé à la porte de la chambre de Claudia.

– Qui est-ce ? a demandé Kristy.

Pour seule réponse, nous avons entendu une explosion de rires. J'ai ouvert la porte. Il y avait une bande d'enfants dans le couloir qui souriaient malicieusement. Simon Newton était là, ainsi que Nicky Pike, Charlotte et Rebecca. J'ai vu David Michael et Jackie Rodowsky. Les triplés Pike montaient les escaliers et Adam criait :

– Attendez-nous !

– Qu'est-ce que vous faites ici ? ai-je demandé.

– Nous sommes venus vous dire qui a gagné le concours de la baby-sitter du mois, a entonné Byron, tout essoufflé d'avoir couru dans les escaliers.

Le concours ! Nous l'avions oublié. Résoudre le cas de Monsieur X nous avait semblé bien plus important.

– Mel a failli tout gâcher, mais nous avons quand même voté, a expliqué Adam. Et nous savions que vous voudriez connaître tout de suite les résultats.

– Alors ? a interrogé Kristy. Qui a gagné ?

– Ouais, ai-je répété, qui a gagné ?

Je sentais bien que toutes les filles du club retenaient leur respiration. Soudain, j'avais envie d'être la gagnante. Vraiment, vraiment.

– Bon voilà, a dit Nicky, nous avons voté pour notre baby-sitter préférée. Et vous savez quoi ? Il y a eu des ex aequo !

– Ex aequo ? ai-je relevé. Mais qui ?

Je pensais que Kristy était l'une des deux. Mais qui était l'autre ? Je n'ai pas eu le temps d'y réfléchir.

– Vous toutes ! a hurlé Jackie.

– Sept ex aequo ! a crié Jordan.

– Vous êtes toutes nos baby-sitters préférées, se sont exclamées en chœur Rebecca et Charlotte.

Je me suis retournée pour regarder mes copines du club. Mary Anne avait les larmes aux yeux (c'est notre Miss Cœur-sensible), mais toutes les autres souriaient. J'ai levé la main pour une grande ovation :

– Hip hip hip hourra, pour les baby-sitters du mois !

LUCY
détective

L'auteur voudrait remercier Ellen Miles
de l'avoir aidé à préparer le manuscrit de ce livre

1

Quand le train a démarré, je me suis calée au fond du siège et j'ai appuyé la tête contre la vitre en souriant. En apparence tout laissait croire que moi, Lucy MacDouglas, j'avais une vie de rêve.

J'habite à Stonebrook, une ville charmante, dans le Connecticut, (c'est d'ailleurs là que je rentrais en train). Mon école est géniale, j'ai des tonnes d'amis et j'appartiens au club le plus sympa du monde – mais je vous en dirai plus là-dessus tout à l'heure.

Régulièrement – en fait quand j'en ai envie – je peux m'offrir un week-end à New York (justement, j'en revenais). Pourtant, si vous regardez un peu au-delà des apparences, vous comprendrez que tout n'est pas si rose que ça. Vous avez sans doute déjà deviné la raison pour laquelle je fais la navette entre Stonebrook et New York : c'est que mes parents sont divorcés. Quand ils se sont séparés, ma mère et moi, nous avons déménagé à Stonebrook ; mon père, lui, est resté à New York. Leur séparation est assez récente et, croyez-moi, ça n'a pas été une partie de plaisir. Avant d'en arriver là, mes parents se disputaient beaucoup, et ce n'était vraiment pas drôle.

Pourquoi est-ce que maman est venue à Stonebrook ? En fait, c'est un peu compliqué. J'ai grandi à New York et, d'une certaine façon, je considérerai toujours que c'est ma ville natale. Je l'adore. J'aime aller au restaurant, au théâtre et... faire du lèche-vitrines. Il n'y a pas mieux que New York pour le shopping. D'ailleurs, c'est toujours là que je m'habille. La mode, c'est ma passion. Je fais très attention à mon look. Par exemple, pour voyager en train, j'ai mis un corsaire bleu avec une marinière rayée bleu et blanc, des tennis bleues aussi et un collier dauphin... toujours bleu !

Oups ! je crois que je m'éloigne un peu du sujet. Où en étais-je ? Ah oui ! j'ai grandi à New York, mais quand j'étais en cinquième, mon père a été muté dans le Connecticut. Ensuite, un an plus tard, alors que je commençais à peine à me sentir bien à Stonebrook, son entreprise l'a renvoyé à New York. Hallucinant, non ?

Peu de temps après ce nouvel emménagement à New York, j'ai remarqué que mes parents se disputaient de plus en plus souvent. Et vous imaginez la suite... Ils ont décidé de divorcer, et moi, j'ai choisi de retourner vivre à Stonebrook avec ma mère (plutôt que de déménager dans le nord-est de New York avec mon père). Voilà pourquoi j'étais dans ce train, rêvant au week-end que je venais de passer à New York.

Le plus extraordinaire, c'est que mon père avait pris tout son samedi, pour le simple plaisir d'être avec moi. Je sais ce que vous pensez : et alors, qu'est-ce que ça a d'extraordinaire ? Personne ne travaille le samedi. Personne, sauf mon père. C'est un véritable « drogué du boulot », comme on dit. C'était d'ailleurs un des sujets de discorde entre ma mère et lui : elle lui reprochait d'accorder plus d'importance à son travail qu'à sa famille, de ne jamais être à la maison... Mais ce samedi-là, je crois qu'il tenait absolument à me consacrer tout son temps, et c'est ce qu'il a fait.

Nous avons commencé la journée par un brunch dans un petit café que j'ai toujours aimé. Les serveurs sont vraiment adorables, et on peut commander des salades avec tout ce qu'on veut dedans. La cuisine est excellente, mais moi, ce que je préfère, c'est le capuccino. (C'est un café mélangé avec du lait chaud mousseux, saupoudré de cannelle. Miam, miam...) En principe, je n'ai pas le droit de boire du café, mais mon père me fait toujours goûter le sien.

Ensuite, nous nous sommes baladés un moment, en regardant les magasins et les passants. Car à New York, on ne sait jamais qui on risque de rencontrer. A un moment, alors qu'on allait traverser la Cinquième Avenue, j'ai regardé à droite, juste à temps pour apercevoir Brad Pitt (il est trop mignon) qui sautait dans un taxi. J'ai cru que j'allais m'évanouir !

Quand nous sommes arrivés près de Gap, mon père m'a proposé d'y entrer – il sait que c'est ma boutique préférée. Et il m'a dit que je pouvais choisir ce que je voulais. J'ai failli le prendre au mot et lui demander de m'acheter un blouson en daim violet trop beau ! Finalement, j'ai préféré l'option sage (que je suis bête !) et j'ai pris un T-shirt avec des petits miroirs cousus dessus. Claudia (ma meilleure amie à Stonebrook) allait en être folle, j'en étais sûre.

Nous avons encore un peu marché et fait des courses, puis, vers cinq heures, comme nous avions une faim de loup, nous avons décidé d'aller au restaurant. Papa m'a laissée choisir et j'ai opté pour Hunan Suprême, un chinois du quartier. Nous connaissons bien le propriétaire, M. Lee, et la cuisine est extra.

Le dîner était délicieux, malheureusement ce n'est pas l'épisode que j'ai préféré durant le week-end. Voilà pourquoi : quand on nous a apporté les plats, j'ai commencé à manger, mais mon père, lui, ne bougeait pas ; il avait l'air inquiet.

– Tu es sûre que tu peux manger ces nouilles, ma chérie ?

La question peut sembler idiote, hélas, il avait de bonnes raisons de me la poser. Car je suis diabétique. Du coup, il faut que je fasse extrêmement attention à tout ce que je mange, à quelle heure dans la journée, et combien de calories cela représente. Si je ne surveille pas ce que je mange, le taux de sucre dans mon sang se dérègle complètement et je risque de tomber gravement malade. En plus, je dois prendre de l'insuline tous les jours. Je me fais moi-même mes piqûres, ce qui a l'air atroce mais, au fond, ce n'est pas grand-chose une fois qu'on y est habitué. Au début, quand on a découvert mon diabète, mes parents n'arrêtaient pas de me prendre la tête. Ça me rendait folle. Maintenant, ils savent que j'arrive parfaitement à me soigner.

Cependant, mon généraliste venait de me dire qu'il fallait que je fasse encore plus attention à mon régime et que je contrôle les doses exactes d'insuline que je prenais. Sans doute parce que mon corps est en train de se transformer, ce qui peut bouleverser tous les équilibres.

J'étais donc au restaurant, prête à reprendre des nouilles – je sais que je peux en manger sans aucun risque, sinon je n'en aurais jamais commandé. Je ne vois pas pourquoi j'aurais envie de tomber malade ! Mais mon père a insisté :

– Je me demande si tu ne devrais pas prendre rendez-vous avec le Dr Werner la prochaine fois que tu viens me voir.

Le Dr Werner est le spécialiste qui me suit pour mon diabète. Je ne le vois pas régulièrement, en cas de problème seulement.

J'ai horreur que mes parents s'inquiètent pour mon diabète. Je ne me sens absolument pas handicapée et je ne supporte pas qu'on me traite comme une invalide. Alors quand je sens que mon diabète devient leur principale source de préoccupation, je commence un peu à angoisser. Ça me rappelle que je suis effectivement malade.

– Écoute, papa, je maîtrise très bien la situation. Tu penses que je ne suis pas capable de me soigner ? J'ai grandi, n'oublie pas. Je ne suis plus ta P'tite Boule. (« P'tite Boule » est le surnom que mon père me donnait quand j'avais encore mon petit ventre de bébé trop mignon vers deux ou trois ans.)

Papa s'est détendu. J'ai compris que je pouvais repousser la visite chez le Dr Werner, au moins pour quelque temps.

– Non, tu n'es plus ma P'tite Boule, je sais, Anastasia.

Mon père est le seul à m'appeler comme ça. Je sais, c'est mon vrai prénom, mais franchement, c'est trop...

Enfin, revenons à la suite de mon super week-end à New York. Dimanche matin, j'ai fait la grasse matinée. J'entendais mon père pianoter sur le clavier de son ordinateur dans la pièce voisine. J'aurais dû me douter qu'il ne pouvait pas prendre tout son week-end. Je commençais à lui en vouloir un peu – c'était dimanche quand même ! – quand la sonnerie a retenti.

J'ai vite enfilé ma robe de chambre et j'ai couru à la porte. C'était ma meilleure amie de New York, Laine Cummings, avec un énorme sac plein à craquer de chez Zabar, le traiteur le plus sublime de la planète. Tout New York y va le dimanche matin pour y acheter des petits pains, du fromage blanc frais et toutes sortes de trucs délicieux.

Laine et moi, nous avons mis la table avec tout ce qu'elle avait acheté et nous avons commencé à manger et à papoter jusqu'à l'heure de mon départ.

Je pensais encore au blouson en daim violet de chez Gap quand le haut-parleur a annoncé :

– Stonebrook, Stonebrook, trois minutes d'arrêt, Stonebrook !

J'ai sauté directement de la dernière marche du train dans les bras de ma mère. Elle m'a embrassée, ravie.

– Tu m'as tellement manqué, ma petite chérie ! Alors, raconte, comment s'est passé ton week-end ?

En chemin, dans la voiture, je lui ai raconté mon week-end à New York. A mesure que je détaillais tout ce que j'avais fait au cours de ces deux journées, je voyais sa bouche se contracter peu à peu.

– Tu veux dire qu'il a pris tout son week-end? s'est-elle étonnée.

Je n'avais pas mentionné les bruits d'ordinateur de dimanche parce que je n'avais pas envie d'aborder le sujet. Je savais que ce que je racontais sur ce week-end génial à New York ne lui faisait pas vraiment plaisir, alors j'ai changé de sujet.

– Maman, toi aussi, tu m'as manqué, tu sais. On devrait aller à New York ensemble un jour. Tu te rappelles les fous rires qu'on piquait au rayon cosmétique de Bloomingdale's?

Elle s'est mise à rire. Je parie qu'elle pensait au jour où nous avions essayé au moins quatorze parfums différents chacune.

Arrivée à la maison, je me suis précipitée dans ma chambre pour défaire mes bagages. J'étais vraiment contente d'être rentrée – finalement, c'est à Stonebrook que je me sens chez moi. Après le dîner, j'ai appelé Claudia pour lui raconter mon week-end.

– Non, Lucy, je n'y crois pas, tu n'as même pas essayé le blouson violet!

(Claudia est aussi folle de mode que moi, si ce n'est plus...)

– Mais attends, tu n'as pas vu mon T-shirt. Il est génial, je t'assure.

Nous avons discuté jusqu'à ce que maman vienne me rappeler qu'il était temps de mettre fin à la conversation.

– Salut, Lucy! On se voit demain en cours, a dit Claudia.

– Et à la réunion, ai-je ajouté.

Claudia et moi, avec nos meilleures amies de Stonebrook (nous sommes cinq en tout), nous appartenons au Club des baby-sitters. Le club est une véritable entreprise, mais je vous expliquerai cela tout à l'heure.

Après avoir raccroché, je me suis préparée pour me coucher. J'étais épuisée ! Ça demande une sacrée énergie, ces week-ends de shopping !

Je comptais marcher jusque chez Claudia pour la réunion du Club des baby-sitters, mais je ne sais pas pourquoi, le lendemain, j'ai été en retard dès le réveil.

J'imagine que je ne suis pas encore habituée à ces passages d'un « monde » à l'autre – New York et Stonebrook. Je mets toujours un moment à me réadapter chaque fois que je reviens d'un week-end hors de la maison.

J'ai donc commencé par une panne d'oreiller. Ensuite, j'ai englouti mon petit déjeuner à toute vitesse, je me suis habillée avec ce qui me tombait sous la main (mon corsaire bleu de la veille avec une chemise rose et – aïe ! – des socquettes rouges), et j'ai couru pratiquement non-stop jusqu'au collège. J'ai été stressée toute la journée, et à presque cinq heures et demie, l'heure de la réunion du club, je traînais encore à la maison !

145

Kristy allait me tuer !

J'ai sauté sur mon vélo. En pédalant à toute vitesse, je serais à l'heure. En route, je pensais à toutes les amies que j'allais revoir. J'avais vraiment de la chance d'avoir rencontré tant de super copines en arrivant à Stonebrook. Si le club n'avait pas existé, ma vie aurait été complètement différente.

Tout a commencé au début de la cinquième. A l'époque, Kristy vivait avec sa mère, ses deux frères aînés, Samuel et Charlie, et son petit frère, David Michael. Sa mère était divorcée : le père de Kristy les avait quittés depuis longtemps déjà. Depuis Kristy ne le voit jamais. C'est terrible, non ? Je trouve que le divorce de mes parents a été dur, mais moi, au moins, je vois mon père assez souvent.

Bon, bref. La plupart du temps, c'étaient Kristy et ses frères qui gardaient David Michael, mais quand ils étaient tous pris, Mme Parker devait passer des dizaines de coups de fil avant de trouver une baby-sitter. Alors un soir, en voyant sa mère complètement désespérée, Kristy a eu une de ses idées de génie. Et si les parents pouvaient passer un seul coup de fil à une association de baby-sitters expérimentées ?

C'est ainsi qu'est né le Club des baby-sitters. Kristy a appelé Claudia, puis Mary Anne, sa voisine et meilleure amie. Elles ont tout de suite compris qu'elles auraient besoin d'être plus nombreuses, alors Claudia a proposé que je fasse partie du club. On s'était rencontrées au collège et on avait commencé à sympathiser. Claudia a été élue vice-présidente, essentiellement parce que c'est dans sa chambre qu'ont lieu les réunions. Mais aussi parce qu'elle est la seule à avoir son propre téléphone avec une ligne directe – très important pour le club. Mary Anne a été nommée secrétaire pour ses qualités d'organisation et moi, j'ai pris le poste de trésorière parce que je suis bonne en maths. On se réunit trois fois par semaine, les lundis, mercredis et vendredis. Les parents nous appellent pendant les réunions pour nous proposer les gardes. Le club a parfaitement marché dès le premier jour, mais il a sacrément changé depuis, de même que ses membres ! Je ne suis pas la seule à avoir l'impression que ma vie a été chamboulée de fond en comble depuis environ un an. En plus, le club s'est considérablement élargi depuis sa création. Maintenant il y a Carla, Jessi et Mallory. Sans oublier Logan et Louisa… mais là, j'anticipe un peu…

Revenons-en à Kristy. Elle fourmille d'idées géniales, mais elle peut parfois être assez autoritaire, ou au contraire (ça me gêne de l'avouer) légèrement gamine. Elle est petite pour son âge et un peu garçon manqué. Elle porte la même tenue tous les jours : un jean, un pull et des baskets. Mais elle est très sympa. Elle a été assez bousculée cette année, et je dois dire qu'elle s'en sort vraiment bien.

A l'époque où elle était en train de monter le club, sa mère est tombée amoureuse d'un vrai millionnaire, Jim Lelland. Ils se sont mariés et Kristy a déménagé à l'autre bout de Stonebrook pour aller vivre dans son immense villa. Elle n'était vraiment pas ravie de tous ces changements au début, mais elle aimait bien les enfants de Jim, son nouveau demi-frère, Andrew, et sa nouvelle demi-sœur, Karen. Ensuite, la mère de Kristy et M. Lelland ont décidé d'adopter Emily Michelle, une petite Vietnamienne de deux ans.

Puis la grand-mère de Kristy, Mamie, a emménagé avec eux pour les aider à s'occuper d'Emily ! Si bien qu'en ce moment leur maison est vraiment bien remplie, surtout si on compte Louisa, leur jeune chienne, et Boo-Boo, un gros chat grincheux du troisième âge. Mais tout ce petit monde a l'air de bien s'entendre et Kristy apprécie de plus en plus sa nouvelle maison, sa nouvelle famille et son nouveau quartier.

Comme je l'ai déjà dit, Claudia Koshi (ma meilleure amie, vous vous rappelez ?) est vice-présidente du club. Et elle est, disons... sublime. Elle est américano-japonaise, avec de longs cheveux soyeux, un teint parfait (malgré des habitudes alimentaires épouvantables) et des yeux en amande. Et s'il y a une personne à Stonebrook qui s'habille de façon plus géniale et plus audacieuse que moi, c'est bien Claudia. Elle a un œil d'artiste. Elle assortit les vêtements les plus originaux avec les accessoires les plus insolites, qu'en général elle a fabriqués elle-même.

Ce qu'elle aime, ce qu'elle déteste ? Elle aime : les romans d'Agatha Christie. Elle déteste : travailler. Elle a des relations pas toujours faciles avec sa sœur aînée, Jane, qui est surdouée. Et sa grand-mère Mimi, dont elle était vraiment proche, lui manque énormément. Mimi est morte il n'y a pas très longtemps, et nous la regrettons toutes.

Mary Anne Cook, la secrétaire du club, a les cheveux châtains et les yeux marron, comme Kristy. Autant Kristy est extravertie et toujours sur le devant de la scène, autant Mary Anne est timide et sensible – hypersensible même. Elle est capable d'éclater en sanglots pour un verre cassé – sans doute parce qu'elle a pitié du pauvre verre ! Mary

Anne a été élevée par son père, car elle a perdu sa mère très jeune. Pendant des années, M. Cook a été incroyablement sévère avec elle jusqu'à ce qu'il se détende un peu. Récemment, il lui a même permis d'avoir un petit chaton !

A part son père, s'il y a une personne que Mary Anne aime plus que Tigrou (son chaton), c'est son petit ami, Logan Rinaldi. Je trouve bizarre que Mary Anne, la plus timide du Club des baby-sitters, soit la seule d'entre nous à avoir un petit ami stable. J'imagine que Logan apprécie chez Mary Anne les mêmes qualités que nous : elle est compréhensive, elle sait écouter les autres et elle est drôle.

La vie de Mary Anne a aussi beaucoup changé ces derniers temps, mais avant de vous en dire plus, il faut que je vous parle de Carla Schafer, car ça a un rapport.

Carla est membre suppléant du club, ce qui signifie qu'elle peut remplacer n'importe quel membre qui ne peut pas venir à une réunion. (Elle m'a remplacée comme trésorière quand je suis partie vivre à New York.) Carla a emménagé à Stonebrook en arrivant de Californie quand ses parents ont divorcé. Sa mère a grandi ici, c'était donc assez naturel qu'elle souhaite y revenir. Leur première année à Stonebrook a été assez dure. Le petit frère de Carla, David, avait du mal à s'adapter au changement. Son père lui manquait terriblement et il regrettait la Californie ; d'ailleurs, il est finalement retourné vivre là-bas. Je sais qu'il manque beaucoup à Carla. Mais elle est vraiment proche de sa mère et elle adore la maison où elle habite – une maison construite en 1795 avec un passage secret et peut-être même un fantôme...

Carla a beau habiter ici depuis deux ans, elle a toujours

un look de Californienne. Elle a de longs cheveux blonds comme les blés et des yeux bleus magnifiques. Elle est très branchée nourriture bio et se fiche totalement qu'on se moque d'elle quand elle mange ses salades au tofu. Carla se fiche éperdument de ce que les autres pensent d'elle.

Vous vous rappelez que je vous ai dit que Carla avait un rapport avec les récents changements dans la vie de Mary Anne ? Bon, alors écoutez : la mère de Carla vient de se marier. Avec qui ? Le père de Mary Anne ! C'est fou, non ? Ils sortaient ensemble au lycée quand ils étaient plus jeunes, ici, à Stonebrook. Et quand Mme Schafer est revenue s'installer ici, après son divorce, leur histoire d'amour a repris comme avant.

Ce qui fait que Carla et Mary Anne sont demi-sœurs ! Pourtant ça n'a pas été très facile pour elles de passer d'amies à demi-sœurs. Quand Mary Anne, son père et Tigrou ont emménagé chez Carla, l'ambiance était un peu houleuse. Apparemment les choses commencent à s'arranger.

Il y a encore deux baby-sitters dans le club, les membres juniors, Mallory Pike et Jessica Ramsey. On leur a demandé de participer l'année dernière quand j'étais à New York, parce que les autres membres n'arrivaient pas à s'en sortir vu le nombre de gardes qu'on leur proposait. Bien entendu, elles sont toujours membres, même si je suis revenue. On les appelle « juniors » parce qu'elles ont deux ans de moins que nous – elles sont en sixième – et elles n'ont pas le droit de garder des enfants le soir, sauf leurs propres frères et sœurs. De toute façon, il y a largement de quoi les occuper pendant la journée. Mallory et Jessi sont toutes les deux des super baby-sitters, on a vraiment eu de la chance de les avoir.

Mallory est très efficace parce qu'elle vient d'une famille nombreuse. Elle a sept frères et sœurs ! Les Pike ont toujours été des clients fidèles du club – d'ailleurs, il n'y a pas si longtemps, on gardait Mal. Déjà à l'époque elle nous aidait énormément, et aujourd'hui elle a beaucoup grandi. Elle a vraiment l'habitude des enfants.

Mallory adore lire et écrire – en fait, elle veut même devenir auteur de livres pour enfants plus tard. Ce qu'elle préfère, ce sont les histoires de chevaux. Je crois qu'elle a lu *Mon amie Flicka* soixante-dix-sept fois !

Le principal problème de Mal, c'est qu'elle a onze ans, mais qu'elle se sent plus âgée que ses parents ne le pensent. (Cela peut sembler bizarre comme ça, mais vous voyez ce que je veux dire.) Par exemple, elle voudrait porter des lentilles à la place de ses lunettes et elle a une sainte horreur de son appareil dentaire. Déjà, ses parents ont fini par accepter qu'elle se fasse percer les oreilles et couper les cheveux. Quant au reste, j'imagine qu'il faudra simplement qu'elle s'arme de patience. C'est facile à dire, mais je sais à quel point ça peut être pénible.

La meilleure amie de Mallory, c'est... devinez qui ? Jessica Ramsey. Elles se sont tout de suite très bien entendues, dès que les parents de Jessi sont venus s'installer ici l'année dernière. Au début, les Ramsey ont eu beaucoup de mal à s'intégrer parce qu'ils sont noirs et qu'il n'y a quasiment pas d'autres familles noires à Stonebrook. Je sais bien que la couleur de la peau ne devrait pas faire de différence, mais le fait est que c'est souvent le cas. Quelle injustice ! Aujourd'hui, j'ai l'impression que ça va mieux pour eux, heureusement. La petite sœur de Jessi, Becca (diminutif de

Rebecca) s'est fait des amis et leur petit frère, P'tit Bout, est du genre à être heureux n'importe où. Enfin, leurs voisins ont fini par comprendre que les Ramsey sont tout simplement une famille sympa. A ce propos, vous savez où ils habitent ? Dans mon ancienne maison !

Jessica adore les histoires de chevaux, elle aussi, mais sa véritable passion, c'est la danse classique. Elle est extrêmement douée et travaille beaucoup. Elle suit des cours de danse deux fois par semaine à Stamford – sans blague, des cours de pro !

Voilà, je vous ai présenté tout le monde. Oups ! J'ai oublié de mentionner nos deux membres intérimaires, Logan Rinaldi (le petit ami de Mary Anne) et Louisa Kilbourne, une amie de Kristy qui habite son quartier. Ils n'assistent pas aux réunions, mais on peut les appeler si on a trop de demandes.

Ça y est ! Je crois que je n'ai oublié personne. Quelle équipe !

Alors que j'arrivais chez Claudia, j'ai jeté un coup d'œil à ma montre. Plus que quelques minutes.

3

J'ai grimpé les escaliers quatre à quatre, à bout de souffle. Pourvu que la réunion n'ait pas commencé ! Arrivée devant la porte de la chambre, j'ai entendu la voix de Kristy.

– Et pour clore le tout, Louisa s'est retrouvée dans la poubelle, c'était le pompon. Je suis rentrée dans la cuisine et j'ai vu le sol couvert de peaux de banane et d'os de poulet !

– Beurk ! Tu rigoles ?

– C'est pas vrai !

Je pense que Kristy parlait de Louisa le chiot, et pas de Louisa, membre du Club des baby-sitters.

Les réunions du club commencent toujours à dix-sept heures trente pile, dès que le réveil digital de Claudia bascule de vingt-neuf à trente. Là, il affichait vingt-huit, j'étais donc largement à l'heure. Je me suis installée sur le lit

153

à côté de Mary Anne, qui discutait avec Carla. Elles étaient plongées dans une grande discussion sur la couleur des yeux de Ricky Martin. (C'est le nouveau chanteur préféré de Mary Anne.)

Claudia était en train de fouiller dans son placard. Je savais très bien ce qu'elle cherchait. Elle a fini par se retourner, brandissant un paquet de M&M's dans une main, un paquet de cookies dans l'autre, et un Twix coincé entre les dents ! Comme vous vous en doutez, les parents de Claudia ne sont pas vraiment ravis de son goût pour ce genre de cochonneries. Du coup, elle est obligée de les cacher où elle peut dans sa chambre.

Je mourais d'envie de pouvoir enfin raconter tout ce que j'avais fait pendant le week-end. Je brûlais d'impatience d'annoncer à tout le monde que j'avais vu Brad Pitt, mais c'est Mallory qui a pris la parole la première :

– Vous avez vu cette vieille maison au bout de la rue ? Ils sont en train de la démolir !

Ouais, je voyais de laquelle elle parlait, mais bon, pas de quoi en faire un plat, de cette maison ! J'allais commencer à parler de Brad quand Claudia m'a interrompue.

– Pas possible ! Mais je croyais qu'elle était classée monument historique et que c'était interdit d'y toucher.

– J'ai entendu dire qu'un promoteur immobilier s'était débrouillé pour contourner la loi, a expliqué Mary Anne. Cette vieille maison est la dernière du quartier, et ils n'ont pas l'intention de se laisser arrêter dans leur projet. Ils veulent construire tout un ensemble d'immeubles.

Je ne comprenais pas pourquoi elles étaient toutes tellement fascinées par cette « nouvelle » qui concernait une vieille bicoque sans grand intérêt. C'est peut-être ce qui arrive quand on a vécu toute sa vie à Stonebrook : n'importe quoi peut devenir un événement majeur.

– La réunion commence ! a soudain lancé Kristy, nous faisant toutes sursauter.

En effet, il était dix-sept heures trente pile. Elle s'est installée comme d'habitude dans son fauteuil de présidente. Elle portait une espèce de visière (ça doit lui donner l'impression d'être la chef) et un crayon coincé derrière l'oreille.

Je dois reconnaître que Kristy se débrouille très bien comme présidente du club. Carla rêve qu'une fois Kristy ne puisse assister à une réunion, pour pouvoir être présidente d'un jour en tant que suppléante. Mais ça n'est encore jamais arrivé. J'ai du mal à imaginer Kristy ratant une réunion, et plus de mal encore à imaginer que quelqu'un la remplace.

– Tout le monde a lu le journal du club ? a demandé Kristy.

Grognement général.

– Tu avais promis que tu ne nous poserais plus la question, a remarqué Claudia. Que tu faisais enfin confiance à tes meilleures amies !

Nous sommes toutes supposées faire un petit compte-rendu dans ce journal après chaque garde. C'est plutôt une bonne idée ; c'est souvent assez intéressant à lire et ça nous permet de recueillir des renseignements utiles. Mais parfois ça fait un peu scolaire – avec Kristy dans le rôle de la prof.

En tout cas, on a toutes répondu qu'on l'avait lu. C'est devenu une habitude.

– Qui veut des M&M's ? a proposé Claudia en faisant le tour de sa chambre.

Tout le monde en a pris, sauf Carla et moi. Heureusement que Carla est obsédée par les produits bio, comme ça je ne suis pas la seule à tout le temps refuser.

– Oh, excuse-moi, Lucy... excuse, Carla. Attendez, je crois que j'ai...

Claudia farfouillait au fond d'une boîte cachée sous son lit où elle avait écrit PASTÈLES. (Elle est nulle en orthographe.) Elle a fini par trouver un paquet de crackers qu'elle nous a lancé. Je l'ai passé à Carla sans même l'ouvrir. Elle m'a regardée d'un drôle d'œil, mais j'ai fait comme si je n'avais rien remarqué. Je n'avais pas envie d'attirer l'attention sur le fait que mon diabète était plus difficile que jamais à maîtriser.

– Hum, hum..., a toussoté Kristy. Vous êtes prêtes ? On peut embrayer avec l'ordre du jour ?

Où diable a-t-elle appris à parler comme ça ? Nous nous sommes toutes regardées avant d'éclater de rire. Kristy a eu l'air un peu vexée, au début, puis elle a fini par craquer, elle aussi.

Pile à ce moment, le téléphone a sonné. Le premier appel ! Kristy s'est précipitée pour décrocher.

– Allô ! Club des baby-sitters. Que puis-je faire pour vous ?

Kristy a écouté attentivement, puis elle a repris la parole :

– Pas de problème, madame Newton. Nous vous rappelons tout de suite.

Elle a raccroché et s'est tournée vers Mary Anne.

– Qu'est-ce qu'on a au planning demain après-midi ?

Mme Newton a besoin de quelqu'un pour garder Simon pendant qu'elle emmène Lucy Jane chez le pédiatre.

J'aurais bien aimé y aller – Simon est un gamin super, on adore toutes le garder –, mais Mary Anne a consulté l'agenda et elle m'a rappelé que j'avais déjà une garde chez les Pike, avec Mallory. (Chez eux, les gardes se font toujours à deux.)

– Jessi a cours de danse, Carla sort tard du collège demain, et Claudia... tu as cours de dessin. Il ne reste donc que toi ou moi, Kristy, a conclu Mary Anne.

Elle est incroyable, elle connaît heure par heure toutes nos activités ! Et en plus elle note tout, les tarifs, les adresses et les numéros de téléphone de chaque client. Elle a même fait la liste des animaux domestiques de chacun.

– Je te laisse ce baby-sitting, Mary Anne. J'ai promis à David Michael que je l'aiderais à laver Louisa, a dit Kristy.

– D'accord, ça me va.

Kristy a donc rappelé Mme Newton pour lui dire que Mary Anne serait au rendez-vous. C'est en général comme ça que nous fonctionnons dans le club. Nous nous disputons rarement pour une garde car il y a toujours assez de travail.

– N'oublie pas ton coffre à jouets, Mary Anne. Il risque de pleuvoir demain, et tu connais Simon quand il doit rester à l'intérieur...

C'est Kristy qui a eu l'idée géniale des coffres à jouets. Je ne compte pas le nombre de fois où ils nous ont sauvé la vie, surtout les jours de pluie ou quand les parents manquent trop aux enfants et qu'il faut leur changer les idées. Ce sont des boîtes remplies de jouets, de livres et de jeux. (Chacune de nous en a fabriqué une en la décorant avec du papier cadeau, des paillettes et tout ce qu'on a pu trouver dans le carton que Claudia avait appelé DIVERRES.)

– A propos des coffres à jouets, où en est la trésorerie ? Est-ce qu'on peut se permettre d'acheter de nouvelles gommettes ? m'a demandé Kristy.

J'ai regardé dans l'enveloppe en kraft pour voir combien il nous restait de la cagnotte commune. Chacune de nous conserve l'argent qu'elle gagne, mais toutes les semaines nous donnons une certaine somme destinée à alimenter la caisse pour les coffres à jouets, par exemple. C'est aussi l'argent de la trésorerie qui sert à payer le grand frère de Kristy, Samuel, qui l'accompagne en voiture aux réunions (elle habite beaucoup trop loin pour pouvoir venir à pied depuis qu'elle a déménagé chez Jim), à payer des soirées pizzas, ou encore à régler la note de téléphone de Claudia. En deux secondes, j'ai su ce qu'il nous restait. (C'est pour ça que je suis trésorière !)

– On a largement assez pour les gommettes. Quelqu'un a besoin d'autre chose ?

Tout le monde s'est mis à parler en même temps, mais le téléphone a de nouveau sonné. Il y a eu trois ou quatre coups de fil d'affilée et nous nous sommes réparti les gardes.

Au moment où Kristy s'apprêtait à annoncer la prochaine réunion, le téléphone a encore retenti.

C'est elle qui a répondu. Elle a parlé des heures. Je savais qu'elle s'adressait au Dr Johanssen qui voulait une baby-sitter pour Charlotte (c'est la petite fille que je préfère garder). Mais je n'arrivais pas à comprendre ce qu'elle lui demandait exactement. Ça avait l'air compliqué.

Quand elle a raccroché, Kristy a relevé sa visière.

– Bon, écoutez, les filles, voilà le problème. Le père de M. Johanssen doit se faire opérer et il voudrait que toute la famille soit auprès de lui. Mme Johanssen, qui est médecin, dit que son beau-père ne court pas de risques sérieux – mais il est assez âgé et l'opération risque de beaucoup le fatiguer. Elle et M. Johanssen vont partir une semaine environ et ils ne veulent pas que Charlotte manque l'école.

Je ne voyais pas comment ils pourraient faire, vu qu'ils n'ont pas la moindre famille sur place.

– Alors Mme Johanssen se demandait si Charlotte pouvait habiter soit chez Jessi soit chez toi, Lucy, a repris Kristy. Elle a dit qu'elle était prête à dédommager vos parents.

C'était vraiment nouveau ! Personne dans le club n'avait jamais eu ce genre de responsabilité.

Jessi a immédiatement répondu que c'était impossible pour elle.

– Dommage ! Becca aurait adoré avoir sa meilleure amie une semaine à la maison ! Mais on va voir mes cousins dans le New Jersey le week-end prochain.

Pour moi, ça ne posait pas de problème.

– Je vais d'abord demander à ma mère. Mais je suis sûre qu'elle sera d'accord pour recevoir Charlotte.

Maman est à la recherche d'un emploi et je savais qu'elle serait ravie de s'occuper de Charlotte quand je serais prise. Je lui ai téléphoné et elle a tout de suite été d'accord à condition d'en parler avec les parents de Charlotte avant.

J'ai rappelé le Dr Johanssen pour lui annoncer la nouvelle. Elle a dit qu'elle allait contacter maman immédiatement. J'étais surexcitée. C'était génial ! J'ai toujours rêvé d'avoir un petit frère ou une petite sœur et je savais qu'avec Charlotte, pendant une semaine, on rigolerait bien. Je commençais déjà à imaginer tout ce qu'on pourrait faire ensemble. Où dormirait-elle ? Peut-être dans la chambre d'amis, je pourrais l'arranger pour qu'elle soit plus accueillante. Je mettrais les draps avec les cœurs de toutes les couleurs que j'adorais quand j'étais petite…

– Bon, la réunion est finie, a annoncé Kristy.

Il était six heures. Je suis partie de chez Claudia en lançant un au revoir général et j'ai filé sur mon vélo, la tête pleine de projets.

④

Le jeudi suivant, la chambre d'amis était prête. J'avais fait le lit avec mes anciens draps. Je savais que Charlotte les adorerait.

J'avais installé mon ours en peluche, Grosbidon, sur l'oreiller. Il lui manquait un œil et il était usé jusqu'à la corde, mais c'était mon compagnon de toujours. J'avais rempli l'une des étagères de jouets qu'un enfant de huit ans ne pouvait pas ne pas aimer. J'avais mis deux des livres préférés de Charlotte sur la table de chevet, *La Toile de Charlotte* et *Le Petit Fantôme*. J'avais même été cueillir quelques fleurs pour les mettre dans un vase sur le rebord de la fenêtre.

J'ai jeté un dernier coup d'œil à la chambre. Im-pec-cable ! J'étais certaine que Charlotte s'y sentirait bien. J'étais en train d'asseoir une poupée de porcelaine sur la commode quand j'ai entendu un coup de Klaxon dans l'allée. J'ai couru à la fenêtre. C'étaient les Johanssen ! J'ai dévalé les escaliers jusqu'à l'entrée. Maman est arrivée derrière moi.

Charlotte avait du mal à sortir de l'arrière de la voiture tellement ses parents y avaient empilé de valises et de sacs. Ils filaient directement à l'aéroport après l'avoir déposée. Charlotte serrait contre elle un énorme sac en plastique bourré à craquer et un oreiller. Son père a extirpé une petite valise qui était coincée entre le siège avant et la banquette arrière.

– Tu as tout, ma chérie ?

Charlotte gardait les yeux rivés au sol. Elle a hoché la tête sans broncher. Elle était au bord des larmes. Je crois que maman l'avait remarqué aussi et elle a essayé de la consoler :

– Charlotte, nous sommes tellement contentes que tu viennes chez nous. Lucy m'a dit que ton menu préféré, c'était spaghettis et boulettes de viande, alors devine ? C'est ce que j'ai prévu pour le dîner ce soir.

Charlotte a esquissé un timide sourire. Je l'ai prise par les épaules.

– Qu'est-ce que tu as apporté, Charlotte ? Tu as toutes tes affaires préférées ?

Elle s'est dégagée et a couru vers son père.

– Papa, s'il te plaît, ne pars pas ! Je ne veux pas rester toute seule.

J'étais un peu étonnée, et j'avais beau me dire qu'elle n'avait rien contre moi, j'étais un peu vexée. La Charlotte que j'avais devant moi était la petite fille timide, dans les jupes de sa maman, que j'avais connue au début. Mais elle avait tellement changé depuis ! La Charlotte que je connaissais était sûre d'elle, bavarde et très sociable.

En plus, je ne veux pas avoir l'air de me vanter, mais Charlotte m'adore. J'ai toujours été sa baby-sitter préférée, et cela va même plus loin. Je crois qu'elle me considère un peu comme sa grande sœur. Le jour où j'ai quitté Stonebrook, elle était désespérée, et quand je suis revenue, elle était folle de joie.

Le Dr Johanssen a dû remarquer que j'étais un peu déçue parce qu'elle m'a prise à part pour me rassurer.

– Charlotte est un peu triste, Lucy. Elle est très inquiète pour son grand-père car elle tient beaucoup à lui. Nous avons beau lui répéter qu'il ne risque rien, elle se fait du souci. Mais je pense qu'elle se sentira bien chez vous. En tout cas, merci mille fois de l'accueillir.

Puis elle s'est penchée vers sa fille pour la serrer dans ses bras. Charlotte a éclaté en sanglots, mais il a fallu que ses parents partent, après l'avoir embrassée chacun à leur tour. Nous avons agité la main jusqu'à ce que la voiture disparaisse entièrement de notre vue. En entrant dans la maison puis en montant les escaliers, des affaires plein les bras, Charlotte s'est peu à peu calmée, passant des sanglots aux reniflements, puis aux petits hoquets.

Quand j'ai ouvert la porte de sa chambre, elle s'est complètement arrêtée de pleurer.

– Oh, Lucy, c'est géant !

Elle a fait le tour de la chambre, et j'ai vu que rien ne lui échappait de toutes mes attentions. Je voulais qu'elle se sente vraiment chez elle et je savais qu'elle appréciait mes efforts.

Elle s'est assise au bord du lit et a pris Grosbidon sur ses genoux.

– Mon grand-père est très malade, m'a-t-elle confié. Il risque de mourir.

– Mais non, Charlotte, il ne va pas mourir. Il va très bien s'en sortir. Je suis sûre qu'avec tes parents auprès de lui, il va guérir encore plus vite.

Je me suis assise à côté d'elle et cette fois, quand je l'ai prise dans mes bras, elle s'est laissée faire.

– J'ai peur, Lucy.

– Je comprends, mais je suis certaine que tout va bien se passer et qu'on va bien s'amuser toutes les deux. Tu sais quoi ? Qu'est-ce que tu dirais d'une partie de Cluedo ? C'est toi qui fais Mlle Rose.

Nous avons joué et papoté jusqu'à ce que maman nous appelle pour le dîner. Charlotte allait déjà beaucoup mieux. Elle posait beaucoup de questions sur l'opération de son grand-père : « Est-ce que ça fait mal quand on ouvre ? Mais, si on l'endort, est-ce qu'il va se réveiller ? », mais elle était beaucoup plus apaisée. (Manifestement, le Dr Johanssen n'avait pas eu le temps de lui expliquer en quoi consistait l'opération.)

La sauce des spaghettis sentait délicieusement bon. Maman finissait de la verser sur les pâtes quand nous sommes entrées dans la cuisine.

– Charlotte, tu peux t'asseoir là, en face de Lucy, a dit maman en posant nos assiettes sur la table.

En principe, c'est moi qui mets la table, mais je suppose que maman ne m'avait rien demandé parce que Charlotte était là. Maman et moi, nous avons commencé à manger... mais pas Charlotte. Elle était assise, les yeux fixés sur son assiette. Pourtant, d'habitude, elle adore les spaghettis.

– Qu'est-ce qu'il y a, Charlotte ? ai-je demandé. Tu veux que je te coupe tes boulettes de viande ?

Elle avait peut-être simplement besoin qu'on s'occupe d'elle.

– Non, j'ai pas faim. Ça a l'air délicieux, madame MacDouglas, mais...

Elle était à nouveau au bord des larmes.

– Ne t'inquiète pas, Charlotte, l'a rassurée maman. Si tu as faim plus tard, il en restera largement assez.

Maman devait penser la même chose que moi : Charlotte était un peu angoissée et déstabilisée. Ce n'était pas la peine de la forcer.

J'ai fini de dîner assez vite pendant que Charlotte patientait. Je lui avais dit d'aller m'attendre dans le salon en regardant la télé, mais elle ne voulait pas me quitter. Elle m'a aidée à débarrasser, puis elle est restée près de moi pendant que je remplissais le lave-vaisselle.

– Tu crois que mes parents sont encore dans l'avion ?

J'ai fait un rapide calcul dans ma tête.

« Voyons voir... Ils sont partis à l'aéroport à quatre heures et demie, leur avion décollait à cinq heures et demie et le vol dure... »

Mais je n'ai pas eu le temps de finir car Charlotte me posait déjà d'autres questions.

– Qu'est-ce qu'ils vont faire de tous les bagages quand ils atterriront ? Tu crois que quelqu'un va venir les chercher ? Ils vont directement à l'hôpital voir grand-père ?

Elle avait besoin de se changer les idées. J'ai allumé la télé. Coup de chance, c'était le *Cosby Show*, une des émissions préférées de Charlotte. Ça l'a occupée pendant une bonne demi-heure, mais à peine l'émission finie, elle a recommencé à s'inquiéter.

– Ils ont dû arriver à l'hôpital maintenant. Tu crois que grand-père est content de les voir ? Il doit avoir peur pour son opération. Comment est-ce qu'ils referment une fois qu'ils ont tout ouvert ?

Après lui avoir expliqué qu'on recoud les plaies et qu'une fermeture Éclair ne serait pas vraiment pratique, je lui ai proposé de rejouer au Cluedo. Mais au beau milieu de la partie, j'ai vu qu'elle commençait à s'agiter. Comment pouvais-je la distraire avant qu'elle ne m'assaille à nouveau de questions ?

– Tu as déjà joué à la bataille, Charlotte ? ai-je demandé tout en fouillant dans le tiroir de mon bureau pour trouver mon paquet de cartes.

Elle ne connaissait pas le jeu, alors je le lui ai appris. Elle a adoré. Personnellement, je trouve que c'est le jeu le plus ennuyeux du monde, mais ce soir-là, j'ai joué douze parties d'affilée avec un vrai plaisir. Tout était bon pour distraire Charlotte et lui faire oublier son cafard.

A la fin de la douzième partie (que Charlotte avait gagnée), j'ai suggéré qu'il était temps d'aller se coucher. J'avais encore des devoirs à faire et il était déjà tard. *Lentement*, elle s'est mise en pyjama. *Lentement*, elle s'est brossé les dents. Je voyais bien qu'elle essayait de gagner quelques minutes supplémentaires. Elle avait sans doute un peu peur de dormir dans un nouveau lit.

Je l'ai bordée et je lui ai mis Grosbidon dans les bras. Ensuite, bien qu'elle soit une très bonne lectrice, je lui ai lu quelques pages de *La Toile de Charlotte*. Elle adore ce livre et moi, j'adore le lui lire. « Je suis fière d'avoir le même nom que l'araignée », dit-elle toujours.

Au bout de trois chapitres, alors que je commençais à avoir mal à la gorge à force de lire à haute voix, j'ai vu les paupières de Charlotte s'alourdir. Quelques instants plus tard, j'ai arrêté de lire, elle s'était endormie pour de bon.

J'ai quitté la chambre à pas de loup en laissant la porte entrouverte pour pouvoir l'entendre si jamais elle se réveillait. J'ai failli faire l'impasse sur mon devoir de maths. J'étais épuisée ! Jamais je n'aurais pensé que s'occuper de Charlotte demanderait autant d'énergie. Les choses s'arrangeraient sûrement petit à petit. Enfin, il fallait l'espérer. Je me suis assise à mon bureau et j'ai résolu mon problème de maths aussi vite que possible.

Au moment de me coucher, j'étais trop fatiguée pour finir le chapitre de mon livre, *Le Fantôme de Canterville*. J'ai éteint la lumière et je me suis écroulée. Le lendemain matin, quand je me suis réveillée, le soleil brillait et les oiseaux chantaient. Maman était en train de préparer le petit déjeuner en bas dans la cuisine. Et Charlotte dormait, blottie contre moi dans mon lit, avec Grosbidon serré contre elle.

5

Vendredi, Charlotte et moi, nous sommes rentrées de l'école à la même heure. Maman partait à un entretien d'embauche au moment où nous sommes arrivées. Elle avait l'air très pro, avec son tailleur chic.

– Salut les filles, je vous retrouve pour le dîner, a-t-elle lancé en se précipitant vers la porte.

J'ai préparé à goûter pour nous deux (du pain grillé avec du fromage – miam…), mais Charlotte a à peine picoré quelques morceaux.

– Je ne me sens pas très bien, Lucy. J'ai la gorge qui me pique et un peu mal à la tête.

J'ai posé ma main sur son front, mais il n'était pas particulièrement chaud. Elle avait sans doute encore un peu de mal à s'adapter. Elle venait de passer une journée entière en classe, elle ne devait donc pas être si malade que ça. En plus, elle avait survécu vingt-quatre heures sans ses parents et les choses ne pouvaient que s'améliorer avec le temps.

– Viens, on va se balader, ai-je proposé. On va aller voir la vieille maison qu'ils veulent démolir.

Charlotte était d'accord, mais nous avons d'abord rangé la cuisine et nous nous sommes changées. (Ce qui a pris un certain temps, vu que Charlotte était scotchée à moi.) Enfin, nous avons fini par y aller. Cette histoire de vieille maison ne me passionnait pas vraiment, mais c'était une occupation comme une autre pour lui changer les idées.

Il était à peine quatre heures quand nous sommes arrivées devant la maison, pourtant les ouvriers avaient déjà fini leur journée. La vieille bâtisse était là, imposante, silencieuse, l'air un peu délaissée, les balustrades arrachées et la porte d'entrée défoncée. Le jardin était complètement à l'abandon. La vigne vierge avait grimpé le long de la véranda, s'enroulant jusqu'aux fenêtres du premier étage. L'herbe arrivait presque à la hauteur des genoux de Charlotte. Cet endroit m'a paru soudain étrangement inquiétant.

– Sans la porte d'entrée, la maison ressemble à quelqu'un qui a perdu une dent, a remarqué Charlotte. On entre à l'intérieur pour l'explorer ?

– Pas question. Ils ont déjà commencé à détruire la charpente. Il doit y avoir des trous dans le sol et le plafond peut s'écrouler. On risque de se blesser.

Ma mère m'avait raconté que la Société historique de Stonebrook avait demandé au promoteur de conserver certaines parties de la maison en échange du permis de démolir. Il y avait, paraît-il, une immense cheminée de marbre en parfait état que la Société voulait garder. Je me demandais s'ils l'avaient déjà enlevée. Et aussi de vieilles lampes qui dataient de l'époque où l'on avait installé l'électricité dans la ville. Ça devait prendre du temps de retirer toutes ces reliques de la maison. Mais une fois tout vidé, il n'y aurait plus qu'à faire sauter le reste.

Nous avons fait le tour à travers les mauvaises herbes et les broussailles. Je devais avouer que c'était un lieu assez mystérieux, même si je persistais à penser qu'à côté de Brad Pitt, ça ne faisait pas le poids. Cette maison était vraiment impressionnante. Une immense véranda parcourait toute la façade avant, une autre, plus petite, s'ouvrait sur l'arrière. Une des chambres de l'étage avait de grandes portes-fenêtres qui donnaient sur un petit balcon.

La maison comportait en outre plusieurs petites tours. Imaginez, avoir une chambre dans une de ces tourelles – on pourrait jouer à Rapunzel, la princesse prisonnière qui a fait une échelle de ses longs cheveux.

Charlotte avait plein d'idées.

– Il y a peut-être une trappe secrète où on peut se cacher sans que personne le sache.

Elle déborde d'imagination.

J'examinais les tours pour décider laquelle je choisirais pour installer ma chambre quand soudain, j'ai vu quelque chose qui m'a glacé le sang. Il y avait un visage derrière l'une des fenêtres, et ses yeux étaient fixés sur moi ! Haletante, je me suis retournée vers Charlotte, mais elle s'était éloignée pour examiner les marches sculptées du perron. J'ai jeté un nouveau coup d'œil, mais le visage avait disparu. Il n'était peut-être jamais apparu... C'était sûrement le fruit de mon imagination.

J'ai pressé le pas pour rattraper Charlotte. Arrivée à sa hauteur, j'ai remarqué qu'elle était blanche comme la mort.

– Tu as entendu, Lucy ?

– Quoi ?

Et juste à ce moment-là, un bruit métallique a retenti. Comme si l'on traînait de lourdes chaînes sur un plancher.

– Oh, c'est juste, heu... des tuyaux qui sont tombés ! Ouais, c'est sûrement ça. C'est juste la plomberie, Charlotte.

Je n'en savais strictement rien, mais je voulais surtout rassurer Charlotte. Maman m'avait dit qu'il y avait de vieux poêles et des baignoires anciennes, vous savez, montées sur des pattes de lion. Les ouvriers avaient peut-être commencé à démonter la plomberie et laissé des tuyaux qui cognaient les uns contre les autres. Ça expliquait sûrement ces bruits, non ?

Nous avons continué le tour de la maison.

C'était un peu lugubre de la voir comme ça, à l'abandon. La plupart des vitres étaient brisées et les volets pendaient de travers. La peinture était écaillée. Mais... qu'est-ce que c'était que ça, derrière la porte arrière ?

Je n'en croyais pas mes yeux. C'était un gigantesque – vraiment énorme – nuage de mouches, exactement comme dans *Amityville*, le film d'horreur le plus atroce que j'aie jamais vu. C'est l'histoire d'une famille qui emménage dans une maison hantée par des fantômes et des esprits, et il leur arrive plein de trucs horribles. Et encore les mouches, ce n'est pas le pire, je vous promets ! Des scènes du film ont défilé à toute vitesse dans ma mémoire... J'en avais la chair de poule, mais j'ai pris Charlotte par la main et j'ai continué à avancer. On avait presque fini de faire le tour. Il n'était pas question que je me laisse impressionner par cette imbécile de vieille bicoque soi-disant hantée.

– Ouhouhouhouh...

Qu'est-ce que c'était que ça? J'ai regardé Charlotte. C'était elle qui gémissait? Elle m'a simplement rendu mon regard perplexe et nous avons poursuivi notre chemin.

– Ouhouhouhouh...

Cette fois, je savais que ça ne venait pas de Charlotte. Ça provenait de la maison. J'ai serré sa main plus fort et nous sommes parties à toutes jambes.

En deux temps et trois mouvements, nous étions de retour chez moi. Charlotte avait l'air un peu ébranlée. Je n'en menais pas large non plus. Heureusement, une fois bien à l'abri dans ma chambre, je me suis sentie mieux. Cette vieille bicoque était vraiment sinistre. Brrr... j'en avais encore froid dans le dos.

– Tu penses que c'était quoi, ces bruits, Lucy? Ça fichait vraiment la trouille.

Je ne savais pas quoi répondre. Tout ce que je voulais pour l'instant, c'était oublier cette maison, alors j'ai esquivé la question.

– Je ne sais pas, Charlotte. Oh! Il est bientôt cinq heures et demie. J'ai réunion du Club des baby-sitters, tu peux venir avec moi, si tu veux.

J'avais demandé aux autres membres du club si elles étaient d'accord. Maman étant partie pour son entretien d'embauche, je n'avais pas d'autre solution. Même Kristy avait dit que ça ne posait pas de problème.

Charlotte était tout excitée. Elle savait que c'était un

honneur d'être invitée à une réunion du club. Les «étrangers» étaient rarement admis. Elle a décidé de se changer une nouvelle fois pour être toute belle. Pour elle, c'était un grand jour !

– Tu crois que je serai membre d'honneur, Lucy ? m'a-t-elle demandé. J'ai toujours voulu faire partie d'un club et le vôtre est vraiment cool. Est-ce que j'apporte mon argent de poche pour participer à la caisse commune ?

Je lui ai expliqué que ce n'était pas la peine, et elle a eu l'air un peu déçue. Alors je lui ai proposé de m'aider à préparer mon coffre à jouets. Le temps de tout rassembler, il était déjà cinq heures et quart, l'heure de partir chez Claudia. Charlotte m'a suppliée de la laisser porter le coffre et même si, d'habitude, on ne les apporte pas aux réunions, je lui ai donné la permission.

En entrant dans la chambre de Claudia, j'ai senti qu'elle était intimidée. Tout le monde était là, et elle devait être un peu impressionnée de voir toutes les baby-sitters en même temps. Aussitôt, Carla a tapoté sur le lit pour l'inviter à s'asseoir à côté d'elle.

– Tu veux des chips, Charlotte ?

Claudia lui a passé le paquet, mais Charlotte était littéralement fascinée par ses boucles d'oreilles. Il faut dire qu'elles étaient top ! En forme de chat avec la tête et la queue qui bougent. Je lui ai donné un petit coup de coude.

– Ah, euh… oui, merci, a bafouillé Charlotte. J'adore tes boucles d'oreilles, Claudia.

– Moi, j'adore ton chemisier, Charlotte, est intervenue Mary Anne.

C'était sympa de sa part. Le chemisier de Charlotte

n'avait rien d'extraordinaire, mais Mary Anne est très attentionnée et elle savait que son compliment mettrait Charlotte à l'aise.

Kristy a retiré sa visière et l'a enfoncée sur la tête de Charlotte, qui était ravie.

– Eh, les filles, vous ne croirez jamais ce qui nous est arrivé cet après-midi, ai-je commencé. Vous vous rappelez la vieille maison qu'on est en train de démolir? Eh bien, on y est allées et...

– On a entendu des bruits horribles! m'a coupée Charlotte.

– Et je ne vous raconte pas ce que j'ai vu.

– Lucy, Charlotte, nous a interrompues Kristy, nous serons ravies d'écouter ce que vous avez à dire tout à l'heure, mais maintenant il est temps de se mettre à l'ordre du jour

Nous avons parlé affaires pendant un moment. Le téléphone a sonné et on a attribué les gardes. Puis il y a eu un creux.

– Claudia, tu te rappelles le film qu'on a vu ensemble, *Amityville*? Bon, bah! cet après-midi, on se serait crues dans une scène du film, je te promets. Tu te souviens des mouches?

– Beurk, quelle horreur, je n'oublierai jamais! C'était immonde!

– Ouais, eh bien! il y en avait un nuage énorme là-bas, près de la maison. Et en plus, j'ai aperçu un visage à la fenêtre.

Charlotte m'a regardée, étonnée. Je ne lui en avais pas parlé, pensant qu'elle était assez terrifiée comme ça.

– Ça devait être un des ouvriers, a suggéré Carla.

– Oui, a renchéri Jessi. Il a dû être surpris de vous voir là.

– Pas du tout, c'est ça qui est bizarre. Il n'y avait pas d'ouvriers. Ils étaient tous partis – alors qu'il n'était que quatre heures quand nous sommes arrivées.

Charlotte avait pâli. Elle avait de nouveau l'air d'être au bord des larmes. Kristy a dû aussi le remarquer parce que dès que le téléphone a sonné, elle lui a proposé de décrocher.

– Moi ?

– Oui, vas-y, Charlotte !

– Allô ! Club des baby-sitters, a-t-elle répondu d'une voix très pro. Que puis-je faire pour vous ?

Nous nous sommes toutes regardées. Soudain, Mallory a éclaté de rire et ça a été le fou rire général. On aurait dit que Charlotte avait fait ça toute sa vie !

6

SAMEDI

Je ne vous raconte pas mon baby-sitting d'hier soir! Enfin si, je vous raconte, justement...

Maman et Jim avaient des places pour je ne sais plus quel spectacle, Mamie était partie au bowling dans son Tacot rose, et Sam et Charlie avaient leurs plans à eux. Du coup, il ne restait plus que la petit bande: Karen, Andrew, David Michael et bien sûr, Emily Michelle.

S'il n'y avait pas eu de tempête cette nuit-là, Karen n'aurait peut-être pas eu l'idée de raconter des histoires de fantôme et la soirée aurait pris une autre tournure. Mais dès le premier éclair, elle a commencé à parler de Morbidda Destiny...

– Et si jamais elle attrape encore Boo-Boo le chat, elle lui jettera un sort. Il ressemblera toujours à Boo-Boo et il répondra toujours si on l'appelle, mais au fond, il aura changé. Il ne ronronnera plus comme avant et sa langue sera froide comme la glace, racontait Karen, emportée par son récit.

Andrew était assis sur les genoux de Kristy, David Michael était installé par terre, à ses pieds. Emily Michelle était en train de fouiller au fond du coffre à jouets à la recherche de son « bébé ». C'était la seule à ne pas être captivée par l'histoire de Karen.

En général, Kristy trouve qu'elle a trop d'imagination, et ça l'agace. Mais vu ce que nous avions raconté à la réunion, Charlotte et moi, Kristy était un peu angoissée.

Il n'était pourtant pas tard, mais il faisait déjà très sombre. On entendait le tonnerre gronder au loin et des éclairs zébraient le ciel. L'orage approchait.

– Elle ne va pas lui jeter un sort, hein, Kristy ? s'est inquiété Andrew. Moi je l'aime bien comme il est, Boo-Boo.

Il avait vraiment l'air terrifié. Kristy s'est dit qu'il fallait qu'elle occupe les enfants pour détendre l'atmosphère.

– Mais non, Andrew. C'est Karen qui a tout inventé. Tiens, et si on se faisait un grand saladier de pop-corn et une partie de jeu de l'oie ?

– Super ! Ouais, du pop-corn ! s'est écrié David Michael. On peut chanter la ronde des noms pendant que tu le prépares ?

Kristy a soupiré. La ronde des noms est une comptine qui devient vite ennuyeuse, mais les enfants l'adorent.

– OK, qui commence ?

– Moi !

– Non, c'est moi !

– Non, prems !

Tous les enfants hurlaient en même temps.

– Bon, a décidé Kristy, on commence par Emily. Après, c'est elle qui désignera le suivant. Prêts ? On y va.

Kristy s'est mise à chanter :

Emily, Emily jolie
Bananafana fo fémily
Mi mi mo memily
Emily

– C'est qui le prochain, Emily ? a demandé Kristy.

Emily a montré Karen du doigt. Et tout le monde s'est mis à chanter en chœur :

Karen, Karen la reine
Bananafana fo faren
Mi mi mo maren
Karen !

La ronde des noms a continué pendant que Kristy préparait le pop-corn. Tout y est passé, même les ustensiles de cuisine :

Grille-pain, grille-pimpim
Bananafana fo faim
Mi mi mo main
Grille-pain !

Ça devenait carrément débile. Heureusement, dès que le pop-corn a été prêt, toute la petite bande s'est précipitée dans le salon pour jouer au jeu de l'oie. Mais au cours de la partie, Karen a recommencé à raconter ses histoires de fantômes :

– J'ai entendu Ben Lelland rôder dans les environs hier

178

soir. Il faisait les cent pas, comme s'il était rongé par l'inquiétude. Finalement, il s'est arrêté et s'est assis. J'ai entendu le lit grincer. Puis il a enlevé ses bottes. La première est tombée. Boum. Puis la seconde…

Au moment même où elle prononçait le mot « seconde », un coup de tonnerre a éclaté. Tout le monde a sursauté, Karen a hurlé et s'est jetée dans les bras de Kristy. Elle s'était fait peur toute seule !

Au fait, Ben Lelland serait un fantôme qui vivrait au deuxième étage. (La preuve ? Boo-Boo refuse de monter au-delà du premier étage. Or, les animaux sont très sensibles à la présence des fantômes – selon Karen.) Même si Kristy l'avait entendue raconter ces sornettes mille fois, ce soir-là, le tonnerre rendait l'atmosphère assez dramatique.

A présent l'orage grondait violemment, illuminant le jardin sous les éclairs. Il pleuvait des cordes. Les quatre enfants étaient blottis contre Kristy, pétrifiés de peur.

Au bout d'un moment, le tonnerre et la foudre ont fini par s'éloigner, mais la pluie tombait toujours.

– Allez, il est l'heure d'aller se coucher pour tout le monde, a annoncé Kristy. David Michael, Andrew et Karen, vous allez vous brosser les dents et vous mettre en pyjama. Je m'occupe d'Emily Michelle et ensuite, je viens vous lire une histoire.

Elle savait que les petits n'étaient pas très rassurés, mais il était déjà tard et ils devaient commencer à avoir sommeil.

Manque de chance, au bout de cinq chapitres du *Magicien d'Oz*, pas un seul ne s'était endormi. Kristy s'est alors mise à chanter des berceuses avec eux. Ensuite, elle les a bordés, elle est descendue et s'est assise sur le canapé pour lire.

– Kri-i-i-isty-y-y, j'ai soif, je peux avoir à boire ?

C'était David Michael. Kristy lui a monté un verre d'eau, puis elle est redescendue.

– Kristy ?

C'était Karen, debout devant la porte du salon.

– J'entends à nouveau Ben qui marche là-haut.

– C'est le vent, a répondu Kristy. Remonte te coucher.

Après, c'est Emily qui a appelé, puis bien sûr, Andrew qui avait soif, lui aussi. A croire qu'ils ne dormiraient jamais !

Enfin, le silence s'est fait dans la maison. Mais Kristy n'arrivait pas à se concentrer sur son livre. Elle pensait à la vieille maison et à ce que Charlotte et moi nous lui avions raconté.

Elle est allée traîner dans la cuisine pour manger la dernière poignée de pop-corn. Elle a nettoyé le saladier. Puis elle est montée sur la pointe des pieds pour voir ses petits frères et sœurs. Ils dormaient tous profondément. En fait, elle se sentait un peu seule.

Finalement, elle s'est retrouvée dans la bibliothèque du rez-de-chaussée. (La maison de Jim est tellement grande qu'il y a une pièce exclusivement consacrée aux livres...) C'est un endroit agréable, avec des fauteuils en cuir rouge très confortables, des lampes en vitrail et, bien sûr, des centaines – des milliers même – de bouquins.

Dans un coin, Kristy a repéré un grand carton. Jim lui avait dit qu'il venait d'acheter de vieux bouquins dans une brocante, dont quelques-uns concernaient l'histoire de Stonebrook. Sans doute espérait-elle trouver quelque chose sur la maison aux tourelles.

Elle a sorti quelques livres du carton : ils étaient assez poussiéreux et sentaient le moisi. Les couvertures étaient abîmées et les pages jaunies. Dans un des ouvrages, on parlait des Lelland. Wouah ! La famille de Jim vivait à Stonebrook depuis des générations et des générations !

En feuilletant les livres, elle a repéré d'autres noms qu'elle connaissait, des noms de lieux surtout. Bien entendu, il n'y avait rien sur son ancien quartier : à l'époque, ce n'était que des bois et des champs. Mais elle est tombée sur un chapitre qui racontait la construction de la bibliothèque, et un autre sur les ravages de l'hiver 1888. (Ça avait l'air assez marrant – les gens pouvaient descendre du premier étage en passant par les fenêtres et en marchant sur la neige !)

Kristy a emporté une pile de livres dans un fauteuil. Elle a allumé une petite lampe et s'est installée confortablement pour lire. Dehors l'orage grondait toujours, les volets grinçaient. La pluie battait contre les vitres. Mais Kristy était plongée dans *Stonebrook au fil des siècles*.

Elle a parcouru tous les livres à la recherche de renseignements sur la maison aux tourelles, mais elle n'a rien trouvé. Elle était sur le point d'abandonner quand soudain un morceau de papier est tombé du livre qu'elle avait en main. Elle l'a déplié avec précaution car il se déchirait un peu sur le bord. Il avait l'air très, très ancien. C'était une carte.

Apparemment, elle avait été tracée à la main. Kristy l'a tournée et retournée dans tous les sens pour essayer de repérer des points communs avec la ville telle qu'elle la connaissait, mais tout avait changé. Ce devait être une des premières cartes de Stonebrook. Ah ! tiens... l'église était toujours à la même place, et pas très loin... la maison aux tourelles! Au début, Kristy n'arrivait pas à déchiffrer ce qu'il y avait écrit autour. Qu'est-ce que ça voulait dire ?

– Oh, là là là là! s'est-elle exclamée. (C'était une des expressions favorites de Claudia et on l'avait toutes reprise.)

D'après ce qu'elle pouvait lire sur le morceau de parchemin, toute la ville de Stonebrook avait été bâtie sur le site d'un ancien cimetière. Et « notre » maison était construite – oh, là là là là ! – sur le site le plus sacré.

Tremblant de tous ses membres, elle a laissé tomber la carte sur le sol. Elle était terrifiée.

Elle aurait bien aimé que sa mère et Jim rentrent BIENTÔT.

Elle a replié le morceau de parchemin et l'a remis dans le livre où elle l'avait trouvé. Puis elle l'a fourré tout au fond du carton, sous les autres bouquins. En rangeant, elle a soudain eu la curieuse impression que quelqu'un l'observait (elle me l'a dit plus tard). Un esprit peut-être. Elle s'est retournée d'un seul coup...

... et elle a aperçu Samuel et Charlie à la porte en train de faire d'atroces grimaces. Elle a hurlé et s'est écroulée dans le fauteuil le plus proche. Sam et Charlie ont pouffé de rire pendant une demi-heure au moins...

7

Je descendais le long de la Cinquième Avenue, devant le Rockfeller Center. Brad courait derrière moi en hurlant :
– Lucy, Lucy, je t'en prie, reviens !

Tout à coup, je me suis réveillée, j'étais dans mon lit, à Stonebrook. Visiblement, Brad Pitt n'était pas dans les parages.

Mais il y avait bien quelqu'un qui m'appelait. C'était Charlotte, et elle avait une drôle de voix. Je suis allée la voir dans la chambre d'amis. Elle était sous la couette, rouge comme une tomate. J'ai posé ma main sur son front. Elle était brûlante !

– Lucy, j'ai mal à la gorge. Je ne me sens pas bien.

Deux larmes ont coulé le long de ses joues alors qu'elle sanglotait :

– Je voudrais ma maman…

– Ne t'inquiète pas, Charlotte. On va s'occuper de toi.

J'ai couru chercher un thermomètre, puis, pendant qu'elle le gardait dans la bouche, je suis allée chercher ma mère.

Charlotte avait trente-huit cinq. Pas de doute, elle était malade. Maman et moi, nous nous sommes regardées. Elle s'en voulait de ne pas avoir pris au sérieux les premiers symptômes de Charlotte. Et moi aussi... J'étais tellement persuadée que c'était parce qu'elle était angoissée et que ses parents lui manquaient !

Ses parents nous avaient laissé la liste des numéros à appeler en cas d'urgence. J'ai regardé pour voir quel médecin appeler, c'était le Dr Dellenkamp. Maman est descendue téléphoner pour prendre rendez-vous. J'ai aidé Charlotte à se lever pour faire sa toilette et s'habiller ; elle avait du mal à se déplacer, mais on a fini par s'installer dans la voiture.

En arrivant dans la salle d'attente du cabinet médical, nous avons tout de suite vu qu'il y en aurait pour un moment. Il y avait une femme dont le bébé pleurait, une autre femme qui essayait de persuader son petit garçon de s'asseoir pour jouer tranquillement avec des cubes, et une fille qui devait avoir mon âge, seule, quasiment pliée en deux. Elle devait avoir mal au ventre. Maman a préféré aller faire les courses pendant que je restais avec Charlotte, et elle nous a laissées.

Nous étions assises sur une banquette assez moche, dans une espèce de faux cuir, le genre qui colle aux cuisses quand on se lève. Pourquoi y a-t-il toujours des trucs aussi immondes dans les salles d'attente ? Charlotte a posé sa tête sur mes genoux et a fermé les yeux. Je lui caressais les cheveux. C'est tellement atroce d'être malade et de devoir sortir de son lit !

Comme Charlotte avait l'air bien installée, j'ai jeté un coup d'œil à la table basse pour voir ce qu'il y avait comme magazines. Pas terrible. J'avais le choix entre un numéro de *Maisons et Jardins* de juillet 2000 et le dernier *Journal de Mickey*. Je l'ai pris pour voir si ça avait changé depuis mon époque. Absolument pas. Il y avait toujours les mêmes personnages – Donald, Picsou et compagnie. Dire que, quand j'étais petite, je trouvais déjà Dingo un peu nunuche !

J'étais encore en train de feuilleter le journal quand la porte s'est ouverte. Un type canon est entré, tenant par la main un petit garçon qui devait être son frère. Cheveux blonds frisés, yeux bleus... il me rappelait Scott, un maître nageur pour qui j'avais eu un faible quand j'étais en vacances à Sea City. Il m'a regardée à son tour puis j'ai vu son regard glisser vers le magazine que je lisais. Je l'ai laissé tomber comme s'il me brûlait les doigts. Il m'a souri comme pour me dire qu'il avait compris.

J'étais morte de honte. Heureusement la secrétaire a appelé Charlotte juste à ce moment et je suis entrée dans la salle de consultation, encore rougissante.

La consultation a été rapide. Le Dr Dellenkamp a immédiatement donné son diagnostic.

– Encore une angine ! a gémi Charlotte.

– Eh oui ! il va falloir reprendre des antibiotiques, a dit le médecin. Il faudra peut-être qu'on examine de plus près ses amygdales un jour, m'a-t-elle murmuré alors que Charlotte descendait de la table d'examen. Mais pour l'instant, tant que ses parents sont absents, on va s'attaquer aux microbes avec ça.

Et elle a rédigé l'ordonnance.

– Charlotte a du mal à avaler les cachets alors je lui donne des antibiotiques en solution buvable. Une cuillère à café quatre fois par jour. Elle ira beaucoup mieux très vite – dans un ou deux jours, je pense. Je sais que tes parents doivent te manquer, mais j'espère que tu seras sage avec Lucy, a-t-elle dit à Charlotte en nous raccompagnant à la porte. Je suis sûre qu'elle s'occupera très bien de toi.

Puis elle m'a fait un clin d'œil en guise d'au revoir.

Maman nous attendait à côté. Heureusement pour moi, le type super beau était occupé avec son petit frère, qui avait les bras plongés dans l'aquarium, et j'ai pu me glisser hors de la pièce sans avoir à croiser son regard.

Nous nous sommes arrêtées à la pharmacie pour les médicaments de Charlotte.

– Je déteste ce truc, a-t-elle gémi en voyant les antibiotiques. C'est tellement mauvais que ça me donne envie de vomir. Il faut vraiment que j'en prenne ? Je veux voir maman !

Je la comprenais, mais quand même... Elle n'a pas arrêté de tout le trajet.

Arrivée à la maison, je suis allée à la cuisine chercher une cuillère. Charlotte est restée dans le salon, sur le canapé. Quand je suis entrée, elle a enfoncé son visage dans les coussins.

– J'en prendrai pas. Je préfère être malade.

– Écoute, Charlotte. Il y a écrit « arôme cerise » sur la bouteille. Ça aura peut-être meilleur goût que la dernière fois.

J'ai ouvert la bouteille. Beurk! Ça sentait vraiment mauvais. Il n'y a rien de pire que cette odeur de cerise artificielle, à part la banane artificielle.

– Ça sent le bonbon, ai-je menti. Allez, Charlotte, juste une cuillère. Après je te préparerai un milk-shake au chocolat pour faire passer le goût.

– NON.

Elle a enfoui son visage encore plus profondément dans les coussins. Ça commençait à devenir vraiment agaçant. J'essayais de ne pas m'énerver. Elle était malade, ses parents lui manquaient et elle s'inquiétait pour son grand-père. A sa place, j'imagine que j'aurais été aussi désagréable.

A sa place... Soudain, j'ai eu une idée géniale. A côté de ce qu'il fallait que je prenne tous les jours juste pour être en bonne santé, une petite cuillerée à café de cet horrible médicament, ça ne devait pas être grand-chose... Ça marcherait peut-être.

– Charlotte, tu sais que j'ai du diabète, non?

Elle était au courant parce que j'en avais parlé avec sa mère, le Dr Johanssen, devant elle.

Charlotte a grogné, mais elle ne bougeait toujours pas.

– Tu veux que je te montre les médicaments que je dois prendre?

A ce moment-là, elle a relevé la tête. Elle m'a suivie à l'étage et j'ai ouvert le tiroir de mon bureau, là où je conserve tout mon attirail médical. J'ai essayé de lui expliquer un peu ce que c'était que le diabète, pourquoi ça me rendait malade et à quoi servait l'insuline. Je ne sais pas ce qu'elle a compris. C'était sans doute la première fois qu'elle entendait parler de « pancréas ».

– Comme je ne me sens pas très bien depuis quelque temps, il faut que je surveille mon taux de glucose plusieurs fois par jour. Il suffit que je me pique le bout du doigt, comme ça...

Charlotte a eu le souffle coupé quand j'ai fait couler une petite goutte de sang sur une languette que j'ai introduite dans un petit appareil. Au bout de quelques secondes, un chiffre est apparu. 110. C'était normal à cette heure de la journée. Charlotte était fascinée.

– Tu vois, ce chiffre me permet de savoir de quelle dose d'insuline j'ai besoin. Après, je remplis cette seringue et voilà...

Je ne voulais pas lui montrer l'injection. En fait, les piqûres ne me font plus mal – je suis habituée. Mais pour les autres, surtout à l'âge de Charlotte, ça peut être assez impressionnant.

Je lui ai expliqué un peu plus précisément ce que c'était que d'être diabétique. Cela signifiait que tous les jours jusqu'à la fin de ma vie il faudrait que je me soigne. Il fallait que je fasse extrêmement attention à ce que je mangeais. Charlotte ouvrait les yeux de plus en plus grand. Elle ne se doutait pas le moins du monde de tout ce que je devais faire pour me soigner.

– Des piqûres tous les jours ? Oh, Lucy, qu'est-ce que tu es courageuse !

– Pas vraiment, tu sais. C'est comme ça, c'est tout. Je n'ai pas le choix.

Après cette longue séance, je n'ai eu aucun mal à lui faire prendre son médicament. Elle a à peine fait la moue en l'avalant.

– C'est bien, l'ai-je félicitée. Allez, maintenant, au lit.

Elle s'est mise en pyjama pendant que je changeais sa taie d'oreiller. C'est tellement plus agréable d'avoir une taie toute fraîche sous la tête quand on est malade ! Puis j'ai préparé sa chambre pour la journée. J'ai apporté la petite télé portable et rempli les étagères de jouets supplémentaires, de papier à dessin, de crayons de couleurs et de livres.

Une fois Charlotte installée, je suis descendue dans la cuisine pour me faire un petit encas. J'ai préparé un plateau pour le milk-shake que je lui avais promis. Quand je suis patraque, maman m'apporte toujours un petit vase avec une fleur, alors j'ai fait la même chose pour Charlotte. Elle méritait bien d'être un peu gâtée. Je me suis servi un verre d'eau et j'ai monté le plateau dans la chambre.

Nous avons passé la journée à jouer à tous les jeux que je connaissais. Y compris à la bataille... si vous voulez vraiment tout savoir. On a un peu regardé la télé et je lui ai raconté une histoire avant qu'elle s'écroule pour un petit somme. Alors j'en ai profité pour lire un peu au calme. Bref, un après-midi tranquille.

Le soir, Charlotte a appelé ses parents. Elle les a prévenus qu'elle était malade tout en les rassurant. Elle voulait aussi avoir des nouvelles de son grand-père. Elle a parlé un peu avec sa mère, quelques minutes seulement, mais en raccrochant, elle était rayonnante. L'opération de son grand-père s'était très bien passée, et il se remettait vite. Les Johanssen revenaient le jeudi suivant, comme prévu. Et Charlotte était en voie de guérison.

8

Dès dimanche matin, Charlotte allait beaucoup mieux. Grâce aux antibiotiques sûrement. On avait encore du mal à les lui faire avaler, mais finalement elle prenait ce qu'il fallait.

Pour le petit déjeuner, maman avait préparé des pancakes aux myrtilles sans sucre. Miam... j'adore ça. C'est tellement bon comme ça qu'on n'a même pas besoin d'ajouter du sirop d'érable. Charlotte a mangé de bon appétit : pas de doute, elle était bien rétablie.

Pourtant, le Dr Dellenkamp avait insisté : même si elle allait bien, il fallait qu'elle se repose encore dimanche et lundi. Elle n'était pas censée retourner à l'école avant mardi.

Or mardi, ça paraissait très loin. Et j'en avais un peu assez de jouer à la bataille et de faire le professeur Violet au

Cluedo. J'en avais plus qu'assez de regarder la télé, et encore plus de lire *La Toile de Charlotte*.

Qu'est-ce qu'on allait faire toute la journée ? Je crois que Charlotte commençait à se lasser aussi d'être enfermée, surtout maintenant qu'elle se sentait mieux.

Soudain, je me suis rappelée ce que m'avait dit Kristy au téléphone le samedi. Elle m'avait raconté qu'elle avait trouvé une vieille carte de Stonebrook. Et si elle passait nous l'apporter, avec les livres de Jim ? Elle n'avait rien découvert d'intéressant dedans, mais si on les regardait de plus près ensemble, on tomberait peut-être sur quelque chose. En tout cas, ça serait drôle de jouer aux détectives. J'ai appelé Kristy.

– Kristy, c'est Lucy. Qu'est-ce que tu fais aujourd'hui ?

– Rien de spécial. Je n'ai même pas les petits à garder, maman et Jim sont allés en ville avec eux pour leur acheter des chaussures.

– Ça te dirait de venir à la maison avec la vieille carte et les bouquins ? Charlotte est malade, ça l'occuperait de les regarder.

– D'accord. Attends, je vais voir si Mamie peut me déposer.

C'était parfait. En attendant, nous avons nettoyé la cuisine. Charlotte a pris son médicament sans trop rechigner. Puis on a fini par s'installer sur les marches du perron pour guetter l'arrivée de Kristy (Charlotte se sentait assez bien ce matin-là pour s'habiller). Alors on s'est mises à parler de la maison aux tourelles.

– Heureusement qu'on était ensemble quand on a entendu ces bruits, m'a confié Charlotte. J'avais une de ces peurs. Mais tu sais, j'ai l'impression que cette maison a vraiment quelque chose de spécial. J'espère qu'on va découvrir son secret.

Je lui ai un peu parlé de la carte que Kristy avait trouvée, mais sans trop insister. Je ne voulais pas l'effrayer avec cette histoire de cimetière.

Quand Kristy est descendue du Tacot rose (la vieille voiture de Mamie), Charlotte était complètement surexcitée.

– Où t'as mis les livres ? a-t-elle demandé, sans même dire bonjour.

Je l'ai arrêtée alors qu'elle était prête à se précipiter dans le coffre de la voiture pour prendre le carton.

– Du calme, Charlotte. Tu n'es pas complètement guérie, n'oublie pas. Je sais que tu aimerais bien résoudre ce mystère mais on a tout notre temps. On a la journée entière devant nous.

Charlotte adore les enquêtes, et je dois dire que c'est une assez bonne détective. Elle nous a aidées lorsque Mallory a trouvé un vieux journal dans un coffre de notre grenier. Finalement, nous avons découvert le portrait d'une dame magnifique, qui est aujourd'hui accroché au-dessus de la cheminée. A cette époque, on croyait que la maison où je vivais était hantée, mais ce n'était rien par rapport à ce qu'on devait affronter aujourd'hui.

On a porté le carton de livres dans le salon où l'on s'est confortablement installées. Chacune de nous a pris un livre pour le feuilleter. Puis nous avons changé de bouquins. C'était intéressant, mais il n'y avait pas le moindre indice sur le mystère de la maison aux tourelles.

– Où est la carte, Kristy ? ai-je demandé. Tu nous la montres ?

Kristy l'a dépliée délicatement.

– Waouh ! Elle est vraiment vieille ! s'est exclamée Charlotte. L'écriture est bizarre, qu'est-ce qu'il y a marqué ?

J'avais du mal à déchiffrer moi aussi, mais ça avait bien l'air de concerner la maison. Pour l'histoire du cimetière, ça restait à voir. La carte ne ressemblait en rien à celles que j'avais pu voir jusque-là. Elle comportait des légendes et des symboles très étranges. Je me demandais si c'était la vraie carte ancienne ou juste un faux que quelqu'un avait dessiné pour s'amuser.

– Comment est-ce qu'on peut être sûres que cette carte est aussi ancienne qu'elle en a l'air ?

Kristy et Charlotte ont ignoré ma question. Elles n'avaient aucun doute sur l'authenticité du parchemin.

– Je me demande à qui appartient cette maison, ai-je ajouté.

Malgré moi, je commençais à être vraiment intriguée par cette imbécile de vieille bicoque. Mon amie Laine, elle, n'y aurait jamais cru. Les seuls mystères qui l'intéressent, c'est le style : « Qui a volé les bijoux de la comtesse Tralala ? » ou « Le fantôme d'Elvis hante-t-il toujours le Hard Rock Café ? ».

– Je ne sais pas qui est le propriétaire. Personne n'y vit depuis des années, a répondu Kristy. En tout cas, autant que je m'en souvienne, je n'ai jamais vu de pancarte « A vendre » devant la maison.

– Et si le propriétaire était mort ? a suggéré Charlotte. C'est peut-être son fantôme qu'on a entendu.

– Mais non, il est sûrement en vie quelque part, a dit Kristy, l'air songeur. Je me demande si on pourrait le retrouver.

– Tu n'arrêtes pas de dire « le », ai-je remarqué. Mais le propriétaire pourrait aussi être une femme, tu sais.

– Bon alors, il nous suffirait de le – ou la – retrouver pour savoir tout ce qu'on veut. Peut-être que Mary Anne aura une idée. Sa famille vit dans la région depuis des générations et des générations.

Je suis allée téléphoner à Mary Anne. Par chance, elle était chez elle.

– Mary Anne, tu es au courant de la carte que Kristy a trouvée ? lui ai-je demandé après lui avoir dit bonjour, comment ça va, etc.

Comme Kristy ne lui en avait pas parlé, je lui ai expliqué.

– Ça a l'air mystérieux, effectivement, a-t-elle répondu. Mais je ne vois pas comment je peux vous aider.

Kristy m'a fait signe de lui passer le téléphone.

– Mary Anne, il faut que tu sois attentive à tout ce qui pourrait nous donner des indices. On ne sait jamais. Il y a peut-être des vieux livres ou des vieux documents chez toi, dans votre vieille maison.

Comme Mary Anne habitait maintenant chez Carla, c'était fort possible. C'était une des plus anciennes maisons de la région, pleine de secrets, avec, entre autres, un passage obscur où avait eu lieu d'étranges événements.

– Carla est chez les Rodowsky, mais dès qu'elle reviendra, je lui demanderai si elle a des idées, OK.

Ensuite on a appelé Claudia. Elle était surexcitée par notre histoire de carte ; elle voulait venir la voir immédiatement. Malheureusement, elle était coincée chez elle pour faire ses devoirs. (Claudia est une fille très intelligente – même si ce n'est pas une surdouée comme sa sœur, Jane –, mais elle n'a pas des notes terribles. Et si elle n'améliore pas ses résultats, ses parents risquent de lui interdire de participer au Club des baby-sitters. Ce serait l'horreur.)

– Il vaut mieux que tu restes travailler chez toi, Claudia, lui ai-je conseillé. Mais ouvre l'œil : on ne sait jamais, tu pourrais trouver une piste.

Nous avons essayé d'appeler Mallory, qui adore les enquêtes elle aussi, mais Mme Pike nous a répondu qu'elle était avec Margot et Claire à un pique-nique spécial ours en peluche. Elle est vraiment géniale comme grande sœur. En effet, ça faisait longtemps qu'elle parlait de ce pique-nique. Elle comptait préparer des sandwichs et aider ses petites sœurs à habiller leur ours dans une tenue spéciale. Ça avait l'air sympa. J'ai demandé à sa mère de lui dire de nous rappeler quand elle rentrerait.

On n'a même pas essayé d'appeler Jessi puisqu'elle était partie en week-end. Voilà, nous avions fait le tour. Si on se tenait toutes sur nos gardes, on finirait bien par trouver quelque chose.

En fait, je dois avouer que je n'étais même pas sûre qu'il y avait une véritable énigme à résoudre. Cette histoire de cimetière n'était pas claire et la carte ancienne était extrêmement difficile à déchiffrer. Je n'étais pas non plus certaine que Kristy ait bien interprété les choses. Peut-être que tout ce que nous avions vu et entendu devant la maison était le fruit de notre imagination. Nous étions peut-être en train de nous monter tout un film à partir de rien.

Mais il y avait Charlotte, assise sur le canapé avec un des

vieux livres de Jim. Elle continuait à le feuilleter en espérant trouver des pistes. Elle avait complètement oublié
qu'elle était malade – au moins, pour l'instant. Oublié qu'il
fallait qu'elle reste encore enfermée une journée et demie.
Oublié que ses parents étaient à l'autre bout du pays.
Mystère ou pas mystère, cette histoire nous maintenait en
haleine. C'était déjà ça.

9

Lundi

Vous ne me croirez jamais: je suis en train de devenir un vrai rat de bibliothèque! Jusqu'ici, je n'avais pas idée de tout ce qu'on pouvait trouver dans les bouquins. Quand je serai grande, je serai bibliothécaire comme ma mère, super!
PS : Gabbie et Myriam aussi ont adoré.

Lundi, Claudia était chez les Perkins pour garder leurs filles, Gabbie et Myriam. Gabbie a presque trois ans, et Myriam presque six. Elles ont aussi une petite sœur, Laura, qui est encore bébé. Ce jour-là, Mme Perkins l'emmenait chez le Dr Dellenkamp parce qu'elle toussait.

Quand Claudia est arrivée, Shewy – le grand labrador noir des Perkins – était en train de tourner en rond dans la maison. Myriam agitait sa vieille balle de tennis complètement mâchouillée sous son museau. Mais elle ne la lâchait pas, ce qui rendait le chien fou. Il courait en aboyant pour la supplier de lui lancer.

– Claudiaaaa Koshi! a hurlé Gabbie. Salut Claudiaaa Koshi! Câlin!

Gabbie nous appelle toujours par notre nom en entier, et elle adore les câlins. Claudia était ravie de la prendre dans ses bras car elle est craquante.

– J'ai une super idée, a annoncé Claudia. Si on allait à la bibliothèque pour l'heure du conte? Aujourd'hui, ils vont lire une de vos histoires préférées: *La Petite Maison*. Et après, il y aura un atelier où les enfants peindront tous ensemble un panneau mural qui représentera la ville du livre.

C'était grâce à sa mère que Claudia avait eu cette idée. Mme Koshi est conservatrice à la bibliothèque municipale de Stonebrook, elle est au courant de tout ce qui s'y passe. Claudia voulait y aller pour voir si c'était un bon moyen d'occuper les petites dont elle avait la garde.

– Super! s'est écriée Gabbie. Mais c'est quoi, un panneau mural?

– C'est une grande peinture géante sur tout un mur, Gabbie, lui a expliqué Myriam. Oh là là, j'ai trop envie d'y aller!

Elles adoraient ce livre. Vous avez lu *La Petite Maison*? C'est l'histoire d'une maison située en pleine campagne, qui peu à peu est envahie par la ville qui se construit autour. Je ne veux pas vous raconter la fin, mais, faites-moi confiance, c'est un livre génial.

Claudia avait aussi une autre raison de vouloir aller à la

bibliothèque. Elle n'arrêtait pas de penser à la vieille maison construite sur l'ancien cimetière. Peut-être pourrait-elle trouver des renseignements supplémentaires dans les rayonnages de livres d'histoire. Elle devait vraiment être fascinée par cette maison parce que ce n'est pas du tout son genre de lire sans y être forcée (à part les romans d'Agatha Christie bien entendu).

Claudia, Gabbie et Myriam sont donc parties à la bibliothèque.

– On peut prendre un livre aujourd'hui, Claudia Koshi ? a demandé Gabbie.

– Moi, je veux emprunter cinq livres, a décrété Myriam. Cinq, comme ça, a-t-elle ajouté en brandissant bien haut les cinq doigts de sa main droite. Parce que j'ai cinq ans. Même que j'ai cinq ans et demi. Hein, Claudia ?

– Oui, Myriam. Vous pourrez toutes les deux sortir autant de livres que vous voulez. Vous savez que ma maman est chef de toute la bibliothèque ?

– Est-ce qu'elle habite là-bas ? l'a questionnée Myriam. J'aimerais bien dormir à la bibliothèque un jour. Je parie qu'elle peut y aller quand elle veut.

Un jour, la mère de Claudia nous a expliqué que les enfants pensaient qu'elle vivait dans la bibliothèque. Pourquoi pas, elle y est tout le temps ! Quand ils la croisent ailleurs en ville, par exemple au supermarché, ils s'arrêtent parfois pour la regarder, l'air étonné. Ils ont du mal à imaginer que c'est quelqu'un de normal. Pour eux, c'est la « bibiothécaire ».

Les filles chantaient *Un jour, mon prince viendra...* en marchant.

Claudia souriait. Elles avaient dû voir *Cendrillon* des dizaines et des dizaines de fois.

Puis elles ont commencé à jouer leur scène préférée de *La Belle au bois dormant*. Myriam a embrassé sa sœur qui a fait semblant de se réveiller en criant :

– Oh, ciel ! un prince !

Elle était très convaincante dans son rôle !

En arrivant à la bibliothèque, Claudia est passée par le bureau de sa mère. Les filles l'ont suivie tranquillement. Elles savaient parfaitement se tenir dans la bibliothèque, surtout sous le regard sévère de la directrice.

Puis Claudia est allée les installer dans la section jeunesse car l'heure du conte allait commencer. Ensuite, elle est retournée dans la salle principale. Elle avait oublié où étaient rangés les livres d'histoire régionale, mais il était hors de question qu'elle demande à sa mère. C'était assez gênant d'être la fille de la conservatrice et de ne pas être capable de se repérer sur place. Heureusement, il y avait un garçon qu'on connaissait, Bruce, qui travaillait là pour ranger les livres que les gens rendaient. Et il a aidé Claudia à trouver ce qu'elle cherchait.

Elle s'est assise dans un fauteuil confortable d'où elle pouvait surveiller Gabbie et Myriam du coin de l'œil. Elles avaient l'air d'apprécier l'histoire qu'on leur racontait.

Au début, Claudia est tombée sur un vieux bouquin d'histoire ennuyeux. Mais elle s'est accrochée en essayant tant bien que mal de se repérer dans ce gros pavé. Jusqu'au moment où elle a compris qu'elle ne trouverait rien d'intéressant dedans.

Elle a alors feuilleté un autre livre. C'était un recueil de documents de la ville de Stonebrook. Il y avait des actes de naissances et de décès, des relevés d'impôts fonciers et même une carte. Celui-là avait l'air encore plus ennuyeux que le précédent. Mais Claudia avait décidé de trouver quelque chose coûte que coûte.

Elle a pris le second tome du recueil pour parcourir le texte en diagonale... et elle est tombée sur deux paragraphes qui pouvaient concerner « notre » maison. D'après ce qu'elle avait pu lire jusque-là, la ville avait en effet été construite sur un ancien cimetière. Et la maison était bâtie sur un site sacré, du moins c'est ce qu'elle croyait. Le livre ne s'appesantissait pas trop sur le sujet, mais Claudia en avait la chair de poule. Comment les auteurs de ce bouquin pouvaient-ils penser que ça n'avait aucune importance ? Et les esprits des personnes qu'on avait enterrées là ? Comment pouvaient-ils reposer en paix avec toutes les maisons, les banques et les magasins qu'on avait construit au-dessus ?

Claudia s'est reprise. Bon, le plus important, c'était de trouver l'identité du propriétaire. Les relevés des impôts fonciers étaient sûrement le meilleur moyen. Elle a poursuivi sa recherche dans les pages poussiéreuses.

Et tout à coup, elle s'est figée. Elle avait repéré l'adresse de la maison. Et juste en face, le nom du propriétaire : Ronald Hennessey. Il était là, inscrit noir sur blanc.

Le cœur de Claudia s'est emballé. C'était une découverte fondamentale. Mais à quoi bon avoir son nom si elle ne savait rien de plus sur Ronald Hennessey ? Il n'habitait certainement plus dans cette maison depuis un bout de temps.

Claudia s'est enfoncée dans son fauteuil pour mieux réfléchir. Où pouvait-elle chercher maintenant ? Elle a jeté un coup d'œil vers la section jeunesse. Les enfants étaient en train de peindre une grande fresque pleine d'immeubles et de rues partant dans tous les sens. On aurait dit qu'il y avait même des dinosaures qui rôdaient dans les rues. La petite maison se détachait, seule, au milieu de la peinture. Ils avaient presque fini.

Finalement, Claudia est allée voir sa mère dans son bureau.

– Maman, où te renseignerais-tu pour savoir si quelqu'un qui a vécu à Stonebrook y vit toujours ?

Mme Koshi a levé les yeux vers sa fille, étonnée. Elle devait se demander où Claudia voulait en venir, mais elle n'a rien dit. Elle a juste eu un léger sourire avant de répondre :

– Eh bien, je pense que je consulterais l'annuaire, ma chérie.

Claudia m'a avoué plus tard qu'à ce moment elle aurait voulu disparaître sous terre. Qu'elle était bête ! Elle s'était tellement laissé emporter par ses recherches historiques compliquées qu'elle n'avait même pas pensé à consulter tout bêtement l'annuaire.

Elle est allée dans la salle des usuels, où sont rangés les annuaires de tout le pays. Elle a cherché Ronald Hennessey dans celui de Stonebrook. Et devinez quoi ? Il était là. C'était aussi simple que ça.

Il habitait au Manoir de Stonebrook. C'était une maison de retraite. Évidemment, il ne devait plus être très jeune. Claudia a recopié l'adresse en vitesse et a filé récupérer Gabbie et Myriam.

L'heure du conte venait de se terminer, mais Claudia a dû patienter encore un peu parce que les filles voulaient emprunter des livres. Gabbie prenait plus ou moins tout ce qui lui tombait sous la main, mais Myriam avait des idées très précises sur les livres qui lui plaisaient et sur ceux qui étaient « nuls ». En attendant, Claudia faisait les cent pas devant la fresque. Les enfants avaient peint plein de personnages que l'auteur de *La Petite Maison* n'aurait certainement pas reconnus. A côté des dinosaures, il y avait des soldats avec des armures incroyables, des sorcières chevauchant leur balai, des danseuses, et une espèce de jardin magique où poussaient des sucettes. C'était une peinture extraordinaire.

Les filles ont enfin fait leur choix et elles sont allées au bureau pour faire enregistrer leurs livres.

– Comment t'appelles-tu ? a demandé la bibliothécaire.

– Gabbie. Et toi ?

En riant, Claudia s'est approchée pour les aider.

– Ce sont les petites Perkins, a-t-elle expliqué. Gabbie et Myriam.

L'employée a vérifié leur carte et y a noté les livres. Elles en avaient pris beaucoup et Claudia a dû les aider à les porter.

Elles sont arrivées devant chez elles au moment même où Mme Perkins rentrait de chez le médecin. Le Dr Dellenkamp avait donné un traitement à Laura en assurant qu'elle irait très vite beaucoup mieux.

Comme c'était bientôt l'heure de la réunion du Club des baby-sitters, Claudia a filé chez elle très vite. Elle était surexcitée par ses découvertes et assez fière de ne pas avoir abandonné ses recherches ! Elle mourait d'envie de nous révéler l'existence de Ronald Hennessey.

Pendant que Claudia poursuivait ses recherches à la bibliothèque, Charlotte et moi, nous avons mené notre enquête de notre côté.

Le lundi après-midi en rentrant du collège, j'ai retrouvé Charlotte qui était « top en forme », comme elle dit. Ma mère, qui avait passé toute la journée avec elle, est sortie faire des courses.

– Il y a un goûter qui t'attend sur la table, ma chérie, m'a-t-elle dit en partant.

Il lui arrive encore de me traiter comme une vraie gamine, ce qui au fond n'est pas si terrible. C'est toujours agréable d'avoir quelqu'un qui s'occupe de vous.

Je me suis assise à côté de Charlotte pour manger un fruit et des crackers pendant qu'elle me racontait sa journée. Comme elle n'était pas sortie, elle n'avait pas grand-chose d'excitant à raconter : elle avait regardé la télé, lu, et appris à maman à jouer à la bataille !

C'était sympa de rentrer à la maison et de retrouver ma « petite sœur », qui m'attendait. J'aimais vraiment être avec Charlotte, sans doute plus que si c'était ma vraie petite sœur. Entre sœurs, on ne peut pas s'empêcher de se disputer, ce qui ne nous arrivait jamais. Nous passions simplement un bon moment ensemble.

Après le goûter, Charlotte m'a accompagnée en haut. Je voulais me changer parce que je portais un nouvel ensemble que je ne voulais pas abîmer. C'était une jupe longue grise avec des poches sur les côtés façon treillis et un petit T-shirt rose avec une étoile grise sur le devant. En plus je portais les super boucles d'oreilles que Claudia m'a offertes pour mon dernier anniversaire. Ce sont des petites étoiles en argent avec un strass rose au milieu. Au cas où vous ne l'auriez pas remarqué, j'adore le rose !

Pendant que j'enfilais un jean, nous avons décidé d'aller faire une balade. Et devinez où nous sommes allées ? Franchement, cette maison avait quelque chose. Quelque chose d'irrésistible.

Quand nous sommes arrivées, les ouvriers étaient en train de ranger leurs outils et se préparaient à partir. Il était encore tôt, à peine quatre heures, mais ils avaient l'air pressés. Charlotte et moi, nous nous sommes tenues à l'écart jusqu'à ce qu'ils soient tous partis.

Nous voulions refaire le tour de la maison, exactement comme la dernière fois. Le chantier n'avait pas beaucoup avancé. Ils avaient dû continuer à vider l'intérieur. Deux fenêtres qui avaient été démontées reposaient contre un mur. Et la balustrade de la véranda arrière, arrachée, pendouillait bizarrement.

– Tu sais, Charlotte, je crois que les bruits qu'on a entendus la dernière fois, c'était dans notre tête.

Elle m'a regardée. Au ton de ma voix, elle avait sans doute compris que j'essayais de la convaincre qu'il n'y avait aucune raison d'avoir peur.

– Oui, mais ce qu'on a vu, Lucy ? Qu'est-ce que tu fais des mouches ? Et du visage à la fenêtre ?

– Je suis sûre qu'il y a une explication. Peut-être que ces mouches étaient en fait des termites.

Le visage, je ne savais pas trop. Peut-être que c'était moi qui l'avais imaginé. Après tout, j'étais la seule à l'avoir vu. C'était sûrement ça, j'avais été trompée par mon imagination débordante.

– Au feu, au feu ! a soudain hurlé Charlotte, paniquée.

Elle pointait le doigt vers une fenêtre du rez-de-chaussée. En effet, elle était en feu ! Et ça, ce n'était pas mon imagination. C'était grave.

J'ai jeté un coup d'œil désespéré autour de moi. Comment éteindre le feu ? Et si toute la maison s'embrasait ? Il n'y avait pas de tuyau, et de toute façon, je n'avais pas vu le moindre robinet autour de la maison. J'ai fini par apercevoir une brouette sur le côté, enfouie sous les mauvaises herbes. Elle était pleine d'eau de pluie ! Je me suis précipitée pour la pousser en direction de la maison. L'eau éclaboussait tout et trempait mes jambes, mais je continuais à pousser.

Charlotte, qui n'avait pas arrêté de hurler, s'est tue brusquement. J'étais presque arrivée à la maison. Alors j'ai levé les yeux et j'ai vu que les flammes avaient disparu. J'avais l'impression de devenir folle. Que se passait-il donc dans cette maison ?

Mon cœur battait la chamade et j'avais du mal à respirer. J'ai laissé la brouette pour examiner le cadre de fenêtre tandis que Charlotte restait en retrait. Il n'y avait plus de vitre, mais le bois n'était pas carbonisé et il n'y avait pas de cloques sur la peinture. Je ne sentais aucune odeur de fumée. Avec précaution, j'ai tâté le rebord. Il n'était absolument pas chaud. Je ne voyais rien au-delà de la fenêtre, mais tout ce que je pouvais dire, c'est qu'il n'y avait plus la moindre trace d'incendie.

Je me suis retournée pour regarder Charlotte. Elle était livide.

– Tu crois que c'est toujours notre imagination ? a-t-elle demandé d'une petite voix.

Je me suis contentée de secouer la tête. Pourquoi diable étions-nous revenues ici ? Il se passait vraiment des choses étranges dans cette maison. J'ai pris Charlotte par la main et nous sommes rentrées chez moi sans nous retourner une seule fois.

Plus tard, à la réunion du Club des baby-sitters, nous avons raconté tout ce que nous avions vu. Et Claudia en a rajouté en nous expliquant ce qu'elle avait découvert au cours de ses recherches. Autant dire que nous n'avons pas beaucoup travaillé...

Dans la soirée, je me suis efforcée de ne plus penser à cette maison et je crois que Charlotte a fait de même. Nous n'avons pas beaucoup parlé au dîner, heureusement, maman ne nous a pas posé de questions. Je n'avais aucune envie d'avoir à expliquer quoi que ce soit.

Au moment de nous coucher, j'ai lu une histoire à Charlotte, puis nous nous sommes mises à bavarder. Nous avons parlé de son retour à l'école le lendemain. Nous avons parlé de ses parents et du fait qu'ils revenaient bientôt. Nous avons parlé de son grand-père. Nous n'avons pas parlé de la maison.

Quand je me suis couchée, j'étais encore sacrément angoissée. Je pensais que je n'arriverais jamais à m'endormir, mais finalement je me suis assoupie…

J'étais debout devant la maison. Cette fois-ci, les flammes jaillissaient de toutes les fenêtres et à travers le toit. C'était un véritable incendie. J'essayais de hurler : « Au feu ! », mais aucun son ne sortait de ma bouche. Alors j'ai voulu m'enfuir en courant, mais mes pieds restaient collés au sol. J'ai jeté un regard désespéré vers la fenêtre quand soudain, horreur ! j'ai aperçu une silhouette à l'une des fenêtres. La personne, peu importe qui c'était, avait manifestement besoin de secours. De nouveau j'ai essayé de bouger, mais j'étais paralysée. Je ne pouvais rien faire d'autre que regarder l'inconnu qui criait à l'aide.

Je me suis réveillée en sursaut. Quel cauchemar ! Mon cœur battait à tout rompre. J'essayais de me calmer. Le rêve paraissait tellement réel ! Je voyais encore la personne prisonnière de l'incendie. Si seulement j'avais pu la sauver ! J'ai gardé les yeux grands ouverts. Je n'avais pas vraiment envie de me rendormir. Et si le cauchemar revenait ?

Je regrettais l'époque où j'allais sur la pointe des pieds dans la chambre de mes parents et que je réveillais maman. Je lui racontais mon cauchemar, elle me disait que j'avais fait un mauvais rêve et elle me consolait. Elle venait me border dans mon lit et je me rendormais en toute sécurité. Mais je n'étais plus une petite fille. J'étais assez grande pour dormir seule sans avoir peur.

J'ai essayé de penser à autre chose, à des choses agréables. Je m'imaginais allongée sur le sable chaud, le soleil caressant ma peau. J'imaginais le bercement régulier des vagues venant s'échouer sur la plage.

Bang! La porte de ma chambre s'est ouverte brutalement et Charlotte est entrée comme une furie. Elle a sauté dans mon lit et s'est pelotonnée sous la couette. Elle tremblait de tous ses membres.

– Charlotte, qu'est-ce qu'il y a? Qu'est-ce que tu as?

Au début elle ne voulait – ou ne pouvait – pas parler, puis, petit à petit, elle a commencé à s'exprimer. Elle aussi avait fait un cauchemar. C'était également à propos de la maison.

– Il y avait un orage qui se préparait, a-t-elle haleté. J'entendais le tonnerre et je voyais des éclairs dans le ciel. Et puis, tout à coup, le sol s'est mis à trembler.

Elle frissonnait, terrifiée.

– Tout va bien, Charlotte. Dis-moi ce qui s'est passé après.

Je savais qu'elle irait beaucoup mieux si elle finissait de raconter son rêve. Je la serrais fort contre moi en lui caressant les cheveux.

– C'était comme une sorte de tremblement de terre. J'avais l'impression que la terre allait s'ouvrir et m'engloutir.

Je ne sais pas comment elle savait à quoi ressemble un tremblement de terre. Elle en avait peut-être vu dans une émission sur la nature à la télé.

– Le ciel était tout noir, avec une drôle de lueur verte. J'avais tellement peur, Lucy, je ne pouvais plus bouger. J'avais envie de hurler, de m'enfuir, mais tout ce que je pouvais faire c'était rester là, debout, à regarder la maison.

Je connaissais cette impression.

– Et puis le pire est arrivé. J'étais en train de regarder la façade de la maison quand tout à coup, j'ai vu quelque chose devant la porte d'entrée, ou dans le trou, là où il y avait la porte. C'étaient deux mains, deux vieilles mains ridées. Elles étaient toutes maigres et osseuses, et elles me faisaient signe. Comme si elles me disaient : « Viens, Charlotte, entre. »

Et elle s'est mise à pleurer.

J'en avais la chair de poule. Ça avait l'air horrible. C'était fou : nous avions toutes les deux fait un cauchemar au même moment, et ces deux cauchemars concernaient la vieille maison.

Et si elle avait un pouvoir secret ? On aurait dit qu'elle nous attirait, qu'elle essayait de nous dire quelque chose...

Quelqu'un d'autre avait-il vu ce qu'on avait vu, entendu ce qu'on avait entendu ? Soudain, j'ai compris pourquoi les ouvriers rangeaient leurs affaires et partaient si tôt tous les jours. C'était sûrement à cause de la maison. Ils devaient être aussi terrifiés que nous.

L'idée de ces hommes costauds aussi effrayés que deux gamines m'a presque fait rire. Mais ce n'était pas vraiment drôle. J'ai tiré la couette sur Charlotte et je l'ai laissée se blottir contre moi. Elle croyait sans doute que je voulais la rassurer. Elle ne savait pas qu'elle me rassurait tout autant.

11

Charlotte et moi, nous avons dû finir par nous endormir. Quand nous nous sommes réveillées le lendemain matin, il était déjà assez tard et il a fallu se dépêcher pour aller à l'école.

Charlotte était on ne peut plus impatiente d'y retourner – elle en avait assez d'être enfermée à la maison.

Elle a pris son médicament sans faire trop d'histoires, pour une fois (il fallait qu'elle finisse la bouteille même si elle allait très bien). Après un petit déjeuner avalé en quatrième vitesse, maman nous a conduites à l'école pour que nous ne soyons pas en retard.

Je ne peux pas parler à la place de Charlotte, mais moi, je n'ai pas passé une journée terrible. Je tombais de sommeil à cause de mes insomnies de la veille, et encore, ce n'était pas vraiment le problème. Le problème, c'est que j'étais hantée par mon cauchemar. La maison aux tourelles – je ne pensais qu'à ça.

J'avais du mal à me concentrer sur les cours. En maths, alors que j'étais supposée réfléchir pour savoir à quoi « x » était égal, je songeais en réalité aux flammes, aux mains osseuses et aux essaims de mouches. Je ne me souviens même plus de quoi nous avons parlé en cours d'anglais parce que je n'écoutais pas. Je pensais au visage à la fenêtre. Quant au cours de gym... le ballon de volley a rebondi sur ma tête alors que je restais plantée là, à essayer de me souvenir à quoi ressemblaient exactement les gémissements que nous avions entendus.

J'étais complètement dans les nuages.

Quand l'heure du déjeuner est arrivée, je mourais d'envie de voir mes copines. Avec elles, je pourrais enfin parler. Elles comprendraient. Elles aussi étaient hantées par la maison.

J'ai retrouvé Carla dans la queue du self. Nous faisions toutes les deux très attention à ce que nous choisissions. Carla apportait en général des barres aux céréales complètes bio, mais ce matin, elle aussi avait dû se réveiller en retard. Nous avons évité le « poulet chow mein » (une espèce de truc gluant, vaguement gris, posé sur des nouilles) et nous avons pris des fruits, du lait et des sandwichs au fromage tout simples.

– Ça va, Lucy ? m'a-t-elle demandé alors que nous allions vers notre table habituelle. Tu n'as pas l'air trop en forme.

– Non, ça va, je suis juste un peu fatiguée, j'imagine. J'ai fait un cauchemar atroce la nuit dernière.

Nous étions arrivées à notre table, et les filles étaient déjà là. Elles voulaient toutes que je leur raconte mon cauchemar, alors je me suis lancée dans un compte-rendu épique qui n'épargnait aucun détail épouvantable. J'en ai ensuite rajouté en racontant le cauchemar de Charlotte avec tous les détails les plus horribles là aussi.

Je crois qu'elles ont vraiment compris que je n'en menais pas large parce qu'elles me prenaient cent pour cent au sérieux.

– Il faut absolument que nous trouvions la clé du mystère, a décidé Kristy. Qu'est-ce qui se passe vraiment dans cette maison ? Elle a l'air dangereuse. Il y a plein d'enfants qui vivent dans le quartier. S'il arrivait quelque chose à l'un d'entre eux ? Je propose qu'on tienne une réunion d'urgence du Club des baby-sitters ce soir.

Wouah ! Nous avons rarement des réunions d'urgence, et quand cela arrive, c'est en général pour des questions de garde.

– Pas de problème, a répondu Claudia. Je n'ai pas cours de dessin aujourd'hui. Et, de toute façon, je ne peux penser à rien d'autre.

– Moi non plus, a dit Mary Anne. Cette maison me fait vraiment froid dans le dos. Si toute la ville de Stonebrook est effectivement construite sur un cimetière, vous imaginez tous les événements atroces qui pourraient arriver.

Je savais qu'elle avait vu le film tiré du roman de Stephen King, *Simetierre*. Elle s'était laissé entraîner par Carla, mais finalement elles regrettaient toutes les deux de l'avoir vu. Elles devaient souvent y penser ces jours-ci.

Tout le monde était d'accord, une réunion d'urgence, c'était une super idée. Au bout du compte, seule Jessica ne pouvait pas venir. Elle avait cours de danse.

J'étais soulagée de savoir que cette fois-ci nous étions toutes ensemble. L'après-midi, j'ai eu un peu moins de mal à me concentrer, mais quand même, la journée traînait en longueur.

A la sortie des cours, j'ai couru rejoindre Charlotte à la maison. Elle aussi avait eu une journée pénible. Elle était surexcitée d'apprendre qu'elle allait participer à une réunion d'urgence du club.

– Je suis presque un vrai membre, maintenant, a-t-elle remarqué.

J'avais beau savoir qu'il faudrait encore attendre quelques années avant qu'elle soit une baby-sitter à part entière, je comprenais parfaitement ce que cela représentait pour elle.

– Tu as raison, Charlotte. Peut-être qu'un jour tu seras présidente de ton propre club de baby-sitters. Tu pourras même porter une visière aux réunions, comme Kristy.

Nous sommes parties chez Claudia en avance tellement nous avions hâte que la réunion commence. Je suppose que c'était le cas pour tout le monde parce qu'à quatre heures et demie nous étions déjà toutes là. Sauf Jessi, évidemment.

Kristy a annoncé un ordre du jour exceptionnel.

– Ceci est une réunion d'urgence destinée à réfléchir au mystère de Stonebrook. Plus particulièrement, pour comprendre ce qui se passe dans la maison aux tourelles. Récapitulons tout ce que nous savons jusqu'ici.

– D'abord, il s'y passe des choses étranges, ai-je commencé. Il semble que la maison ou les esprits des personnes enterrées en dessous ont une forme de pouvoir.

– Tu as raison, a acquiescé Claudia, le pouvoir de nous rendre folles.

Elle était assise sur son lit, en train de faire des bulles de chewing-gum roses assorties à sa robe.

– Ouais, vraiment. Aucune de nous n'arrive à penser à quoi que ce soit d'autre.

Mary Anne s'est penchée vers Charlotte.

– Lucy nous a dit que tu avais fait un cauchemar. Ça avait l'air atroce.

– Oui, c'était horrible. Ces mains osseuses… Je n'oublierai jamais.

– Redis-nous exactement ce que tu as vu et entendu dans la maison, a demandé Carla.

Charlotte et moi, nous avons à nouveau raconté notre histoire, des visages aux flammes, en passant par les mouches. Puis Kristy a refait le point sur ce qu'elle avait trouvé dans les vieux livres de Jim, et Claudia sur ce qu'elle avait appris à la bibliothèque.

– Et il y a autre chose, a-t-elle ajouté. Je ne voulais pas vous le dire, tellement ça paraît bizarre. J'avais peur que vous pensiez que je suis folle. Mais je suis passée devant la maison aujourd'hui, juste avant de venir ici…

Nous avons toutes tendu l'oreille. Elle avait l'air terrifiée, comme si elle ne voulait pas repenser à ce qui s'était passé.

– J'étais debout en train d'observer la maison quand, tout à coup, j'ai senti une main sur mon bras. Mais quand je me suis retournée, il n'y avait personne. Comme s'il y avait une présence invisible à côté de moi et qu'il – ou elle – voulait attirer mon attention.

Claudia était extrêmement sérieuse.

J'étais bouche bée. Charlotte aussi. Heureusement que ça ne m'était pas arrivé à moi ! Ça aurait été le comble !

215

« Peut-être qu'on ferait mieux d'oublier cette maison », ai-je pensé. Ça devenait trop effrayant. J'ai parcouru la chambre du regard. Toutes les filles avaient l'air aussi effrayées que moi, mais elles avaient également l'air fascinées. A ce moment-là, j'ai compris que nous n'abandonnerions jamais.

– Alors qu'est-ce que tu as fait, Claudia ? a demandé Mary Anne.

– Je me suis enfuie en courant. Je n'allais quand même pas rester pour savoir ce qu'on me voulait. D'ailleurs on voulait sûrement me voler mon âme !

– Dis plutôt qu'on voulait te voler tes Chamallows, ai-je plaisanté. Même les esprits aiment les bonbons !

Tout le monde a éclaté de rire. Je crois que nous étions toutes un peu tendues et que nous avions simplement besoin d'un prétexte pour nous défouler.

Pourtant le fou rire s'est arrêté net quand Mallory a pris la parole.

– Vous savez, je viens de me rappeler quelque chose qui m'est arrivé... Ça devait être l'année dernière, au printemps. Vanessa et moi, on était parties cueillir des fleurs pour la fête des mères. On est allées du côté de la maison parce que je me souvenais qu'il y avait des fleurs superbes cachées sous les mauvaises herbes.

En effet, j'avais remarqué d'anciennes plates-bandes, sur les côtés de la maison.

– On a fait notre bouquet et on est rentrées à la maison. Maman a été ravie, mais cette nuit-là, j'ai fait un cauchemar hyper bizarre. J'étais revenue devant la maison pour l'observer. A chaque fenêtre et devant chaque porte, il y avait des gens qui me regardaient en se tenant avec leurs mains osseuses. Ils ne disaient rien, mais j'avais l'impression qu'ils m'en voulaient d'avoir volé leurs fleurs. Ils voulaient les récupérer, a ajouté Mallory en tremblant. Bien sûr, je ne pouvais pas les leur rendre – on les avait déjà cueillies et offertes à maman. C'était un rêve horrible. Je viens seulement de m'en souvenir.

Nous étions assises en silence. Nous avions réussi à nous faire peur comme des idiotes. Kristy a essayé de rassurer tout le monde.

– On se laisse peut-être trop impressionner par toute cette histoire. Vous savez, j'ai montré la carte que j'ai trouvée à Jim. Il m'a dit qu'elle ne représentait qu'une partie de Stonebrook – là où se trouve le cimetière aujourd'hui.

Charlotte a pris la parole d'une voix timide.

– Est-ce que c'est vraiment la peine de savoir si la maison – et la ville – sont construites sur un cimetière ? Ce qui compte, ce sont toutes ces expériences bizarres.

– Tu as raison, a approuvé Kristy. Il y a trop de choses bizarres qui se passent. D'ailleurs, je pense qu'il est temps de rendre visite à M. Hennessey. Des volontaires pour m'accompagner ?

Nous nous sommes toutes regardées. Doucement, Charlotte a levé la main, alors je l'ai imitée. Il fallait que je reste avec elle. J'étais sa baby-sitter quand même. Puis Claudia s'est proposée, elle aussi.

– Ça suffit, a dit Kristy. Il n'est pas question de l'envahir. Il est peut-être malade.

Carla, Mallory et Mary Anne avaient toutes les trois l'air soulagées. Charlotte, Kristy et Claudia avaient l'air terrifiées – tout comme moi.

12

MERCREDI

Une seule chose pouvait m'ôter cette vieille maison infernale de la tête: une garde chez les Pike. Même avec l'aide de Mallory, j'avais l'impression d'être au cirque. Faire un baby-sitting à l'heure du dîner chez les Pike, c'est pire que d'essayer de dompter des lions affamés (je rigole, Mal!).

Je comprends, Carla. Je sais que c'est une maison de fous. Mais on a quand même bien rigolé. Tu n'es pas fâchée parce que tu as dû jouer la méchante sorcière, j'espère?

Pas du tout! J'adore faire la méchante sorcière. "Je vais vous attraper, ma petite, toi et ton chien! Ha, ha, ha!"

218

C'était mardi soir, après la réunion d'urgence, Mallory et Carla gardaient les petits Pike. Je suis contente d'être fille unique, mais quand j'entends parler des soirées chez Mal, je suis un peu jalouse. Ça doit être tellement drôle d'avoir en permanence une bande de copains à la maison. Dans la famille Pike, il y a : Byron, Adam et Jordan, les triplés, qui ont dix ans ; Vanessa, neuf ans ; Nicky, huit ans ; Margot, sept ans ; Claire, cinq ans. Et Mal, bien sûr, la co-baby-sitter de Carla.

Carla est arrivée à six heures et demie, au moment où M. et Mme Pike allaient partir. En acceptant le boulot, elle savait qu'elle et Mal devraient s'occuper du dîner, mais elle avait oublié à quoi pouvait ressembler un repas avec tant d'enfants !

M. et Mme Pike ont l'art d'élever une famille nombreuse. Ils savent qu'il y a certaines choses sur lesquelles il vaut mieux passer quand on a huit enfants. Par exemple, les repas. Comme certains enfants mangent de tout alors que d'autres sont difficiles, comme certains ont bon appétit alors que d'autres se contentent de picorer, les Pike ont renoncé à essayer d'imposer trop de règles sur ce qu'ils doivent ou ne doivent pas manger. Surtout quand ils sont avec une baby-sitter. Quand c'est Mal qui est de garde, en général elle ouvre simplement le réfrigérateur et laisse chacun se servir. Les enfants fouillent et chacun prend ce qui lui plaît.

C'est exactement ce qui est arrivé mardi soir. Carla faisait ce qu'elle pouvait pour être utile, mais elle avait du mal à accepter le choix de certains enfants. N'oubliez pas, Carla est une véritable maniaque de la nourriture bio. Alors vous pouvez imaginer sa tête quand elle a vu Byron sortir une saucisse de Francfort et un pot de gelée de groseille pour se faire un sandwich !

– Tu es sûre que c'est ce que tu veux, Byron ?

– Ouais, c'est mon sandwich préféré.

Ensuite, Carla s'est retournée et elle est tombée sur Nicky qui avait un pot de beurre de cacahuètes à la main. Il voulait qu'elle lui fasse son sandwich.

– Alors je te mets du beurre de cacahuètes et de la confiture, c'est ça ?

Elle était soulagée. C'était « moins pire ». Mais Nicky n'avait pas l'intention de s'arrêter là.

– Non. Beurre de cacahuètes, confiture et ketchup !

Carla a fait la grimace, mais elle a obéi. Puisque c'était ce qu'il souhaitait...

Adam et Jordan voulaient tous les deux des raviolis, mais refusaient que Mal les fasse chauffer. Ils voulaient les manger directement dans la boîte. Elle a quand même réussi à les convaincre de se servir dans des assiettes.

Margot voulait juste du pain beurré. Elle était dans une période difficile et ne mangeait pratiquement rien.

Carla a demandé à Vanessa ce qui lui plairait.

– Un œuf au plat fera très bien l'affaire. Tu peux beurrer la poêle pour ne pas qu'elle adhère.

Mal a levé les yeux au ciel. Vanessa, qui rêvait d'être poète, allait finir par les rendre fous à parler en vers tout le temps !

Pendant que Carla faisait cuire l'œuf, Mal s'occupait de Claire. La petite dernière avait choisi des céréales, mais elle les voulait dans tel bol – celui avec Pikachu dessus – avec telle cuillère – celle qui avait le manche rouge. Il fallait verser le lait de façon à ce qu'il arrive juste à la hauteur du dessin peint à l'intérieur du bol, surtout pas plus haut. Quand le bol a été enfin prêt, Claire l'a porté sur la table.

– Merci, Mallory-petite-bébête-gluante !

Mal a soupiré. Sa sœur était en plein dans l'âge bête.

Elle s'est fait un sandwich au jambon tandis que Carla furetait dans le réfrigérateur à la recherche de nourriture saine. Elle a fini par trouver deux ou trois carottes, un yaourt et du germe de blé que Mal avait dû oublier après une de ses expériences culinaires.

– Ça ira. Si on s'asseyait ?

Il y eut alors un mouvement de précipitation générale vers les « bons » fauteuils. Claire s'était déjà réservé la place de Mme Pike et Margot s'est assise à côté d'elle. Les triplés se battaient pour s'asseoir dans le fauteuil de M. Pike. Profitant de la bagarre, Nicky s'y est glissé discrètement. Puis Vanessa s'est faufilée à la place habituelle d'Adam, qui l'a obligée à se relever tout de suite en s'asseyant sur ses genoux, comme s'il ne l'avait pas vue.

Enfin, tout le monde a été installé. Le dîner venait de commencer.

– Tu veux des raviolis, Nicky ? a proposé Adam.

– Ouais ! a-t-il répondu avec un grand sourire.

En général, ses frères ne s'intéressaient à lui que pour l'embêter.

– T'en veux ? a renchéri Jordan. Ben, t'en auras pas !

Le visage de Nicky s'est fermé, et il est retourné à son sandwich. Byron lui a gentiment proposé un morceau du sien, mais il a secoué la tête.

– Ça m'a coupé l'appétit. De toute façon, les raviolis, c'est des rats violets !

– Beurk ! a hurlé Claire en laissant tomber sa cuillère dans ses céréales, faisant gicler du lait partout.

– Arrête Nicky, on essaie de manger, l'a grondé Mallory.

Elle a pris sa serviette pour éponger le lait.

– D'accord, mais n'empêche que leurs trucs, on dirait de la pâtée pour chiens.

Adam a secoué son frère qui a avalé son Coca de travers et l'a recraché sur la table.

– Bah ! se sont écriées ses sœurs en chœur. Il est dégoûtant.

Carla a essayé de détourner leur attention.

– A quoi on pourrait jouer ce soir ?

Tout le monde s'est mis à parler en même temps. Claire voulait jouer au loto des animaux, le seul jeu où elle avait une chance de gagner. Margot était d'accord. Les triplés préféraient faire une partie de volley, sauf Adam, qui voulait jouer à la balle au prisonnier. Nicky trouvait que ce serait drôle de construire une tente avec les couvertures, comme des Indiens.

Finalement, c'est Vanessa qui a eu l'idée qui a fait l'unanimité.

– Si on montait une pièce de théâtre ?

– Ouais !

– On pourrait jouer *Batman* ? a proposé Byron, qui adore faire le Joker.

– Non, *Blanche-Neige*, a rétorqué Claire.

Carla a réfléchi quelques secondes. Qu'est-ce qui pourrait plaire à tout le monde ?

– Et *Le Magicien d'Oz* ? a-t-elle suggéré.

– Ah, ouais, génial, Carla, l'a félicitée Mallory.

– Je veux être l'épouvantail ! a hurlé Jordan.

– Je veux être le lion poltron ! a hurlé Adam.

– Je veux être la princesse ! a hurlé Margot.

– La princesse ? s'est étonné Nicky. Mais il n'y a pas de princesse dans le film.

– Il y a toujours une princesse, hein, Mallory ?

– Désolée, non, pas dans cette histoire. Mais tu peux faire la gentille sorcière. C'est ce qui ressemble le plus à une princesse dans la pièce. En tout cas, on débarrasse la table et on range la cuisine avant de commencer. Et tous ceux qui ont des devoirs les finissent avant.

Quand tout le monde a été prêt, ils ont fait une petite réunion pour attribuer les autres rôles et chacun a couru se déguiser.

La maison était un peu plus calme, le temps que les acteurs et les actrices s'habillent. En bas, Mal et Carla se sont regardées en échangeant un sourire.

– Bon, au moins, on a réussi à les faire dîner, a soupiré Carla.

C'est alors que les triplés ont glissé le long de la rampe l'un après l'autre. Adam, déguisé en lion poltron, avait une couverture jaune à franges enroulée autour des épaules. Jordan, avec un vieux jean et une chemise à carreaux, faisait un assez bon épouvantail. Byron jouait le rôle du bûcheron de fer-blanc, sans doute le costume le plus difficile à trouver. Il avait récupéré un entonnoir qu'il portait en chapeau et tenait une hachette à la main.

Le reste de la troupe s'est rassemblé pour attribuer des

rôles à Carla et à Mallory. Carla était la méchante sorcière, et Mal le magicien. Maintenant que tout le monde était sur scène, il ne restait plus personne pour faire le public, mais c'était trop tard.

Vanessa, qui jouait Dorothée, portait son cartable en guise de panier de pique-nique. Nicky, qui jouait Toto, trottinait à ses côtés. Vanessa a fait semblant de sortir d'une maison.

– Tu peux fermer la porte, en passant par le sas. Nous ne sommes plus au Kansas, a-t-elle déclamé, en vers, bien sûr.

– Ouaf, ouaf, a répondu Nick.

Claire a fait une brève interprétation de la chanson de M. Lefarceur, en ajoutant des « petites-bêbêtes-gluantes ».

Puis Byron s'est avancé.

– Salut Dorothée ! Nous venons avec toi. Ne pleure pas. Je te présente mes amis, l'épouvantail et le lion poltron.

– Ah merci, a-t-elle répondu, oubliant soudain de rimer. Mais comment irons-nous à la Cité d'Émeraude ?

– Je vous emmènerai dans mon vaisseau spatial, a proposé Margot, la gentille sorcière.

Ça commençait à déraper légèrement, mais Carla et Mal se retenaient de rire et faisaient comme si de rien n'était. Carla était une sorcière tellement convaincante que Claire a fondu en larmes. Alors Carla a utilisé son pouvoir magique pour se transformer en gentille sorcière.

Au milieu de la route pavée de briques jaunes, Nicky en a eu assez de jouer Toto. Il n'avait pas d'autre réplique que « Ouaf, ouaf ».

– Vous voulez que je compte de deux en deux jusqu'à mille ?

Personne n'a répondu – ils étaient trop concentrés –, mais Nicky a entonné :

– Deux, quatre, six...

A la fin de la pièce, Mal le magicien a résolu les problèmes de tout le monde. Elle a déclaré qu'il était l'heure de se coucher à Oz. Nicky en était à sept cent quatre-vingt-deux, mais il commençait à se lasser et il n'a pas trop insisté pour finir.

Comme il n'y avait pas de public, les comédiens se sont applaudis eux-mêmes. Puis Carla a emmené Margot, Claire et Nicky en haut pour les coucher. Mal et les grands ont rangé le salon, on aurait dit qu'il avait été dévasté par une tornade !

Carla venait de finir de coucher les plus jeunes quand M. et Mme Pike sont rentrés. Les deux baby-sitters se sont serré la main solennellement en se félicitant d'avoir survécu à cette soirée. Puis M. Pike a raccompagné Carla. Ouf ! Elle n'était pas mécontente de se retrouver au calme dans sa chambre.

Charlotte et moi, nous sommes rentrées à peu près à la même heure le mercredi après-midi. J'ai tout de suite vu qu'elle était aussi angoissée que moi à l'idée de rendre visite à M. Hennessey.

– Tu es sûre de vouloir y aller, Charlotte ? Tu n'es pas obligée, tu sais.

Je commençais à me demander si ce n'était pas de la folie. En me lançant dans cette aventure, je risquais d'oublier mes responsabilités de baby-sitter.

Mais Charlotte, même si elle avait un peu peur, était déterminée à faire tout ce qu'elle pouvait pour résoudre cette énigme. Il était hors de question qu'elle abandonne maintenant.

Nous sommes allées chez Claudia où nous devions retrouver Kristy, qui est arrivée juste à ce moment-là. Claudia a ouvert la porte avant même que nous ayons eu le temps de frapper. Manifestement nous avions toutes autant hâte d'y aller. D'ailleurs nous sommes tout de suite parties pour le Manoir de Stonebrook.

C'était plus loin que je ne le pensais. En marchant, personne ne parlait. Nous étions sans doute en train de réfléchir chacune de notre côté. Nous sommes finalement arrivées à la maison de retraite. C'était un bâtiment plutôt récent, mais il dégageait quelque chose de chaleureux et de sympathique. Il n'avait qu'un étage, et l'allée qui menait à la porte principale était bordée de fleurs. Quelques vieux messieurs en chaise roulante jouaient aux échecs dans une sorte de patio sur la gauche.

Nous avons hésité quelques instants, debout devant l'entrée, puis Kristy a pris la direction des opérations.

– Allez, on entre, a-t-elle décidé.

Nous l'avons suivie. Nous sommes entrées dans le hall, un peu intimidées. Comment faire pour trouver M. Hennessey ? C'est alors qu'un jeune homme est apparu derrière le bureau d'accueil.

– Puis-je vous aider ?

Nous nous sommes regardées. J'étais sûre que l'homme allait nous renvoyer si nous ne lui disions pas ce que nous voulions. Après tout, nous n'étions qu'une bande de gamines. Enfin Claudia a pris la parole.

– Nous sommes venues voir M. Hennessey. Je crois savoir que c'est l'un de vos pensionnaires.

Elle essayait de prendre un ton assuré et « adulte ».

Le réceptionniste nous a adressé un grand sourire.

– M. Hennessey va être ravi d'avoir de jeunes visiteuses ! a-t-il dit avant de se retourner vers une femme qui travaillait derrière un bureau voisin. Ruth, est-ce que tu pourrais amener M. Hennessey dans le petit salon ?

Bon, cela se passait mieux que je ne le pensais. J'ai regardé mes « collègues détectives ». Kristy avait l'air soulagée, mais Claudia et Charlotte semblaient toujours un peu angoissées.

– Vous voulez bien signer le registre, les filles ?

Le jeune homme nous a indiqué un épais cahier posé sur le comptoir de l'accueil. Nous avons signé, chacune inscrivant son nom en entier, son adresse et son numéro de téléphone. Claudia a utilisé le stylo violet qu'elle adore. Quant à moi, je ne sais pas pourquoi mais, soudain, j'ai eu envie d'éclater de rire, heureusement je me suis retenue. Nous sommes allées nous asseoir dans le petit salon en attendant. Personne ne disait grand-chose. Claudia tripotait son bracelet porte-bonheur, Kristy enroulait et déroulait une mèche de cheveux autour de son doigt et Charlotte était assise, fixant les autres personnes qui attendaient, jusqu'à ce que je lui fasse signe d'arrêter.

Au bout de dix minutes, Ruth est revenue en poussant un vieux monsieur dans une chaise roulante. Et quand je dis vieux, je veux vraiment dire vieux. Il était tout ratatiné – il devait être de la taille d'un enfant de dix ans – et recroquevillé. Il avait une couverture sur les jambes et portait un gros pull alors qu'il ne faisait pas vraiment froid dans le bâtiment. J'ai remarqué qu'il avait un appareil auditif dans les oreilles. Ses mains, dont la peau ressemblait à du parchemin, reposaient sur ses genoux, retenant la couverture. Il a froncé les sourcils en nous voyant. Il s'est éclairci la gorge et s'est adressé directement à moi.

– Comment vous appelez-vous, jeune fille ? Et que me voulez-vous ?

Sa voix avait l'air rouillée, comme s'il ne s'en était pas servi depuis longtemps.

– Je... je m'appelle Lucy MacDouglas, ai-je fini par dire. Et je vous présente mes amies, Claudia, Kristy et Charlotte.

Il leur a adressé à chacune un signe de tête, mais il n'a pas souri. Il n'avait pas l'air vraiment ravi de voir ses « jeunes visiteuses ». Il m'a observée à nouveau. J'ai alors réalisé que je ne lui avais pas encore dit pourquoi nous étions là.

– M. Hennessey, nous sommes venues vous voir pour vous poser des questions sur la maison aux tourelles. Est-ce qu'elle ne vous appartenait pas il y a quelques années ? ai-je demandé.

– Oui, j'y ai vécu toute ma vie. Je suis né dans la chambre Est. Mais quel est le problème ?

– Eh bien..., nous avons remarqué que des choses étranges s'y passaient ces derniers temps. Depuis qu'ils ont commencé à la démolir.

– Ah bon ?

Il était toujours grincheux, mais j'ai cru voir une étincelle passer dans son regard. Nous avions réussi à piquer sa curiosité.

– Des choses étranges ? Quel genre ?

– Nous avons entendu des bruits bizarres.

– En plus, on a vu des trucs vraiment effrayants ! a ajouté Charlotte.

Et nous nous sommes mises à lui raconter toute l'histoire depuis le début. M. Hennessey, lui, s'animait de plus en plus.

– Charlotte et moi, on a fait toutes les deux des cauche-mars atroces à propos de la maison la même nuit, ai-je expliqué, avant que Claudia n'intervienne avec l'histoire de la main qu'elle avait sentie sur son bras.

– Il faut que je vous dise une chose, les filles, rien de tout cela ne me surprend, a répondu M. Hennessey. J'ai vécu dans cette maison presque quatre-vingts ans et je ne vous raconte pas tout ce qui s'y est passé ! Pourtant j'y suis toujours attaché. Je ne l'aurais jamais vendue si j'avais pu y vivre seul. Mais je ne peux plus monter ni descendre les escaliers.

En le regardant, on se doutait qu'il n'y avait pas que les escaliers qui l'empêchaient d'y vivre seul. De toute évidence, il était incapable de prendre soin de lui-même. Il était fragile, fatigué et très, très âgé. Mais quel genre de souvenirs avait-il à propos de la maison ? Je lui ai demandé de nous en dire plus.

– Bon, la toute première chose dont je me souvienne, c'est quand j'étais encore tout gamin, en culottes courtes. Je devais avoir sept ou huit ans. Un bruit sourd m'a réveillé au milieu de la nuit. Quelqu'un faisait les cent pas dans le couloir devant ma chambre. Je suis sorti de mon lit en rampant et j'ai glissé un œil par l'entrebâillement de la porte. Quel curieux bonhomme ! Il portait de drôles de nippes complètement démodées et son nez... eh bien, son nez était très étrange ! J'ai failli éclater de rire, mais il s'est retourné et il m'a jeté un regard noir. J'ai reculé, j'étais téta-nisé. Plus tard, j'ai appris que cet homme était un revenant, qu'on appelait l'homme au nez de caoutchouc. Du temps où il vivait, un cheval lui avait mordu le nez et le médecin du village lui en avait fabriqué un nouveau. Les enfants se moquaient de lui et les femmes le méprisaient. Il est mort seul, triste et amer, et l'on racontait qu'il ne connaîtrait pas le repos tant qu'il n'aurait pas rencontré une femme mortelle qui l'aime malgré son infirmité. C'est peut-être toujours lui qui fait les cent pas !

Nous étions suspendues à ses lèvres. Quant à moi, j'étais à la fois fascinée et terrifiée. Qu'est-ce que c'était que ces sornettes ? L'homme au nez de caoutchouc ? J'ai regardé Claudia. Elle a levé les sourcils.

M. Hennessey a enchaîné avec une nouvelle histoire.

– Et puis il y a eu la vision de mon oncle James. Un matin, il nous a raconté l'histoire d'une très belle dame qui avait les cheveux roux et portait une robe de velours vert. Elle était entrée dans sa chambre avec une bougie allumée en le priant de la suivre. Il s'était levé de son lit mais à mesure qu'il la suivait dans les couloirs, elle devenait de plus en plus transparente, jusqu'au moment où elle avait disparu défini-tivement. Nous, nous ne l'avons jamais vue, mais chaque fois qu'oncle James venait chez nous, elle réapparaissait. Je suppose qu'elle avait un faible pour lui.

Ce récit avait l'air tout droit sorti d'un de ces livres que Carla adore, du genre *Histoires à NE PAS lire après la tombée de la nuit*.

Il nous a raconté encore quelques anecdotes à propos de la maison, dont l'une mettait en scène un homme qui portait sa propre tête sous son bras et une autre sur la porte d'un grenier qui ne fermait pas si on ne rassurait pas l'esprit qui y habitait. Les yeux de M. Hennessey brillaient. De toute évidence, maintenant, il appréciait notre visite. Kristy a croisé mon regard. Je savais que les autres avaient autant de doutes que moi sur certaines des histoires. Pourtant dès que M. Hennessey commençait un nouveau récit, notre attention était captivée.

– A mon avis, tous ces phénomènes étaient dus à une seule et même cause, a-t-il affirmé. Tous ces esprits agités... ils étaient tout simplement malheureux parce qu'on avait construit une ville au-dessus de leur tombe.

J'étais sidérée. Nous n'avions pourtant pas mentionné les cartes que Kristy et Claudia avaient trouvées. Et si ces histoires étaient vraies ? Personne ne disait mot. Claudia était blanche comme un cachet d'aspirine.

– Je pense qu'il faut respecter les esprits. Je comprends parfaitement qu'ils soient mécontents de voir leur tombe profanée, a poursuivi M. Hennessey. Tout ce qu'ils demandent, c'est de pouvoir reposer en paix, avec l'herbe et le ciel au-dessus d'eux. Au lieu de cela, on a construit une maison, et comme si cela ne suffisait pas, maintenant, il faut qu'on la démolisse pour bâtir encore autre chose. Pas étonnant qu'ils aient réagi comme ça.

– Vous... vous voulez dire que le quartier est hanté ? ai-je demandé.

– Eh bien, mademoiselle, je ne peux pas vous l'affirmer aujourd'hui. Mais vous en aurez le cœur net une fois que la maison sera entièrement démolie.

Ce qui était prévu pour le lendemain ! Que voulait-il dire ? Qu'est-ce qui allait arriver ?

– Comment ça ? ai-je bredouillé.

Je pouvais à peine parler.

M. Hennessey gardait le silence. Kristy, Claudia et Charlotte étaient assises et le regardaient, l'air hébété. Je lui ai reposé la question.

– Parfois, il vaut mieux ne rien savoir, a-t-il répondu en secouant la tête. Si j'étais vous, je me tiendrais à distance de la maison. Tout ce que vous m'avez raconté ne présage rien de bon.

Il s'est tu et n'a plus dit un mot sur la maison.

J'étais frustrée, et plus atterrée que jamais. M. Hennessey avait l'air fatigué et nous avons compris qu'il était temps de partir. Je l'ai remercié, il a secoué la tête d'un air las et il a agité la main en guise d'au revoir, avant de lancer :

– Soyez prudentes, les filles !

Une fois de plus, cet après-midi-là, nous n'avons pas fait grand-chose lors de la réunion du club. Bien entendu, nous avons répondu au téléphone, attribué les gardes, etc. – c'est le minimum –, mais c'était à peu près tout. Nous avons passé le reste du temps à parler de la maison et des histoires de M. Hennessey. Claudia a repris l'histoire de l'homme au nez de caoutchouc de façon géniale – elle a réussi à nous faire franchement rire quelques instants. Mais en rentrant à la maison avec Charlotte, je ne riais plus du tout. Les paroles de M. Hennessey, « Soyez prudentes, les filles », résonnaient dans ma tête. C'était un avertissement.

14

Le lendemain tombait un jeudi, le jour prévu pour la démolition finale de la maison. Dans la nuit, je n'ai pas beaucoup dormi. Charlotte non plus, à en juger par sa tête au petit déjeuner.

Une fois de plus, j'ai passé la journée au collège à moitié endormie. Au fond, ce n'était peut-être pas plus mal qu'ils détruisent la maison. Sinon, je crois que mes notes en auraient sérieusement souffert. Depuis un certain temps, j'étais incapable de me concentrer sur quoi que ce soit, à part l'histoire de la maison.

Charlotte et moi nous avions eu une longue discussion et décidé qu'il fallait prendre en compte l'avertissement de M. Hennessey. Nous n'irions pas assister à la démolition finale de la maison. M. Hennessey était peut-être un peu fou – ou sénile –, mais cela nous était égal. On ne savait pas ce qui pouvait arriver quand la maison serait détruite et nous n'avions pas l'intention d'être sur place pour le découvrir. Nos cauchemars avaient été assez atroces; ce n'était pas la peine d'en rajouter.

Assises sur les marches, devant chez moi, nous essayions de parler d'autre chose, mais impossible de ne pas voir qu'il y avait beaucoup plus de circulation que d'habitude dans la rue. Des enfants en rollers et en skate-board. Des mamans poussant des landaus. Des adolescents en voiture. Ils allaient tous dans la même direction. La démolition de la vieille maison était un événement important à Stonebrook. Tout le monde voulait y assister.

Y compris Charlotte.

– Lucy, pourquoi est-ce qu'on ne peut pas y aller si tout le monde y va? Allez, s'il te plaît!

Or c'était entre autres à cause de Charlotte que je ne voulais pas y aller. Je me sentais un peu coupable de l'avoir entraînée dans cette histoire sinistre. D'un autre côté, si elle tenait vraiment à y aller, pourquoi pas? De toute façon, que pouvait-il nous arriver avec tout ce monde?

– Bon d'accord, après tout, allons-y, ai-je décidé.

Je l'ai prise par la main et nous sommes descendues rejoindre la foule.

A mesure que nous nous rapprochions de la maison, je commençais à reconnaître certaines personnes. Liz et Buddy Barrett nous ont fait un signe de la main. Tous les enfants Pike formaient à eux seuls un petit attroupement. Mary Anne aussi était là, avec Jenny Prezzioso qu'elle gardait pour la journée. Jenny s'était habillée pour l'occasion, ce qui n'avait rien d'étonnant car elle est très coquette.

235

Elle portait une robe blanche à volants avec un collant couvert de boutons de rose et des chaussures vernies ornées de gros nœuds roses. Comme elle est légèrement crâneuse, elle s'est retournée vers Charlotte.

– Tu aimes bien ma robe de princesse ?

Charlotte ne savait pas trop quoi répondre, alors j'ai dit :

– Elle est très jolie, Jenny. J'espère que tu ne vas pas l'abîmer pendant qu'ils finissent de démolir la maison.

Un jour peut-être que Mme Prezzioso finirait par habiller sa fille normalement...

Charlotte a fait signe à quelqu'un. Je me suis retournée et j'ai vu Claudia avec Myriam et Gabbie derrière elle. Elles avaient l'air surexcitées par l'agitation générale. On aurait dit une foire ou un genre de fête. Il y avait même des adultes. J'ai reconnu une femme qui travaille à la banque en train de parler au postier.

C'est alors que j'ai entendu quelqu'un m'appeler. C'était Kristy, qui arrivait en voiture avec ses frères Charlie et Sam. Ils se sont garés, et elle est venue nous rejoindre.

– C'est un grand jour, Lucy, non ? Je me demande si les histoires de M. Hennessey étaient vraies. On ne va pas tarder à le savoir.

A ce moment-là, les ouvriers sont sortis de la maison. Ils avaient dû procéder aux derniers préparatifs. L'un d'entre eux s'est installé aux commandes d'une grue pour la diriger vers la maison. Et l'on a vu l'énorme boule de démolition se balancer au bout de la grue avant de se précipiter contre la plus haute des tours. Ça y était !

La boule n'arrêtait pas d'osciller sous le regard de l'assistance, qui ne disait plus un mot. Tous avaient les yeux rivés sur la tour qui s'écroulait sous leurs yeux. Charlotte me serrait la main très fort. Puis la balustrade de la véranda a fini par céder, et elle est tombée dans les mauvaises herbes en dessous. Il a ensuite fallu peu de temps pour que le second étage disparaisse, et à partir de là, le reste a été très vite. Je commençais à être rassurée. Comme si maintenant plus rien ne pouvait arriver.

Si j'avais su ! Je me trompais complètement. Car juste à ce moment-là s'est produit quelque chose d'épouvantable. La maison – ou du moins ce qu'il en restait – est soudain partie en flammes. Le feu rugissait et grondait en dévastant tout sur son passage. J'ai jeté un regard hagard autour de moi. Que faire ? Mais les autres demeuraient là, ils avaient même l'air de vaguement s'ennuyer. Kristy s'était éloignée pour aller parler avec Sam. Charlotte regardait un des ouvriers ranger ses outils dans le camion. Personne ne semblait voir l'incendie !

J'ai à nouveau levé les yeux pour vérifier. Peut-être que j'avais encore tout inventé. Non, les flammes étaient encore plus hautes que tout à l'heure. La fumée s'échappait en volutes à mesure que l'incendie avançait à travers les ruines de la maison. Quand, tout à coup, exactement comme dans mon cauchemar, j'ai aperçu une silhouette à une fenêtre. La silhouette d'un homme âgé. Était-ce – est-ce que cela pouvait être – M. Hennessey ? Je n'en croyais pas mes yeux. Comme dans mon rêve, mes pieds étaient rivés au sol. Je voulais intervenir, mais comment ? C'est alors que j'ai senti Charlotte me tirer par la main.

– On y va, Lucy ? Ça commence à devenir ennuyeux. Il n'y a absolument rien de spécial. Finalement, je crois qu'il n'y avait aucun mystère. A mon avis, M. Hennessey est juste un vieux monsieur un peu dérangé.

J'ai secoué la tête en essayant de refaire surface. Que se passait-il donc ? Quand j'ai regardé la maison, l'incendie avait disparu. Pourtant, au fond de moi, j'avais une intuition terrible, une intuition qui concernait M. Hennessey. Comme si je sentais qu'il avait besoin d'aide et qu'il fallait que j'y aille. C'était plus fort que moi, une intuition extrêmement étrange, je vous promets, irrésistible.

J'ai entraîné Charlotte du côté de Claudia, qui était avec Myriam et Gabbie.

– Claudia, est-ce que tu peux surveiller Charlotte un moment ? Il faut immédiatement que j'aille voir M. Hennessey.

Elle a dû croire que j'étais folle, mais elle s'est contentée de hocher la tête.

– Sois sage, Charlotte, je reviens tout de suite, ai-je dit en m'agenouillant pour l'embrasser.

Et j'ai filé au Manoir de Stonebrook en courant jusqu'à ce que j'ai un point de côté, puis en marchant, et en courant à nouveau. Je ne comprenais toujours pas d'où venait ce sentiment d'urgence, mais j'étais comme possédée. J'ai eu l'impression de mettre une éternité à atteindre la maison de retraite, mais en arrivant, je me suis arrêtée pour contempler le Manoir de Stonebrook, comme la veille. J'ai repris ma respiration, j'ai remonté l'allée et poussé la porte. Le réceptionniste s'est levé dès qu'il m'a vue entrer.

– Puis-je vous aider ? a-t-il demandé comme la veille.

J'ai compris qu'il ne me reconnaissait pas.

– Je... je suis venue voir M. Ronald Hennessey.

J'étais encore essoufflée d'avoir tant couru.

Le visage du jeune homme s'est soudain assombri. Il a fait le tour de son bureau et il est venu poser sa main sur mon épaule.

– Je suis désolé. M. Hennessey est mort cette nuit.

J'étais sous le choc. M. Hennessey était mort! Ce n'était pas possible! Incapable de dire un mot, je devais avoir l'air assez bête. Quand finalement quelqu'un m'a demandé :

– Vous êtes Lucy MacDouglas ?

C'était Ruth, la femme qui avait accompagné M. Hennessey la veille.

– M. Hennessey n'a pas arrêté de parler de vous après votre départ. Il était ravi d'avoir fait votre connaissance. Il a laissé ce message pour vous, a-t-elle poursuivi en me tendant un morceau de papier plié.

J'ai pris le mot en la remerciant. Puis je suis allée m'asseoir dans le petit salon pour le lire. Mon nom était inscrit sur l'extérieur de la lettre. « Mademoiselle Lucy MacDouglas », lisait-on, dans une écriture un peu datée. J'ai déplié le papier.

Chère mademoiselle MacDouglas, j'espère que je pourrai vous parler de vive voix, mais si pour une raison ou pour une autre je ne peux pas, ce mot en tiendra lieu.

Comme s'il savait qu'il allait mourir ! J'ai continué à lire.

J'ai beaucoup apprécié notre brève rencontre. Vous et vos amies, vous avez apporté un moment de distraction et une étincelle de joie dans la vie d'un vieil homme seul. J'ai peur d'avoir à vous avouer de m'être laissé emporter par votre histoire de mystère.

Que racontait-il ?

J'espère sincèrement que toutes mes histoires ne vous ont pas trop perturbées. Et, pour mettre les choses au clair une bonne fois pour toutes, sachez qu'elles ne comportent pas une once de vérité ! Ne soyez pas trop déçues, même si aucun fantôme n'y a séjourné, cette vieille maison a accueilli toute ma famille et a abrité les secrets de plusieurs générations.

Le mot était un peu plus long mais c'était l'essentiel du message : il n'y avait pas le moindre mystère. J'étais soulagée, mais un peu triste que tout soit fini, et vraiment désolée que M. Hennessey soit mort. Il avait parfaitement compris ce que nous avions vécu, sans que nous ayons besoin d'insister. A présent, il n'y avait plus personne pour nous dévoiler tous les secrets de cette maison.

Lentement, j'ai traversé le couloir puis remonté l'allée. Un coup de Klaxon m'a fait relever la tête. C'était Kristy, qui me faisait signe de l'arrière de la voiture de Samuel.

– On t'emmène, Lucy ! Claudia nous a dit que tu étais là.

J'étais contente de les voir, et pas seulement pour ne pas rentrer à pied. J'étais encore un peu ébranlée, et cela faisait du bien de voir des visages connus et des amis à qui je pouvais me confier. Je suis montée à l'arrière. Samuel a démarré et nous sommes partis.

J'ai raconté l'histoire de M. Hennessey à Kristy. Puis je lui ai montré le mot. Elle l'a lu et a souri.

– J'en étais sûre. Bah ! Après tout, c'était marrant sur le moment.

– Mais Kristy, tu oublies tous ces trucs bizarres qui nous sont arrivés à Charlotte et à moi ? Et Claudia et Mal ? On n'est toujours pas plus avancées pour les comprendre.

– Écoute, Charlie et Sam vont t'expliquer.

Ses frères étaient au courant de notre enquête grâce à Kristy. Après la démolition finale, ils avaient été discuter avec les ouvriers qui leur avaient longuement exposé toutes les étapes de la procédure de destruction. Or cela éclaircissait beaucoup de choses. Ils pouvaient donc analyser les phénomènes étranges que nous avions vus et entendus.

– Les grincements venaient des tuyaux, Lucy, a dit Samuel en me regardant dans le rétroviseur. La plomberie était ancienne, et ils ont mis beaucoup de temps à la démonter afin de la conserver intacte pour la Société historique.

– Et tu sais, cet incendie que Charlotte et toi avez vu, a ajouté Charlie en se tournant vers moi. Eh bien, ce jour-là, il y a un ouvrier qui est resté travailler à l'intérieur de la maison. Il utilisait un chalumeau pour faire fondre les joints de la baignoire. C'est sûrement son visage que vous avez aperçu à la fenêtre le premier jour.

– Et tu te rappelles ces mouches répugnantes comme dans *Amityville*? m'a demandé Kristy en souriant. C'était un essaim d'abeilles dont la ruche avait été dérangée par les ouvriers. Vous avez de la chance de ne pas avoir été piquées!

A mesure que j'écoutais leurs explications, il devenait évident que nous nous étions toutes laissé emporter par notre imagination. D'une certaine façon, nous avions joué à nous faire peur. Cependant, il restait un mystère. Pourquoi avais-je vu la maison partir en flammes au moment de la destruction? Je suppose que là encore, je divaguais à cause de mon cauchemar. J'ai décidé de laisser tomber cette histoire d'incendie. Si j'en parlais maintenant à Kristy, elle me prendrait pour une folle!

Nous avons décidé de ne pas répéter aux autres ce que Charlie et Sam nous avaient raconté. L'aventure était finie, mais autant ne pas gâcher leur plaisir!

J'ai demandé à Samuel de me déposer devant chez les Perkins pour prendre Charlotte.

– Merci de m'avoir raccompagnée! ai-je lancé en sortant de la voiture.

Claudia était assise sous la véranda avec Gabbie, Myriam et Charlotte. Elle leur lisait un livre de contes de fées. Elles ont toutes les trois relevé la tête en me voyant. Charlotte est venue m'embrasser.

– Salut, Charlotte. Prête à y aller?

Claudia m'a regardée d'un air interrogateur, mais j'ai simplement hoché la tête pour qu'elle comprenne que je n'avais pas envie de discuter pour le moment. Nous étions amies depuis tellement longtemps que nous nous comprenions instantanément.

– Merci, Claudia.

Charlotte a commencé à me poser des questions sur ma visite au Manoir de Stonebrook, mais je lui ai répondu de façon très vague avant de changer de sujet de conversation en lui rappelant la surprise qui nous attendait.

– Charlotte, on rentre à la maison. Devine qui ne va pas tarder à arriver ?

– Mes parents ! Ils reviennent me chercher aujourd'hui ! Salut Gabbie ! Salut Myriam ! Salut Claudia !

Elle m'a prise par le bras et m'a tirée dans la rue.

Nous avons passé le reste de l'après-midi à faire ses bagages. Puis nous avons fait quelques parties de bataille en attendant que ses parents arrivent. A deux reprises, elle a mentionné la maison aux tourelles et son « mystère », mais j'ai détourné la conversation.

Au début de la quatrième partie de bataille (quand elle est partie, j'ai juré que je n'y jouerais plus jamais de ma vie !), nous avons entendu une voiture entrer dans l'allée en klaxonnant. Nous avons couru à la fenêtre. C'étaient bien les Johanssen. Charlotte a dévalé les escaliers, ouvert la porte et s'est précipitée dans leurs bras.

– Maman ! Papa ! Devinez quoi ? J'ai eu la permission d'aller aux réunions du Club des baby-sitters. Et il nous est arrivé une histoire incroyable qui nous a fait une peur incroyable ! Et j'ai été malade, mais vraiment malade, mais maintenant, je vais mieux car Lucy s'est super bien occupée de moi...

Elle débordait de joie et elle n'était pas peu fière d'avoir survécu une semaine entière sans ses parents.

Le Dr Johanssen et moi, nous nous sommes souri au-dessus de sa tête.

Charlotte n'arrêtait pas de parler de la vieille maison, des grincements mystérieux et des choses horribles que nous avions vues. J'ai aidé M. Johanssen à ranger les affaires de Charlotte sur le siège arrière plein à craquer. Tandis que nous nous efforcions de tout faire rentrer, je lui ai dit de ne pas prêter trop d'attention aux histoires de Charlotte à propos du « mystère ».

– On pensait qu'il y avait une véritable énigme, mais finalement ce n'est pas grand-chose, ai-je ajouté. Ça nous a fait assez peur, mais c'était aussi amusant, un peu comme au cinéma. Quant à Charlotte, ça lui a changé les idées.

Il m'a dit qu'il comprenait. Puis il m'a remerciée de m'être si bien occupée de sa fille. Je lui ai répondu que ça avait été un plaisir. Ce qui était vrai !

Charlotte est venue m'embrasser. Il était l'heure de se séparer. J'ai fouillé dans ma poche et je lui ai donné un petit paquet...

– C'est pour toi, Charlotte. Mais ne l'ouvre pas avant d'arriver chez toi.

C'était une paire de barrettes – de barrettes à strass. Je savais que Charlotte en raffolerait.

Je l'ai à nouveau embrassée avant de l'aider à monter à l'arrière. M. Johanssen a démarré. Je suis restée dehors à agiter la main jusqu'à ce qu'ils disparaissent.

Quand je suis rentrée dans la maison, elle m'a semblé terriblement calme et silencieuse. Je suis montée dans la chambre d'amis. Elle avait l'air propre, bien rangée et vide. Ma « petite sœur » me manquait déjà.

Ce soir-là, maman et moi nous avons dîné très tranquillement ensemble. Alors que je finissais la vaisselle, le téléphone a sonné. C'était Charlotte.

– Tu me manques, m'a-t-elle avoué. J'aimerais bien que tu sois là pour me lire *La Toile de Charlotte*.

Elle avait l'air triste, mais je savais qu'elle était également folle de joie d'être chez elle avec ses parents. Elle m'a dit qu'elle adorait les barrettes et qu'elle comptait les porter à l'école dès le lendemain. Elle m'a donné des nouvelles de son grand-père, qui allait beaucoup mieux. Nous avons parlé longtemps, mais pas une seule fois nous n'avons évoqué notre « mystère ». Enfin, il a fallu se dire au revoir.

– Il faut que j'aille me coucher, Lucy. Bonsoir, grande sœur !

J'étais triste, mais j'ai souri et je lui ai répondu :

– Bonne nuit, petite sœur. Je t'aime !

Cher lecteur,

J'ai toujours aimé les histoires qui font peur. Quand j'étais petite, je filais directement au rayon « policiers et frissons » de la bibliothèque et, l'été, je n'arrêtais pas d'en lire. J'aimais particulièrement les romans d'Agatha Christie et je rêvais de pouvoir un jour mener l'enquête.

Malheureusement, je n'ai jamais eu la chance de me trouver face à un mystère comme Lucy dans Lucy Détective.

Même aujourd'hui, j'aime lire des livres ou voir des films qui donnent la chair de poule. Parfois, je détourne les yeux quand il y a une scène qui fait trop peur, mais c'est ça qui me plaît. J'habite une très vieille maison dans la campagne et on me demande souvent si elle est hantée. Je n'ai pas encore vu de fantôme, mais j'ouvre l'œil, on ne sait jamais !

Bonne lecture,

Ann M. Martin

MALLORY
mène l'enquête

*L'auteur tient à remercier chaleureusement
Ellen Miles pour son aide*

— Mozzarella, ai-je dit en roulant le « r »
pour faire plus italien, pas matssolera !
Claire a pouffé et s'est mise à chanter, en
dansant dans la cuisine :

– Matssolera, tsolera, matsola.

Je n'ai pu m'empêcher de rire. Ça sonnait bien. Claire est
un véritable clown, comme tous les enfants de cinq ans,
même si ma petite sœur remporte la palme. Il y a des
moments où je ne la supporte pas, mais ce soir-là, j'étais de
bonne humeur et ça me faisait rire.

– Allez, Miss Mossarouli, ai-je lancé, apporte-moi ce
fromage pour que je le découpe.

Nous étions en train de préparer des petits pains-pizzas
pour le dîner, afin de faire une surprise à ma mère. Celle-ci
avait appelé pour dire que sa réunion de parents d'élèves
n'était toujours pas finie. Je savais qu'elle serait très
contente de trouver le repas prêt en rentrant.

J'avais fait cuire aussi des artichauts à la vapeur, mon légume favori. C'est amusant à manger, feuille après feuille trempée dans la vinaigrette. Ça peut paraître bizarre, mais quand on a essayé une fois, on adore. Nous n'en mangeons pas souvent à la maison, mais maman en achète de temps en temps pour nous faire plaisir.

– Claire, tu peux aussi m'apporter les petits pains ?

Claire adore se rendre utile dans la cuisine, et même si sa façon d'aider complique parfois les choses, je la laisse cuisiner avec moi quand c'est possible.

Le temps que Claire m'apporte les petits pains en dansant, j'avais fini de découper le fromage. La sauce tomate (je n'avais pas eu le temps de la faire moi-même) mijotait. C'est une recette de famille, très facile à réaliser. Il suffit de couper les petits pains en deux et de les placer sur une plaque allant au four. Puis on verse un peu de sauce tomate sur chaque moitié et on ajoute de la mozzarella en tranches (ou matssolera, si vous préférez !). Un peu d'origan sur le tout, et hop, au four. Facile et hyper bon.

Mais cuisiner pour ma famille, c'est un peu un défi. Pourquoi ? Parce qu'on est dix. Oui, dix. En plus de Claire, j'ai deux autres sœurs et quatre petits frères. Alors quand je fais des pizzas, je dois en faire quatre fournées. Et parfois, ça ne suffit pas. C'est le seul plat que toute la famille Pike adore.

Les Pike, c'est nous. Mon Dieu, je ne me suis même pas présentée. Je m'appelle Mallory Pike, j'ai onze ans et je suis en sixième au collège de Stonebrook dans le Connecticut. Voilà. Maintenant vous savez tout. Enfin, presque. Je pourrais vous en dire beaucoup plus, mais il faudra attendre un peu. Je veux d'abord finir de vous raconter notre repas de vendredi soir. Je mettais les dernières pizzas au four quand mon petit frère Nicky est entré en trombe dans la cuisine. Il était dégoûtant. Son tee-shirt était plein de boue et son jean déchiré.

– Qu'est-ce qui t'est arrivé ? ai-je demandé sur le même ton que ma mère.

Je m'occupe de mes frères et sœurs depuis si longtemps que j'ai parfois l'impression d'être un peu leur maman.

Nicky a haussé les épaules avant de répondre :

– Rien. J'ai juste joué aux boules de boue.

– Aux boules de boue ? C'est nouveau. Qui a eu cette idée ?

– C'est moi, a répondu Jordan tout en approchant derrière moi. Enfin, au départ, c'est moi. Adam et Byron ont ajouté beaucoup de détails.

Il était fier de lui. Il était répugnant. Plus boueux encore que Nicky. Au fait, Jordan, Adam et Byron ont tous dix ans. Ce sont des triplés !

– Qu'est-ce qui sent si bon ? a poursuivi Jordan, en faisant comme s'il ne remarquait pas mon air fâché.

– Des petits pains-pizzas, ai-je répondu.

– Ouais ! s'est-il exclamé.

– Mais ils sont réservés aux êtres humains, pas aux cochons, ai-je poursuivi.

– D'accord. Je vais me laver. Viens, Nicky.

Jordan a pris son frère par le bras mais je les ai arrêtés.

– Attendez ! Vous feriez mieux de vous déshabiller avant de monter. Maman sera fâchée si vous mettez de la boue dans toute la maison.

Ma mère n'est pas une maniaque du ménage (c'est difficile quand on a huit enfants), mais je savais qu'elle serait fatiguée en rentrant et qu'elle n'aimerait pas voir sa maison transformée en piste de cross.

Jordan et Nicky sont allés se déshabiller dans la buanderie et j'ai demandé à Adam et Byron d'en faire autant. Quelques minutes plus tard, j'ai entendu quelqu'un chanter : « Je vois Londres, je vois la France, je vois Nicky et Byron et Adam et Jordan en caleçons ! », suivi d'une tempête de rires.

– Margot ! ai-je crié. Laisse tes frères tranquilles.

Je suis entrée dans la salle de séjour, juste au moment où les garçons montaient les escaliers en sous-vêtements. Adam pestait après Margot.

– Ouais, laisse-nous tranquilles. Et en plus, on ne porte pas de caleçon. Nous portons des sous-vêtements.

– Sous-vêtements, vieux-vêtements, a continué Margot. De toute façon, vous avez l'air idiot.

– Margot, me suis-je écriée d'un ton sévère. Ça suffit. Viens m'aider à mettre la table.

Margot a sept ans, et les enfants de sept ans sont assez fascinés par les sous-vêtements. Mais elle est vite passée à autre chose et, comme Claire, elle aime « aider » les autres.

Avant de repartir vers la cuisine, j'avais aperçu Vanessa qui descendait les escaliers. Elle avait croisé ses frères, mais elle n'avait pas l'air d'avoir remarqué leur tenue. En fait, je crois qu'elle ne les avait même pas vus. Vanessa veut devenir poète, et elle vit dans son petit monde. Elle est rêveuse, distraite, et souvent totalement inattentive à ce qui peut se passer autour d'elle. Au début, on a cru que c'était passager, mais cela fait longtemps qu'elle est comme ça, depuis qu'elle

a sept ans, l'âge de Margot. Et comme elle en a neuf maintenant, je pense que c'est son état normal.

– Vanessa ! ai-je lancé en claquant des doigts. Réveille-toi !
Elle m'a regardée en clignant des yeux.

– Et si tu aidais Margot à mettre la table ? lui ai-je suggéré.

– Assiettes, serviettes, couteaux et fourchettes, a-t-elle
répliqué de sa voix de « poète », c'est l'heure de la dînette.

Wouah ! Vanessa passe des journées entières à parler en
vers, mais ils sont rarement aussi sensés que ce petit couplet
qu'elle venait de composer. Elle nous a suivies dans la
cuisine et s'est mise à chercher les serviettes. A mon avis, le
mieux avec Vanessa, c'est de la laisser être Vanessa.

Pendant que Vanessa et Margot mettaient la table, Claire
et moi avons terminé les préparatifs dans la cuisine. Et le
temps que les garçons soient redescendus, mes parents
étaient rentrés. C'était l'heure de manger.

– Mallory, s'est exclamée ma mère en voyant les pizzas, les
artichauts et la salade que j'avais rajoutée, tu es un chou. Ça
a l'air délicieux.

– Un chou à la crème ou au chocolat ? a demandé Nicky
en gloussant.

– Un chou à la crème ! a lancé Jordan.

– Un pou à la crème ! a crié Claire.

– Bon, bon, ça suffit, est intervenu papa. Votre sœur a eu
la gentillesse de préparer le repas, et si vous la remerciiez au
lieu de vous moquer d'elle ?

Mes sept frères et sœurs se sont tournés vers moi.

– Merci, Mallory, ont-ils entonné à l'unisson.

– Maintenant, on mange, a décrété Byron en courant s'installer à table.

Les autres l'ont suivi en se bousculant.

Parfois, mes frères et sœurs manquent totalement de maturité. Ce ne sont que des gamins, je sais, et je ne devrais pas en attendre trop. Mais moi, cela me fatigue plutôt d'être une gamine. Je suis prête à évoluer. Et ce n'est pas facile avec toute cette tribu. Sans parler de mes parents qui ne veulent pas me voir grandir. Oh, ça oui, ils adorent me confier des responsabilités comme m'occuper des petits et faire la cuisine. Mais ça s'arrête là.

Le problème, c'est que j'ai des cheveux roux bouclés (toute ma famille a les cheveux bruns), des lunettes et un appareil dentaire. Quelle tête ! Si seulement je pouvais avoir une coupe de cheveux plus cool, des lentilles de contact et enlever mon appareil, j'aurais l'air à peu près normale. Mon père prétend que je serai « sensationnelle » un jour. Mais selon mes parents, je dois attendre un peu pour certaines choses, comme porter des minijupes, me maquiller, ou faire du baby-sitting tard le soir.

J'avoue que parfois je suis contente d'être encore une enfant. J'aime bien que ma mère s'occupe de moi quand je suis malade. J'aime bien qu'on me fasse la lecture. Et parfois même, je joue à me raconter des histoires. Ma meilleure amie, Jessica Ramsey, et moi imaginons parfois que nous sommes des chevaux. (C'est notre grand secret.)

J'ai d'autres amies, qui sont un peu plus âgées (elles sont en quatrième), et elles m'ont dit que tout le monde est comme ça à onze ans. Coincé entre l'enfance et l'adolescence. En tout cas, ce n'est pas facile pour moi. J'ai envie de devenir grande, mais parfois, je me sens comme Peter Pan, comme si je ne voulais jamais grandir.

Ce soir-là, je ne me sentais pas du tout peterpanesque ! J'en avais plus qu'assez des simagrées de mes frères et sœurs. J'avais hâte que le repas soit fini pour monter lire le livre que j'avais emprunté à la bibliothèque. Je n'avais pensé qu'à ça pendant que je cuisinais.

Mais juste après les pizzas mon père a ruiné tous mes projets en annonçant une réunion de famille. Il avait un air sérieux. J'ai regardé ma mère. Elle aussi avait un air sérieux. Je déteste quand mes parents prennent cet air-là. Ça me rend nerveuse. Parce que, en général, c'est pour annoncer des nouvelles horribles. Comme la fois où mon père a perdu son travail. Mais je n'ai pas eu le temps de me poser beaucoup de questions à propos de cette réunion, car les garçons ont débarrassé la table à toute vitesse. Ils devaient avoir hâte d'apprendre la mauvaise nouvelle, tout comme moi.

Nous nous sommes retrouvés dans le salon. Il y avait de la tension dans l'air, et tout le monde gardait le silence. Puis papa s'est éclairci la voix.

– Vous vous souvenez tous des histoires que je vous ai racontées à propos de mon oncle Joe ?

– Oncle Joe, a répété Nicky. C'est lui qui t'avait donné un petit chien ?

– C'est ça, a approuvé papa. Il m'avait offert Sparky pour mon huitième anniversaire.

– Et il t'emmenait à la pêche ? a demandé Jordan.

– Oui. Oncle Joe était formidable. Chaque fois qu'il me voyait, il faisait…

– Il tirait une pièce de ton oreille ! a crié Margot. Je me souviens.

– Il ne tirait pas vraiment une pièce de mon oreille, a

corrigé papa. C'était un tour de magie. Mais j'ai longtemps cru que j'avais des pièces dans les oreilles et que seul l'oncle Joe savait les faire sortir.

Papa s'est tu un moment et s'est mis à sourire à l'évocation de ces souvenirs.

– Toujours est-il que..., a poursuivi maman en le regardant.

– Ah, oui, a repris papa. Voilà, oncle Joe est assez âgé maintenant. Il vit dans une maison de retraite depuis quelques années. Et il vient d'être transféré dans un établissement de Stonebrook.

– On va aller le voir ? a demandé Claire pleine d'espoir. Il trouvera peut-être des pièces dans mes oreilles !

– Eh bien, a répondu papa. C'est encore mieux que ça. Il va venir nous voir. Je lui ai écrit il y a quelques mois pour lui proposer d'échapper quelque temps à la routine de la maison de retraite, à son arrivée à Stonebrook. Il a accepté. Il va donc passer un mois avec nous.

– Super ! s'est écrié Nicky.

– Il va dormir où ? a demandé Margot. On peut lui laisser notre chambre, Claire et moi. On dormira avec Mallory et Vanessa.

Elle était toute contente, mais pas moi. Partager ma chambre avec une de mes sœurs me suffisait bien. Je n'étais pas folle de joie à l'idée d'en avoir deux de plus avec moi. J'étais très contente de voir oncle Joe, mais j'espérais que maman trouverait une autre solution.

– Je crois qu'on l'installera dans la petite pièce du bas, a expliqué maman. (J'ai soupiré de soulagement.) Il y sera à l'aise, et personne n'aura à bouger.

– Ouais ! s'est écrié Adam. Génial ! Il va nous montrer des tours de magie et nous raconter des histoires comme quand papa était petit...

Papa a levé la main.

– Écoutez, les enfants ! Il va falloir ménager oncle Joe. Il a peut-être changé depuis que je l'ai vu. Les gens de la maison de retraite m'ont dit qu'il était parfois un peu déprimé et perdu. A son âge, c'est normal. Il faudra lui laisser le temps de s'adapter.

Adam a hoché la tête. Ces propos l'avaient calmé.

J'avais bien entendu, mais je pensais à autre chose. J'étais inquiète ; avec l'oncle Joe à la maison, est-ce que mes parents auraient encore besoin de moi pour le baby-sitting ? J'adore ça. Je fais même partie d'un club de baby-sitters dont je vous parlerai plus tard. Mais ce que je préfère, c'est garder mes frères et sœurs. Et si l'oncle Joe restait définitivement ? Quand la tante Cecilia s'est installée chez Jessica, celle-ci n'a plus gardé son frère et sa sœur aussi souvent qu'avant. Pour en avoir le cœur net, j'ai décidé d'interroger papa.

– Papa ? Quand oncle Joe sera ici, je pourrai encore faire du baby-sitting pour vous ?

Mes parents m'ont souri.

– Bien sûr, ma chérie, a-t-il répondu. Nous aurons toujours besoin de toi.

Quel soulagement ! Dès que j'ai pu, je suis allée droit vers le téléphone. Mon livre pouvait attendre. Je devais raconter les dernières nouvelles de la famille Pike à ma meilleure amie.

2

– Alors quand est-ce qu'il arrive? a demandé Jessica en montant les escaliers.

Nous étions lundi après-midi, et nous nous rendions à la réunion de ce club dont je vous ai parlé, le Club des baby-sitters.

– Mon père nous a dit dimanche, ai-je répondu. Nous avons beaucoup de choses à préparer avant son arrivée. Mais je suis contente. Peut-être que tu pourras bientôt le voir.

– Génial! s'est écriée Jessica. J'aimerais bien. Quelqu'un qui sait trouver des pièces dans les oreilles des gens, ça devrait me plaire!

Nous nous sommes assises à nos places habituelles en attendant que la réunion commence. Tout le monde était déjà là. C'est-à-dire Kristy Parker, Claudia Koshi, Lucy MacDouglas, Mary Anne Cook et Carla Schafer, les autres membres du club. Ainsi que Jessica et moi bien sûr. Kristy, Claudia, Lucy, Mary Anne et Carla sont les amies dont je

vous ai parlé. Elles ont treize ans et sont en quatrième.
Jessica a onze ans comme moi.

Carla, Mary Anne et Claudia étaient allongées sur le lit.
Lucy était à califourchon sur la chaise du bureau. Jessica et
moi étions assises par terre. Et Kristy était à la place d'honneur, dans son grand fauteuil de présidente. Elle avait
glissé un crayon derrière une de ses oreilles et regardait
l'heure. A cinq heures trente précises, elle s'est redressée
en demandant :

– Alors, quel est l'ordre du jour !

Kristy est la présidente du club. Pourquoi ? Surtout parce
que l'idée du club vient d'elle. Elle y a pensé quand elle
était en cinquième. Ses amies et elles faisaient beaucoup de
baby-sitting, et elle s'est dit que ce serait encore mieux si
elles s'organisaient. En se réunissant plusieurs fois par
semaine au même endroit, les parents sauraient où et quand
prendre rendez-vous. Au départ, le club ne comptait que
quatre personnes ; maintenant, nous sommes sept, et même
neuf en comptant nos membres intérimaires qui n'assistent
pas aux réunions. Le club a parfaitement marché dès le
début. Les parents l'apprécient et nous, nous avons régulièrement du travail. A mon avis, Kristy est une meneuse-née.
Elle a plein d'idées, et elle sait les mettre en pratique. Elle
fait tourner le club comme une entreprise, une entreprise
très efficace et qui marche bien. C'est elle qui a décidé
quand nous devions nous réunir (le lundi, le mercredi et le
vendredi de cinq heures trente à six heures), comment nous
faire connaître (à l'aide de prospectus très bien conçus que
nous distribuons quand nous avons besoin de plus de
travail) et comment garder une trace de notre travail (on

doit raconter chaque baby-sitting dans le journal de bord du club). Et plein de choses encore !

C'est un peu surprenant que Kristy soit si organisée parce que sa vie familiale est plutôt mouvementée. Elle a deux grands frères, Samuel et Charlie, un petit frère, David Michael, une petite sœur de deux ans et demi, Emily Michelle (elle est vietnamienne : la famille de Kristy l'a adoptée récemment), plus un demi-frère et une demi-sœur (il s'agit de Karen et Andrew, ils viennent de temps en temps pour les week-ends et les vacances). Mamie, la grand-mère de Kristy, habite aussi avec eux. Sans compter naturellement la mère de Kristy et son beau-père, Jim.

Son père est malheureusement parti sans laisser d'adresse quand elle était petite, mais maintenant elle a Jim comme beau-père et c'est une chance. Il est milliardaire. En vrai ! Toute sa famille habite maintenant dans une superbe villa de l'autre côté de la ville. Au début, quand sa mère a épousé Jim, Kristy ne voulait pas quitter son quartier (elle habitait tout à côté de ses amies). Mais je pense que maintenant elle aime sa nouvelle vie. Elle n'est pas snob. C'est la fille la plus simple que je connaisse. C'est juste qu'elle a appris à aimer sa nouvelle famille et que la villa est devenue sa vraie maison.

La vice-présidente de notre club est Claudia Koshi. Comme son nom l'indique, Claudia est américano-japonaise. Sa famille est moins compliquée que celle de Kristy : il y a Claudia, son génie de sœur (une surdouée, c'est vrai !), Jane, et ses parents.

Nous nous réunissons dans sa chambre parce qu'elle a une ligne de téléphone privée. Du coup, nous utilisons son téléphone plutôt que de bloquer celui de nos parents. Nous mettons son lit en désordre, nous essayons ses bijoux et mangeons ses réserves de friandises, mais ça n'a pas l'air de l'embêter.

Claudia a toujours des trucs sucrés et salés à grignoter parce qu'elle adore ça, et elle a beaucoup de bijoux parce qu'elle les fabrique elle-même ! C'est une grande artiste au style inimitable. Elle sait exactement comment mettre en valeur le look d'enfer qu'elle a naturellement (de longs cheveux noirs et soyeux, des yeux en amande et un teint parfait) avec des vêtements et des accessoires hyper cool. Si elle mettait autant d'énergie à faire ses devoirs qu'à dessiner et à peindre, et à soigner ses tenues, elle aurait toujours vingt sur vingt. Mais l'école ne la passionne absolument pas. L'art passe avant tout. La meilleure amie de Claudia est Lucy MacDouglas, la trésorière du club. Lucy est un génie en maths, ce qui fait d'elle la personne idéale pour encaisser les cotisations et tenir la comptabilité du club. Elles sont amies parce que Lucy est sans doute la seule fille de Stonebrook qui puisse faire concurrence à Claudia en matière de look. Elle a grandi à New York (sa famille a déménagé quand elle était en cinquième) et elle a vraiment un style. Elle se maquille et se met du vernis à ongles. Elle est toujours impeccable. On dirait qu'elle a des informations secrètes pour se tenir au courant de ce qui se fait, de ce qui est dans le vent, de ce qui est classe. Mais elle n'ira pas vous mépriser parce que vous portez encore des vêtements de l'année précédente. Lucy est vraiment formidable.

Elle est aussi très courageuse. Elle a vécu des moments difficiles récemment. Ses parents ont divorcé et son père est resté à New York. Lucy vit ici, à Stonebrook, mais elle lui rend visite aussi souvent que possible. Son autre problème, c'est qu'elle est diabétique. Cela veut dire que son corps ne supporte pas bien le sucre parce que son pancréas ne fonctionne pas correctement. Elle doit faire très attention à ce qu'elle mange. Et en plus, elle doit se faire des piqûres tous les jours. Elle s'injecte de l'insuline : c'est la substance que son pancréas devrait fabriquer. Je ne sais pas comment je pourrais vivre avec une maladie comme le diabète. Lucy ne se plaint jamais. Elle est incroyable !

La secrétaire du Club des baby-sitters est Mary Anne Cook. A mon avis, c'est elle qui a le travail le plus difficile du club. Elle s'occupe de notre agenda dans lequel elle note tous nos rendez-vous : elle sait quel jour je vais chez l'orthodontiste, quand Lucy va chez son père à New York, et à quelle heure le cours d'art de Claudia se termine. Quel casse-tête ! Ainsi, quand quelqu'un appelle pour un baby-sitting, Mary Anne voit tout de suite qui est libre. Elle note aussi dans l'agenda les adresses des clients, les allergies des enfants et toutes sortes d'informations que nous aimons bien connaître.

Mary Anne est assez timide. Mais quand on la connaît, c'est une véritable amie. Elle est sensible. Elle sait écouter et s'amuser. Si elle est timide, c'est peut-être parce qu'elle n'a pas l'habitude d'être très entourée. Elle a été élevée par son père. Sa mère est morte quand elle était bébé. Il n'y a pas si longtemps, son père lui interdisait de porter certaines choses ou de se maquiller, mais il est moins sévère maintenant. On ne peut pas dire que Mary Anne s'habille au top de la mode, mais elle a quelques tenues très sympas. En plus, elle a un petit ami ! Il s'appelle Logan Rinaldi, et c'est un des membres intérimaires dont je vous ai parlé. (L'autre est une fille, Louisa Kilbourne, qui habite dans le nouveau quartier de Kristy.) Mary Anne est la seule d'entre nous qui sorte avec un garçon, et même si leur histoire ne va pas sans heurts, je trouve qu'ils vont bien ensemble.

Je vous ai dit que Mary Anne était une amie formidable, vous vous souvenez ? Bon, c'est peut-être pour ça qu'elle a deux meilleures amies. La première, c'est Kristy, et la deuxième, Carla Schafer, notre suppléante. En plus, Mary Anne et Carla sont davantage que des amies... elles sont demi-sœurs !

Voilà comment c'est arrivé : Carla a grandi en Californie, mais sa mère est de Stonebrook. Alors, quand les parents de Carla ont divorcé, Mme Schafer a décidé de revenir dans sa ville natale. Grâce à Mary Anne et à Carla, elle a retrouvé un ancien petit ami de lycée. Ils sont à nouveau sortis ensemble et ils ont fini par se marier. Qui était son ex-petit ami ? Le père de Mary Anne ! C'est une belle histoire, vous ne trouvez pas ? Et tellement romantique !

Même si Carla vit maintenant à Stonebrook, on la considère toujours comme une fille de Californie. Elle a de longs cheveux blonds et de grands yeux bleus. (Personne ne pourrait les prendre, elle et Mary Anne, avec ses cheveux bruns et ses yeux marron, pour de vraies sœurs.) Elle s'habille comme si elle était à la plage : des vêtements décontractés aux couleurs vives. Elle est très mûre, très sûre d'elle, très individualiste. Elle a beaucoup de personnalité (elle n'a pas un, mais deux trous dans chaque oreille !), et, à sa façon, elle est aussi cool que Lucy et Claudia.

Carla a un jeune frère, David, mais il ne vit plus à Stone-brook. Son père lui manquait et il est retourné vivre avec lui. Carla est triste que sa famille soit séparée, mais la maison Cook-Schafer est très animée et je ne crois pas qu'elle ait beaucoup le temps de penser au problème.

Dans le club, son rôle de membre suppléant est de remplacer n'importe laquelle d'entre nous quand il le faut. Si Mary Anne ne peut pas venir à une réunion, Carla devient secrétaire. Et si Lucy n'est pas là, Carla encaisse les cotisations. (Il est rare que Kristy rate une réunion. Elle aime trop son rôle de présidente.)

Je parie que vous vous demandez ce que je fais, moi. Eh bien, Jessica et moi sommes des « juniors ». Cela veut dire que nous faisons du baby-sitting surtout dans la journée. Nos parents ne nous laissent pas faire du baby-sitting le soir, à moins que ce ne soit pour garder nos frères et sœurs. Vous savez quoi ? Ça m'est égal pour l'instant. J'ai assez de travail comme ça, et les autres sont contentes de travailler le soir.

Jessica n'y attache pas d'importance non plus. De toute façon, elle n'aime pas se coucher tard parce qu'elle doit beaucoup dormir. Elle est passionnée de danse classique et s'entraîne énormément. Il faut être en pleine forme pour danser. Alors, non seulement il faut bien dormir, mais il faut aussi bien manger et entretenir son corps.

Je ne crois pas que je serais capable de tant de persévé-rance, mais Jessica y arrive. Elle travaille très, très dur et très sérieusement, et je suis sûre qu'elle deviendra célèbre un jour. Peut-être que quand cela arrivera, j'écrirai un livre sur elle. C'est ce que je veux faire quand je serai grande : écrire et illustrer des livres pour enfants. La famille de

Jessica l'encourage et la soutient beaucoup. Les Ramsey sont super. C'est une famille très unie. A part Jessica, il y a ses parents, sa petite sœur Rebecca et P'tit Bout (c'est un surnom), son petit frère. Et, comme je vous l'ai dit, la tante de Jessica, Cecilia, est venue s'installer chez eux. Au début, on a cru que c'était un vrai monstre, mais en fait, elle n'est pas si terrible que ça.

Nous n'aurions pas dû juger tante Cecilia comme nous l'avons fait. Ce n'était pas juste. C'est comme quand les gens se permettaient de critiquer les Ramsey à leur arrivée à Stonebrook. Parce qu'ils sont noirs, les gens imaginaient toutes sortes de choses affreuses à leur sujet. Il n'y a pas beaucoup de familles noires à Stonebrook, et quand celle de Jessica est arrivée, les gens n'ont pas été très gentils avec eux. Mais maintenant les Ramsey sont plutôt bien acceptés. Les préjugés, quelle horreur ! Si seulement les gens savaient à quel point cela peut faire du mal !

Enfin, bon, je m'éloigne un peu du sujet. Je voulais juste vous expliquer qui fait partie du club et comment il fonctionne. Ce jour-là, c'était une réunion de routine. Nous avons eu un coup de fil vers la fin. C'était un certain M. Craine. Les Craine ne faisaient pas partie de nos clients habituels, mais Kristy les connaissait. Sa mère joue au tennis avec Mme Craine.

M. Craine appelait pour avoir une baby-sitter pour ses trois filles. Il a expliqué à Kristy (qui avait décroché) que la tante préférée de ses filles, qui s'occupait d'elles d'habitude, s'était cassé la jambe. Ils avaient donc besoin de quelqu'un pour garder leurs filles jusqu'à ce que leur tante aille mieux. M. Craine a ajouté qu'il espérait que les filles auraient la même baby-sitter tout le temps « parce qu'elles ont besoin de continuité », et que les baby-sittings auraient lieu surtout l'après-midi et le week-end.

Je vous raconte tout ça parce que c'est moi qui ai été choisie. En rentrant, j'étais toute contente : j'avais plein de boulot en perspective et de nouveaux clients, c'est toujours excitant. J'étais impatiente d'être samedi pour commencer chez les Craine.

Tip. Tap. Tip. Oh, non! Il pleuvait. Je m'amusais si bien. Mes amies et moi pique-niquions dans une magnifique prairie.

Je mangeais du poulet en regardant Jessica faire voler son cerf-volant. Tip. Tap. Tip. Je sentais la pluie couler sur mon front.

J'ai plissé le nez, puis je me suis protégé le visage d'un bras.

– Arrêtez une seconde ! ai-je entendu murmurer. Elle se réveille.

Mon cerveau sortait de la brume, et le pique-nique s'estompait. J'ai ouvert un œil. Je n'étais pas dans une prairie avec mes amies. Le pique-nique n'était qu'un rêve. J'étais dans mon lit, entourée de quatre garçons. L'un d'eux a furtivement caché ce qu'il tenait dans la main, mais j'avais eu le temps de voir ce que c'était.

– Qu'est-ce que tu as là, Jordan ? ai-je demandé.

– Humm… Un compte-gouttes rempli d'eau.

Très intéressant.

Byron, Adam et Nicky se sont mis à rire. Jordan avait l'air nerveux.

– On… on voulait juste te réveiller, a-t-il expliqué. L'oncle Joe arrive demain. On a plein de choses à faire.

– Et tu penses que la torture de l'eau est la meilleure méthode pour me réveiller ?

Jordan a hoché la tête.

– Ça a plutôt bien marché.

– Ah, oui ? ai-je répliqué en essayant de prendre un ton menaçant, fronçant les sourcils et rejetant mes couvertures. Eh bien, je vais te montrer ce qui arrive quand on réveille sa grande sœur comme ça.

Je l'ai poussé sur le lit et je me suis mise à le chatouiller.

– Arrête ! a crié Jordan qui se tordait de rire.

– D'abord, tu dois me promettre de ne jamais recommencer !

– D'accord, d'accord ! a-t-il haleté. Je le promets !

– Moi, non ! a crié Byron en sautant sur le lit.

Adam et Nicky étaient juste derrière lui. Mon lit n'était plus qu'un amas de garçons qui gigotaient, riaient et criaient. Tout le monde se faisait des chatouilles en hurlant. Ce n'est peut-être pas la manière dont la plupart des familles normales commencent leur samedi, mais dans la famille Pike, c'est assez courant.

Vanessa n'a même pas cillé en nous voyant.

– Allez, à table, a-t-elle ordonné. Ça fait des heures que j'aide papa à faire des gaufres. Venez prendre le petit déjeuner.

– Des gaufres ! a hurlé Byron.

– Ouais ! a crié Adam.

– Miam ! a ajouté Nicky en se léchant les babines. Je veux de la confiture de fraises sur la mienne.

– Et moi, je vais manger quoi ? a demandé Jordan.

Jordan n'aime pas les gaufres, si étonnant que cela puisse paraître.

– Et si je te préparais un sandwich au beurre de cacahuètes, à la banane, et au salami ? lui ai-je proposé. Pour te prouver que je ne t'en veux plus.

– Super ! s'est écrié Jordan.

Il adore ce mélange répugnant qu'il a inventé. Il en est très fier. Il a même envoyé sa recette (« Prenez deux tranches de pain et faites-les griller légèrement… », ça commence comme ça) à un concours du « sandwich le plus étonnant ». Il n'a jamais su ce que les juges en pensaient. Ils étaient sûrement trop occupés à soigner leurs maux d'estomac.

– Mmm, ça sent bon, papa, ai-je dit en entrant dans la cuisine. Je viens préparer le sandwich de Jordan.

– Nous avons une matinée chargée, alors j'ai pensé qu'on aurait besoin d'un bon petit déjeuner. Prends une assiette et assieds-toi. Il y a une fournée de prête.

J'ai donné son sandwich à Jordan. Puis j'ai pris mon assiette de gaufres et je me suis assise à côté de Margot dans la salle à manger. Elle mangeait des céréales avec des myrtilles.

– Tu ne veux pas de gaufres ? ai-je demandé.

Elle est parfois un peu difficile pour la nourriture. Elle aime quelque chose un jour qui lui semblera mauvais le lendemain.

– Non. (Elle jouait avec ses céréales en utilisant la cuillère pour repousser les myrtilles tout autour du bol.) J'aime bien quand le lait devient violet à cause des myrtilles. C'est beau, hein? a-t-elle ajouté, l'air rêveur. Mlle Spier dit que le violet est sa couleur préférée.

Mlle Spier est l'institutrice de Margot, et elle l'adore. C'est assez agaçant d'entendre parler d'elle sans arrêt.

– Magnifique, ai-je répondu.

Quand mon père a eu terminé de préparer le petit déjeuner et qu'il a enfin pu s'asseoir pour manger, nous avions presque fini. Adam a mangé son dernier morceau de gaufre et s'est levé.

– Attends un peu! a protesté papa. Il faut nous organiser pour la journée. Oncle Joe arrive vers dix heures demain. Ce serait gentil de préparer sa chambre d'ici là. Il va falloir...

– Tu crois qu'il nous montrera le tour où il transforme un mouchoir en souris? l'a interrompu Claire.

– Peut-être, a répondu papa. Si tu lui demandes gentiment. J'avais oublié que je vous avais parlé de ça. Il était très fort. Il donnait vraiment l'impression que cette petite souris courait le long de son bras. (Papa avait l'air heureux comme s'il se rappelait quelque chose de merveilleux.) Et il adorait les animaux, a-t-il ajouté. Il m'a aidé à apprendre à Sparky des trucs incroyables. Je vous ai raconté quand...

– Quand Sparky faisait le mort jusqu'à ce que quelqu'un prononce le mot magique? a demandé Adam. Je m'en souviens. J'aimerais bien avoir un chien pour qu'oncle Joe lui apprenne des tours.

– Peut-être qu'il pourrait apprendre des tours à Frodo, a suggéré Claire.

Nous avons éclaté de rire. Ma petite sœur était vexée comme un pou.

– Je suis désolée, Claire, lui ai-je expliqué, mais les hamsters ne sont pas comme les chiens. Ils ne sont pas très doués pour apprendre des tours. Ils ne savent que manger et dormir et tourner dans leur roue.

– Quelquefois Frodo se tient sur ses pattes de derrière, est intervenu Jordan. Je me demande s'il n'essaye pas de faire un tour.

– Je crois qu'il essaye juste de sortir de sa cage, a expliqué Adam. Sinon, il tourne en rond et se cache dans ses copeaux.

– Bien, a repris papa, revenons à nos moutons. Je suis sûr qu'oncle Joe sera content de faire la connaissance de Frodo, mais pour l'instant, nous devons réfléchir à un moyen de transformer la petite pièce en une chambre aussi confortable que possible. Le divan se déplie en lit : ça, ça va. Et je vais mettre des patères pour qu'il puisse suspendre ses vêtements. Quelqu'un a une autre idée ?

– Je pense que nous devrions enlever ton bureau pour mettre une table de nuit à la place, a proposé maman. Oncle Joe aura plus de place, et tu ne le dérangeras pas si tu veux travailler.

– Bonne idée, a dit papa. Que pourrait-on prendre en guise de table de nuit ?

– Mon coffre à jouets ? a suggéré Nicky. Je ne m'en sers jamais.

Ça, c'était vrai. La chambre des garçons ressemblait à un magasin de jouets qui aurait essuyé une tornade ; il y avait des G.I. Joe, des Tortues Ninja et des engins en plastique un peu partout.

– Mon étagère serait bien mieux, a affirmé Jordan. Il y a plus de place pour mettre des choses.

– Non ! a répliqué Nicky. Je veux qu'il utilise mon coffre à jouets !

Jordan reprenait son souffle, mais maman est intervenue :

– Essayons de ne pas nous disputer. Nous sommes tous contents que l'oncle Joe vienne chez nous, mais cela va représenter aussi un grand changement. Les choses vont être différentes ici, et il va falloir s'adapter. Pourquoi ne pas nous y mettre tous ensemble, d'accord ?

– D'accord, a repris Nicky. Mais je veux quand même qu'oncle Joe prenne mon coffre à jouets.

– Ce sera parfait, a conclu maman en jetant un regard à Jordan en guise d'avertissement. Dites, les garçons, et si vous faisiez des dessins pour égayer un peu la chambre ?

– D'accord, ont répondu en chœur les triplés.

– Je vais dessiner Superman, a déclaré Byron.

– Moi, des animaux, a annoncé Adam.

– Et moi, je vais dessiner oncle Joe, a lancé Jordan. Il est comment ?

– Bonne question, a répondu papa. Je ne l'ai pas vu depuis des années. Quand j'étais petit, je me disais qu'oncle Joe aurait pu être un cow-boy. Il avait un visage buriné et des yeux bleus…

– Hum, l'a coupé maman. Et si nous nous y mettions ?

– D'accord, a confirmé papa. Nicky, allons chercher ton coffre à jouets. Et puis nous aurons besoin d'un coup de main… (il s'est tourné vers moi) pour déplacer ce bureau.

– Je vais enlever la poussière, a proposé Vanessa.

Elle aime bien faire ça. Elle prend le grand plumeau et

danse rêveusement en époussetant de-ci, de-là. Parfois, elle oublie de finir une pièce avant d'en commencer une autre, mais elle fait de son mieux.

– Je veux faire une surprise à oncle Joe, est intervenue Margot.

– C'est gentil, a dit maman. Quelle surprise ?

– C'est un secret, a fait ma sœur en essayant de prendre un air mystérieux.

– Un secret ? a répété Claire qui adore les secrets. Je peux t'aider ?

Margot n'était pas d'accord, mais maman n'a eu qu'à la regarder.

– Cela nous serait très utile si tu laissais Claire t'aider, a-t-elle affirmé.

– Bon, d'accord, a consenti Margot. Mais tu dois me promettre de ne rien dire avant que ça soit fini, a-t-elle poursuivi en s'adressant à Claire.

– Je le promets !

Claire et Margot se sont dirigées vers leur chambre.

Les triplés étaient déjà dans la salle de jeux où se trouve leur matériel pour dessiner. La décoration de la chambre d'oncle Joe allait les occuper pendant des heures. Tout le monde s'activait.

J'ai aidé maman à ranger la chambre, à déplier le divan et à faire le lit. J'ai aidé papa à déplacer le bureau pour le mettre dans un coin de la salle à manger. J'ai envoyé Vanessa chercher des serviettes propres pour l'oncle Joe. De temps en temps, j'allais jeter un œil sur les triplés et sur Margot et Claire. Toute la journée, je me suis demandé ce que cela ferait d'avoir une personne plus âgée chez nous. Je n'ai jamais beaucoup fréquenté de vieilles personnes, car mes grands-parents vivent assez loin. Je ne sais pas vraiment comment me comporter avec elles. J'avais vu des feuilletons à la télé où un grand-père très gentil explique les choses de la vie aux enfants, mais je ne trouvais pas ces feuilletons très réalistes. J'avais le sentiment qu'il faudrait s'habituer à vivre avec l'oncle Joe.

La chambre était maintenant propre et confortable. Le lit avait des draps tout frais. Nous avions placé une petite lampe sur le coffre à jouets de Nicky, et papa avait fixé une rangée de patères sur le mur. Les triplés avaient accroché leurs chefs-d'œuvre, des dessins très colorés et très gais.

Margot et Claire travaillaient encore alors que je m'apprêtais à me rendre pour la première fois chez les Craine.

Je les entendais rire et, à un moment, Claire, toute barbouillée de peinture, est venue me demander de lui montrer comment dessiner une tulipe. Je n'avais aucune idée de ce qu'elles étaient en train de préparer, c'était le secret de Margot. Tout était prêt pour l'arrivée d'oncle Joe. J'étais sûre qu'il se sentirait le bienvenu chez nous.

4

– *Merci pour ton aide, Mallory, m'a dit papa. Oncle Joe sera content d'avoir une chambre aussi confortable.*

– *J'espère aussi, ai-je répondu.*

Je regardais les essuie-glaces balayer le pare-brise. Papa avait décidé de me conduire chez les Craine parce qu'il s'était mis à faire mauvais. Maintenant, il pleuvait à grosses gouttes.

– Heureusement que je n'ai pas pris mon vélo ! Je serais complètement trempée.

– Je t'ai déjà raconté la fois où oncle Joe et moi avons été surpris par la pluie ?

J'ai soupiré. Depuis quelque temps, j'avais entendu pas mal d'histoires sur l'oncle Joe. Mais je ne voulais pas vexer papa.

– Je ne crois pas.

– Nous allions à la pêche, et il s'est mis à pleuvoir comme

aujourd'hui. Nous étions trempés. D'autres seraient rentrés, mais pas oncle Joe. Nous avons continué notre chemin, et en arrivant, nous avons sauté dans l'eau tout habillés avec nos cannes à pêche et tout le reste... juste pour le plaisir !

– Ta mère n'a pas dû être contente quand tu es rentré tout trempé.

– Elle ne l'a jamais su et on lui a même rapporté deux truites magnifiques !

Papa était à nouveau plongé dans ses souvenirs. Si ça continuait, j'allais avoir droit à cinq autres histoires de l'oncle Joe. Mais on n'était plus très loin de chez les Craine ; aussi me suis-je mise à rechercher le numéro quatre-vingt-quatorze.

– C'est là ! me suis-je écriée en montrant une grande maison.

– J'avais déjà remarqué cette propriété, a dit papa. J'aime bien la terrasse qui fait le tour.

Il a coupé le contact.

– Qu'est-ce que tu fais ? lui ai-je demandé. Ce n'est pas la peine de te garer. Je descends.

– Je pensais que je pourrais t'accompagner puisque je suis là, m'a répondu papa. Comme ce sont de nouveaux clients, j'aimerais les rencontrer et savoir pour qui tu travailles.

Ça alors. Quelle humiliation ! Je savais qu'il avait raison, mais il me traitait comme un bébé. Est-ce que d'autres pères auraient fait ça ? C'est alors que je me suis souvenue de quelque chose qu'avait dit Kristy en réunion assez récemment. « C'est une bonne idée d'avoir un parent avec soi quand vous rencontrez un nouveau client pour la première fois, c'est une sécurité. »

De toute façon, que mon père et Kristy aient raison ou non, je n'avais pas le choix. Papa sortait de la voiture. Il était prêt, je l'ai donc rejoint et nous avons marché jusqu'à la maison.

J'ai sonné et j'ai attendu, avec papa à mes côtés. J'étais morte de honte. Les Craine allaient sans doute penser que je n'étais qu'une gamine. Et s'ils trouvaient que j'étais trop jeune pour garder leurs enfants ? Mais quand M. Craine a ouvert la porte, j'ai tout de suite compris que tout allait bien se passer. Il m'a souri en disant :

– Bonjour, Mallory ! Je suis M. Craine, puis se tournant vers papa, vous devez être M. Pike. J'ai dû vous croiser à des réunions de parents d'élèves, mais nous n'avons pas eu l'occasion de faire connaissance. Voulez-vous entrer un instant ? Je ne crois pas que ma femme soit tout à fait prête.

Apparemment, il n'était pas étonné de voir mon père m'accompagner. Mais je ne voulais pas que papa reste. Et s'il se mettait à raconter une de ses histoires de l'oncle Joe ? Je l'ai regardé et il m'a fait un petit signe de tête pour me montrer qu'il avait compris.

– Je vous remercie, mais il faut que j'y aille. Je suis ravi de vous avoir rencontré, a-t-il répondu. Travaille bien, ma chérie.

Puis il est parti. Enfin.

– Eh bien, entre, Mallory, a poursuivi M. Craine. Les filles sont impatientes de te connaître.

Je l'ai suivi dans la cuisine où trois petites filles aux

cheveux bouclés étaient assises à une grande table en train de faire des coloriages. Elles m'ont regardée timidement.

– Les filles, voici Mallory, a annoncé M. Craine. Mallory, je te présente Margaret, Sophie et Katie.

– Bonjour! ai-je lancé. Qu'est-ce que vous dessinez?

Je me suis approchée de Margaret, la plus âgée, et j'ai regardé par-dessus son épaule.

– Wouah! Il est superbe, ton cheval. J'adore les chevaux, mais je ne sais pas les dessiner aussi bien.

Margaret était toute contente.

– Tu sais quoi? J'ai six ans, Sophie, quatre, et Katie deux et demi. Et toi?

– J'ai onze ans.

– Tu es vieille. Mais tu sais quoi ?

– Quoi?

– Maman est encore plus vieille que toi. Elle a trente-quatre ans!

M. Craine s'est mis à rire.

– Je ne crois pas que maman aimerait que tu dises son âge à tout le monde.

– Je l'ai juste dit à Mallory, a répliqué Margaret. Ça n'embête pas maman. Elle me l'a dit.

– C'est vrai, a assuré Mme Craine en entrant dans la pièce. Je suis fière de mon âge !

Elle m'a tendu la main.

– Bonjour, Mallory. Les filles se remettent à peine d'un rhume. Elles devraient être assez sages aujourd'hui. Mais méfie-toi quand même. Ces petites princesses peuvent vous faire enrager quand elles sont en pleine forme.

– Tante Bouton dit toujours ça, a expliqué Margaret.

– Tante Bouton ? ai-je interrogé.

– Margaret te racontera tout, m'a assurée Mme Craine. Il faut que nous partions. J'ai laissé le numéro où tu peux nous joindre et d'autres renseignements sur le bloc-notes près du téléphone. Les filles doivent faire la sieste. Elles ne sont pas complètement guéries. Amusez-vous bien, mes chéries !

Après toute une série de bisous et d'embrassades, les Craine sont partis et je me suis retrouvée seule avec les trois petites.

La porte était à peine refermée que Katie s'est mise à pleurer en disant :

– Veux maman ! Veux maman !

– Maman va bientôt rentrer, lui a expliqué Sophie avant que j'aie eu le temps d'ouvrir la bouche pour le dire.

Les filles avaient l'habitude de s'occuper les unes des autres, ça se voyait.

– Et elle nous rapportera peut-être des cadeaux, a suggéré Margaret.

Katie a cessé de pleurer un instant à cette idée, mais elle a vite recommencé.

– Parlez-moi de votre tante Bouton, ai-je demandé aux filles, afin de détourner l'attention de Katie.

– C'est elle qui nous garde d'habitude, a expliqué Sophie.

– Elle est très, très drôle, a ajouté Margaret. Elle aime faire la folle.

Katie s'est mise à faire des bruits bizarres :

– Vroum, vroum.

– Quoi ? ai-je demandé.

– Elle fait vroum, vroum, a repris Margaret, parce que tante Bouton vient ici à moto !

– Wouah ! me suis-je écriée. Une tante motard !

J'imaginais une femme robuste portant un blouson de cuir et de grandes bottes noires.

– Alors elle s'est cassé la jambe en faisant de la moto ?

– Non, a répondu Margaret. C'est à cause de son chien. Il était si content de la voir qu'il l'a bousculée et elle est tombée. Mais elle n'est pas fâchée contre lui, elle sait que ce n'est pas de sa faute.

J'avais une dernière question à poser au sujet de tante Bouton.

– D'où lui vient ce nom bizarre ?

– Ce n'est pas son vrai nom, a dit Sophie.

– Son vrai nom, c'est Susie. Mais mon papa l'appelle toujours Bouton, a expliqué Margaret. Et elle l'appelle aussi Bouton. Ce sont des Boutons ! (Elle a saisi un petit doigt rose de Sophie et un de Katie.) C'est comme ça que les Boutons se disent bonjour, a-t-elle ajouté en joignant les deux petits doigts de ses sœurs.

– Super, ai-je dit en souriant. (Katie avait cessé de pleurer.) Et si les Boutons finissaient leur dessin et allaient faire une petite sieste ?

– Beurk, a lancé Margaret. Je déteste les siestes.

– Beurk, a répété Sophie.

– Eurk, a marmonné Katie.

– Moi non plus je n'aimais pas faire la sieste quand j'étais petite, ai-je expliqué. Mais vous savez ce qui est drôle ? C'est de faire une siesta, ça vient de fiesta et de sieste ! Vous avez déjà essayé ?

Margaret avait l'air perplexe.

– On fait comment ?

– Vous avez bien des sacs de couchage, ai-je demandé. On peut utiliser de simples couvertures, mais c'est plus amusant avec des sacs de couchage.

– Nous les avons eus à Noël cette année, s'est écriée Sophie. Sur le mien, il y a des Barbie.

– Sur le mien, il y a les Simpson, s'est empressée d'ajouter Margaret. Et sur celui de Katie, il y a des nounours.

– Génial, ai-je dit. Allons les chercher, on les installera dans le salon.

J'ai suivi les filles dans leur chambre et je les ai aidées à porter leurs duvets en bas. Nous les avons disposés par terre.

– Tout est presque prêt pour la siesta. Il manque quelque chose. Devinez quoi.

– Des oreillers ! a crié Margaret.

– Je n'y avais pas pensé, ai-je avoué, mais c'est une bonne idée. J'irai en chercher. Mais, moi, je pensais à un truc à manger. Quand nous faisons une siesta, mes amies et moi, nous mangeons toujours quelque chose avant de dormir.

– Ouais, un truc à manger, s'est exclamée Margaret.

– Biscuits fomage, s'est écriée Katie en se dirigeant la première vers la cuisine.

Elle a indiqué du doigt un des placards. J'ai rempli un bol de biscuits au fromage et j'ai conduit les filles vers leur sac de couchage.

– Tout le monde s'installe confortablement. Prenez des biscuits. Je vais vous lire une histoire.

Pendant que les filles se blottissaient dans leur sac, je suis allée chercher les oreillers. J'ai pris un conte de fées.

Sophie et Katie se sont endormies avant que j'aie eu le temps de finir l'histoire.

J'avais apporté mon livre, au cas où. Il était dans une poche de mon blouson que j'avais accroché dans le placard de l'entrée. Je suis allée le chercher. Je ne pensais pas avoir le temps de lire et j'étais contente de pouvoir m'y mettre. J'étais impatiente de me replonger dans l'histoire.

Juste au moment où j'allais prendre mon livre, j'ai entendu un bruit étrange. Impossible de deviner ce que c'était. Un oiseau? Katie qui pleurait? J'ai tendu l'oreille, mais tout ce que j'entendais, c'était la pluie qui tambourinait sur le toit. Puis, comme je retournais dans le salon, le bruit s'est fait entendre à nouveau. C'était un chat, mais son miaulement était très faible.

Je trouvais bizarre que les Craine ne m'aient pas dit qu'ils avaient un chat. En général, les nouveaux clients nous font savoir s'ils ont des animaux. Mais ce n'était pas grave. J'ai pris mon livre pour m'installer sur le canapé du salon.

C'était très reposant d'être là, assise avec les filles qui dormaient. La pluie fouettait les vitres, et les arbres se balançaient dans le vent, mais moi, j'étais bien au chaud et bien installée sur le divan. J'ai ouvert mon livre et me suis mise à lire.

Mais j'ai de nouveau entendu ce chat. Il ne cessait de miauler d'une petite voix pathétique. J'ai posé mon livre à regret, et j'ai écouté avec attention. Le chat continuait de miauler et, cette fois, j'avais l'impression que quelque chose n'allait pas. Il était peut-être malade ou blessé? Je ne savais pas trop quoi faire.

– Viens là, minou, ai-je appelé doucement.

Un autre miaulement s'est fait entendre, mais il n'y avait toujours pas de chat en vue.

Je me suis levée et j'ai fait le tour de la maison vérifier sous les chaises, les divans et dans les placards dans l'espoir de le trouver. J'ai appelé plusieurs fois. Alors que j'avais tout vérifié au rez-de-chaussée, les miaulements ont enfin cessé. Je n'avais toujours pas trouvé le chat, mais j'ai décidé d'arrêter mes recherches. Je suis retournée m'asseoir et j'ai pris mon livre. Juste à ce moment-là, Margaret s'est réveillée en se frottant les yeux.

– Je peux me lever ? a-t-elle demandé.

– Bien sûr.

Je l'ai aidée à rouler son sac de couchage. Puis Sophie et Katie se sont réveillées aussi. Elles voulaient dessiner. Alors, nous sommes allées dans la cuisine.

– Hé, les filles, où votre chat aime-t-il se cacher d'habitude ? ai-je demandé en griffonnant un chat. Je l'ai cherché partout cet après-midi.

Margaret m'a regardée, étonnée.

– Mais on n'a pas de chat.

Pas de chat ? J'ai haussé les épaules. Je n'avais aucune idée de ce que pouvait bien être ce miaulement, mais aucune importance. J'étais très contente de garder ces petites filles et j'allais passer beaucoup de temps à m'occuper d'elles. J'ai fait une boulette du papier où j'avais griffonné le chat et je me suis mise à dessiner oncle Joe et papa (petit garçon) cheminant avec des cannes à pêche sur l'épaule. Je ne pouvais pas encore me représenter le visage d'oncle Joe mais j'allais bientôt faire sa connaissance et j'étais très impatiente de le rencontrer.

5

Le dimanche, il ne faisait vraiment pas beau. Le ciel était gris et il bruinait. Dans les livres, les jours importants, le soleil brille toujours, mais dans la vie réelle, il arrive aussi qu'il pleuve ces jours-là.

Pourtant, je me sentais joyeuse en me levant. Papa et maman allaient chercher oncle Joe après notre brunch du dimanche, et j'avais du mal à rester calme.

Les autres aussi étaient impatients. Le petit déjeuner s'est déroulé dans le plus grand désordre. Papa n'avait pas eu le temps de faire des gaufres ; alors c'était chacun pour soi ! Il y avait environ quatre boîtes différentes de céréales sur la table, plus du pain, un pot de confitures et des fruits.

Le petit déjeuner n'est jamais calme chez nous, mais ce matin-là, c'était particulièrement bruyant.

Les triplés et Nicky répétaient un rap qu'ils avaient composé.

– *On est les Pike rappeurs,*
Mais on n'est pas des frimeurs,
On est cool, on est super, on est géant.
Moi, c'est Nicky
Moi, c'est Byron
Moi, c'est Adam
Moi, c'est Jordan,
Pour le rap, y a que les Pike !

Pendant ce temps, Vanessa, Claire et Margot jouaient à un jeu à l'autre bout de la table. Elles tapaient dans leurs mains en chantant :

– *Miss Mary Moire, Moire, Moire*
Tout habillée de noir, noir, noir,
Avec des boutons d'ivoire, ivoire, ivoire
Tout en haut de son dos noir, noir, noir...

Claire ne connaissait pas bien les paroles, mais elle frappait fort dans ses mains et reprenait les derniers mots de chaque vers à tue-tête.

Le vacarme était incroyable. J'ai regardé maman et papa qui, d'habitude, mettaient un terme à ce genre de tapage avant qu'il n'atteigne de tels sommets. Ils paraissaient plongés dans leur conversation. Devant maman, il y avait un papier, une liste, je crois. J'ai tendu l'oreille pour écouter ce que mes parents disaient.

– A mon avis, une nourriture simple conviendrait mieux, a dit papa. Du poulet ou du poisson.

– C'est ça, a confirmé maman. Pas trop épicée, ni trop riche. (Elle a noté quelque chose sur sa liste.) Je vais sûrement trouver des menus qu'il appréciera.

Hum. J'avais l'impression que nous ne risquions pas de

manger des pizzas très souvent, en tout cas pas tant qu'oncle Joe serait là. Mais ça m'était égal. Je savais que maman avait raison en disant qu'il faudrait s'adapter.

Les garçons, eux, faisaient toujours du rap, tandis que les filles chantaient de leur côté. Les paroles de leurs chansons se mélangeaient. Il était question de super rap, d'éléphants, de garçons cool, de barrière !

J'ai mis mes mains sur mes oreilles.

– C'est insupportable ! ai-je crié. Maman, demande-leur d'arrêter, je t'en prie.

Ma mère m'a regardée, étonnée.

– Qu'y a-t-il, Mallory ?

Puis elle a semblé prendre conscience du bruit. Elle a regardé autour de la table.

– Bon, ça suffit maintenant, il est temps de se calmer.

Personne ne l'avait entendue. Les petits continuaient de plus belle. Les filles frappaient dans leurs mains, et les garçons se tapaient d'abord dans les paumes, puis le dos de la main, puis les paumes de nouveau.

– Eh ! a crié papa. Alors ! (Les enfants se sont arrêtés.) Temps mort, a ajouté papa en faisant un T avec ses mains. Je sais que vous êtes tous contents qu'oncle Joe arrive. Moi aussi. Mais essayons de ne pas faire trop de bruit, d'accord ? Il faudra faire un effort et être un peu plus calmes quand notre invité sera là. D'accord ?

La cuisine est devenue silencieuse.

– Désolée, papa, s'est excusée Vanessa d'une petite voix.

– Oui, désolé, a murmuré Byron. Nous serons calmes quand l'oncle Joe sera là.

Papa a rectifié :

– Bon, il ne s'agit pas non plus de parler à voix basse. Oncle Joe vient dans une maison pleine d'enfants. Il ne s'attend pas au silence absolu.

Maman a regardé sa montre.

– Il faut y aller.

Puis elle s'est tournée vers moi.

– Tu es sûre que tout ira bien ?

– Pas de problème, ai-je répondu.

D'habitude, quand mes parents sortent, ils prennent deux baby-sitters (je suis l'une des deux la plupart du temps) car il y a beaucoup d'enfants à garder. Mais ce jour-là, ils ne s'absentaient que pour une heure environ, d'abord pour aller au supermarché puis pour prendre oncle Joe. Maman était d'accord pour me laisser garder seule les petits.

Papa a repoussé sa chaise.

– Bien, nous serons bientôt de retour. Les enfants, vous rangerez tout ça, d'accord ? a-t-il ajouté en désignant la vaisselle et les boîtes de céréales vides.

– Ne t'inquiète pas, lui ai-je répondu. La maison sera impeccable quand vous reviendrez avec oncle Joe.

Aussitôt mes parents partis, je me suis mise à nettoyer la cuisine. Les triplés ont débarrassé la table et j'ai demandé à Margot et Claire de l'essuyer. Vanessa et moi avons fait la vaisselle, et Nicky a rangé le lait et la confiture. Nous avons été très rapides.

Alors que je m'essuyais les mains, j'ai entendu Claire murmurer :

– On peut leur dire maintenant ?

– D'accord, a répondu Margot. Vous voulez voir la surprise qu'on a préparée ?

Elle n'a pas attendu notre réponse. Elle a fait signe à Claire, et elles ont couru dans leur chambre. Elles sont revenues quelques minutes plus tard avec une immense bande de papier pour ordinateur. Margot en a pris un bout et Claire l'autre, et elles ont déplié leur banderole.

BIENVENU ONCLE JO!

Il y avait des fleurs et des arcs-en-ciel un peu partout, et chaque lettre était d'une couleur différente.

Margot et Claire souriaient, toutes fières.

– C'est plein de fautes d'orthographe, a fait remarquer Vanessa.

Le visage de Margot s'est décomposé.

– Ce n'est pas grave, suis-je intervenue très vite. Oncle Joe sera très, très impressionné par cette banderole. Elle est magnifique.

En réalité, elle était plutôt dans un triste état. On voyait des traces de doigts à plusieurs endroits; l'une des fleurs ressemblait plus à un champignon bizarre, et de grosses gouttes de peinture avaient coulé le long de plusieurs lettres. Mais je savais que les filles avaient passé beaucoup de temps et mis beaucoup d'énergie à cette réalisation et j'étais sûre qu'oncle Joe serait touché par leur geste.

– On devrait l'accrocher au-dessus de la porte d'entrée pour qu'il la voie tout de suite, ai-je proposé.

– Je vais chercher un marteau, s'est écrié Jordan.

– Je vais chercher un escabeau, a dit Adam.

– Je vais chercher des clous, a ajouté Byron.

Les triplés adoraient bricoler.

– Et moi ? a demandé Nicky.

– Toi, tu vas m'aider à voir si la banderole est bien installée, ai-je dit, et bien tendue.

Nous sommes allés devant la porte d'entrée et les triplés se sont mis au travail. Nicky prenait son travail au sérieux, faisant des propositions et donnant des ordres sur la façon d'accrocher la banderole. Claire et Margot regardaient tout cela avec inquiétude : elles avaient peur que la banderole se déchire. Vanessa, elle, était montée dans sa chambre en disant qu'elle voulait écrire un poème pour l'oncle Joe.

Nous avons accroché la banderole, pas tout à fait droit, malgré les indications de Nicky. Je regardais ma montre sans arrêt. Maman et papa seraient bientôt de retour avec l'oncle Joe. J'ai fait le tour de la maison, vérifiant que tout était propre. J'ai ouvert la porte de la petite chambre pour voir si elle avait l'air confortable et accueillant. Mes frères et sœurs me suivaient. Pour une fois, ils étaient plutôt calmes. La maison était propre comme elle ne l'avait jamais été. J'ai décidé que nous pouvions nous reposer.

Nous étions assis dans le salon quand nous avons entendu une voiture dans l'allée.

– Le voilà ! a crié Nicky.

– Vanessa ! a appelé Margot. Oncle Joe est là !

Vanessa s'est précipitée en bas.

– Mon poème n'est pas encore fini ! a-t-elle dit, essoufflée.

– Ne t'inquiète pas. Il est là pour un moment. Tu le lui liras une autre fois.

Nous étions devant la porte d'entrée. Papa est descendu de la voiture le premier, puis maman. J'apercevais une silhouette à l'arrière, mais je ne distinguais pas les traits de son visage. Papa lui a ouvert la porte, et l'oncle Joe est descendu lentement, avec raideur. Papa le soutenait. Puis, mes parents se sont dirigés vers la maison en sa compagnie.

L'oncle Joe était mince et un peu courbé, avec des cheveux blancs. Il avait de petites lunettes à monture d'acier. Il portait un costume bleu et une chemise blanche amidonnée et boutonnée jusqu'au cou. Il n'avait pas de cravate, mais il avait un air très digne.

– Oncle Joe ! a crié Claire.

Elle a dévalé les escaliers et se jetée sur lui. Effrayé, oncle Joe a fait un pas en arrière. Papa a attrapé Claire pour la retenir.

– Doucement, ma puce. Oncle Joe, j'aimerais te présenter notre benjamine, Claire.

Oncle Joe a hoché la tête avec raideur mais il n'a pas rendu à Claire le baiser qu'elle essayait de lui donner.

– Bonjour, a-t-il dit d'une voix sèche et un peu cassée.

Il souriait légèrement en lui tapotant la tête comme si c'était un chien.

– Tu es vraiment mon oncle génial, a déclaré Claire. Mon oncle génial, merveilleux et absolument super !

Wouahou ! Claire avait l'air prête à aimer oncle Joe. C'était mignon mais oncle Joe n'avait pas l'air d'entendre ce qu'elle disait. Il nous regardait, debout devant la porte d'entrée, en fronçant les sourcils. C'était comme s'il n'avait jamais vu autant d'enfants à la fois.

– Je vais te présenter le reste de la famille, a proposé mon père.

Il nous a présentés chacun à notre tour, et oncle Joe nous a dit bonjour. Il n'avait pas l'air de raffoler des embrassades et des bisous.

– Oh, regardez ! s'est exclamée maman en montrant la banderole. C'est superbe. Je parie que c'est Margot et Claire qui l'ont faite.

– C'est pour oncle Joe, a expliqué Claire.

Maman s'est tournée vers lui.

– Vous avez vu la banderole ?

Il a levé les yeux.

– Oui, a-t-il répondu brièvement. Très jolie.

Margot et Claire avaient l'air un peu déçues. Mais Claire n'a pas renoncé. Elle a pris l'oncle par la main et l'a entraîné dans la maison.

– Viens voir ta chambre. Nous l'avons préparée pour toi.

Oncle Joe s'est laissé guider dans la maison, mais dès qu'il a passé la porte, il s'est libéré de l'emprise de Claire pour se tourner vers maman.

– Seriez-vous assez gentille pour m'indiquer un lavabo ? a-t-il demandé. J'ai bien peur que les mains des enfants ne soient un peu poisseuses.

J'ai jeté un coup d'œil sur les mains de Claire. Elles n'avaient pas l'air plus sales que d'habitude, mais peut-être que la sucette qu'elle avait mangée les avait rendues légèrement collantes.

Maman a conduit oncle Joe vers l'évier de la cuisine, et il s'est lavé les mains pendant plusieurs minutes. Les triplés le regardaient, bouche bée.

Papa s'est approché de moi.

– Apparemment, il fait ça assez souvent, m'a-t-il expliqué à voix basse. Les infirmières de la maison de retraite ont remarqué qu'il ne supportait pas la moindre trace de saleté sur ses mains.

Papa avait l'air un peu triste. L'oncle Joe ne ressemblait sans doute plus du tout à la personne dont il se souvenait. Il ne racontait pas d'histoires drôles et n'extrayait pas de pièces de ses oreilles. Il n'était ni chaleureux ni ouvert. En fait, il était plutôt distant.

Il a à peine remarqué la chambre que nous avions passé tant de temps à préparer pour lui. Il a indiqué à Byron où poser sa valise, puis il a dit qu'il allait faire une sieste et il a fermé la porte.

On a fait très attention à ne pas faire de bruit pendant sa sieste. Ensuite il nous a tous rejoints dans le salon. Il n'avait toujours pas enlevé la veste de son costume et, quand il s'est assis sur le canapé, il n'avait pas l'air détendu. Il était assis, là, très droit, sourcils froncés.

Puis maman a annoncé que le repas était prêt. Oncle Joe nous a suivis dans la salle à manger. C'est maman qui servait. Quand j'ai vu ce que j'avais dans mon assiette, je me suis sentie complètement déprimée. Du blanc de poulet sans la peau. Des pommes de terre bouillies. Du chou-fleur. Pas d'épices, pas de sel, pas de sauce, juste une assiette pleine de trucs blancs. Beurk.

Oncle Joe mangeait en prenant bien soin de prendre de petites bouchées qu'il mâchait soigneusement à chaque fois. Il ne disait rien. Et devinez quoi ? Personne d'autre ne parlait non plus. C'était sûrement le premier repas silencieux de l'histoire de la famille Pike.

Nous nous sommes tous couchés tôt. Le jour qu'on avait tant attendu s'achevait. Comment allions-nous tenir ainsi tout un mois, et peut-être plus, avec oncle Joe à la maison ?

6

Le lundi matin, j'étais contente de quitter la maison pour aller à l'école. Au petit déjeuner, oncle Joe ne s'était pas montré plus enjoué que la veille.

J'ai pensé à lui de temps à autre en classe. Il avait l'air si renfermé. Il ne semblait pas s'intéresser beaucoup à son nouvel entourage. A midi, j'en ai parlé à Jessica. Je lui ai demandé pourquoi, à son avis, il avait souhaité venir chez nous. Il ne connaissait même pas nos prénoms. Jessica n'avait pas de réponse.

Après l'école, je suis allée chez les Craine. Je me sentais un peu coupable de ne pas pouvoir rentrer tout de suite à la maison, mais à la vérité, j'étais plutôt contente. La vie était bien plus drôle chez les Craine, sans un vieil oncle grognon, assis là sans bouger comme une bûche.

Sophie a ouvert la porte quelques secondes après mon coup de sonnette.

– Mallory est là! a-t-elle crié en me faisant un grand sourire. Devine quoi?

– Quoi? ai-je répondu en lui rendant son sourire.

Cela me faisait plaisir d'être si bien accueillie.

– Tante Bouton est là!

Oh! Cela voulait-il dire qu'ils n'avaient pas besoin de moi aujourd'hui? Mon sourire avait disparu.

– Maman l'emmène chez le médecin mais elle est d'abord venue nous voir.

Ah bon! Je préférais ça.

– Viens, m'a encouragée Sophie en me tirant par la main. Viens, je vais te la présenter.

– Bonjour, ai-je entendu en entrant dans la cuisine. Tu dois être Mallory. Les filles t'adorent! (Elle m'a souri.) Je suis Susie. Connue aussi sous le nom de tante Bouton.

Elle avait des cheveux bruns bouclés, de grands yeux bleus... et un énorme plâtre à la jambe droite.

– Bonjour, ai-je répondu. Moi aussi, j'adore les filles. Je suis contente d'avoir la chance de les garder, mais je suis désolée pour votre jambe.

– Merci, ce n'est pas si grave. Je dois juste garder mon plâtre encore quelques semaines, et les médecins me conseillent de faire attention après.

– Vous avez vraiment une moto? ai-je demandé.

– Oui, je l'ai achetée l'an dernier. C'est très chouette, mais il faut faire attention. Je suis extrêmement prudente.

J'allais lui demander si elle m'emmènerait faire un tour quand sa jambe irait mieux (comme si mes parents allaient accepter ça!) mais Mme Craine est entrée dans la cuisine.

– Il est temps d'y aller, Susie. Ah, bonjour, Mallory, merci d'être à l'heure. Margaret va bientôt rentrer de l'école et il va falloir réveiller Katie de sa sieste. J'ai dit à Sophie que vous pouviez faire des sablés aujourd'hui. J'ai acheté ce qu'il faut, c'est dans le frigo.

– Génial, ai-je dit.

Sophie et moi avons accompagné Mme Craine et Susie jusqu'à la porte.

– Hum, madame Craine, ai-je toussoté alors qu'elle enfilait sa veste, je voulais vous demander, est-ce que vous avez un chat ?

– Un chat ? a-t-elle répondu, l'air perplexe. Non, pas de chat, pourquoi ?

– Je... je me demandais juste.

Elle m'a regardée bizarrement, mais elle était trop pressée pour poursuivre la conversation.

– Au revoir, a lancé Susie, franchissant le seuil en clopinant. Je suis contente d'avoir fait ta connaissance.

– Amusez-vous bien, a ajouté Mme Craine, en embrassant rapidement Sophie, je serai là dans deux ou trois heures.

– Margaret t'avait dit que nous n'avons pas de chat, m'a fait remarquer Sophie quand nous nous sommes retrouvées seules.

– Je sais, mais je voulais vérifier.

Je me sentais coupable de ne pas avoir cru les filles, mais je n'arrivais pas à comprendre ce qui avait fait ce bruit.

– Hé ! me suis-je écriée, contente de pouvoir changer de sujet. Voilà le bus de Margaret.

En rentrant, la fillette s'est jetée sur moi en brandissant un livre qu'elle avait apparemment confectionné elle-même.

– Bonjour, Mallory! Regarde ce que j'ai fait, je suis un auteur!

– Waouh, fais voir.

J'ai feuilleté le livre qu'elle m'avait tendu. Il racontait l'histoire d'une petite fille qui devenait amie avec un dinosaure. C'était original et les dessins étaient rigolos.

– Ben dis donc, beau travail.

– Je sais, m'a-elle répondu fièrement.

Les enfants ne font pas de fausse modestie, et j'aime bien ça.

– Je peux regarder? a demandé Sophie.

– Je te le lirai plus tard, a décrété Margaret.

Puis elle s'est tournée vers moi:

– On travaille sur les lecteurs et les écrivains en ce moment. La semaine prochaine il y a un écrivain très connu qui va venir nous voir.

– C'est formidable. Tu devrais aller te changer et tu nous raconteras tout ça pendant qu'on fera des sablés.

– Ouais, super! s'est-elle écriée, en partant comme une flèche dans sa chambre.

Pendant que Margaret se changeait, Katie s'était réveillée. Elle était un peu grognon, alors je l'ai prise dans mes bras et je lui ai donné du jus d'orange. Elle a vite retrouvé le sourire.

– Bon, il faut faire les sablés, ai-je lancé.

J'ai pris la pâte dans le réfrigérateur et ai allumé le four.

– Où sont les moules? ai-je demandé.

– Ici! a répondu Margaret en ouvrant un placard.

J'ai posé les moules sur la table de la cuisine. Puis j'ai mis Katie dans sa chaise haute et j'ai installé les deux autres

filles à côté d'elle, Sophie sur sa chaise rehaussée et Margaret sur sa chaise de « grande ». Je lui ai confié un couteau à
bout rond (elle ne pouvait pas se blesser) et je l'ai laissée
couper un peu de pâte. J'ai coupé le reste et j'ai donné les
morceaux à Sophie et Katie.

– Je vais en faire un énorme, un géant, a dit Sophie en
collant plusieurs morceaux ensemble.

Katie a trituré son morceau, jusqu'à ce qu'il soit grisâtre,
puis elle l'a posé devant elle. Elle me regardait, toute
contente.

– C'est bien, ai-je dit, bien que le petit tas de pâte soit en
réalité parfaitement répugnant.

– Je vais faire un bonhomme de neige, a annoncé
Margaret.

Elle a pris trois morceaux de pâte et s'est mise au travail.

Et juste à cet instant, j'ai entendu à nouveau ce miaulement. Et vous savez quoi ? Cette fois, les petites l'avaient
entendu aussi. Nous avons tout arrêté pour écouter.

– On dirait vraiment un chat ! s'est exclamée Margaret.

– Minou ! s'est écriée Katie.

– Allons voir, a dit Sophie.

Margaret s'est levée de table.

– Je parie qu'il est caché sous un lit.

– Chercher minou.

J'ai éteint le four et j'ai mis les sablés au réfrigérateur.
Manifestement, le chat était bien plus intéressant pour
l'instant que les gâteaux.

– D'accord, commençons par ici et puis nous irons à
l'étage, ai-je proposé.

Je suis passée devant. J'avais déjà cherché partout la

dernière fois, mais les filles connaissaient des coins et des recoins que j'avais oubliés. Margaret m'a montré un petit renfoncement sous les escaliers. Sophie m'a indiqué un placard à balais que je n'avais pas remarqué.

Mais nous n'avons pas trouvé de chat.

Pourtant les miaulements continuaient. Ils étaient très, très faibles, comme si le chat était effrayé ou malade ou affamé, ou tout cela à la fois. J'étais inquiète pour lui.

Nous avons continué à chercher à l'étage. Pas de chat.

– Il n'est nulle part ! a dit Margaret. Peut-être que c'est un fantôme. Si ça se trouve, la maison est hantée !

– Chut ! Tu vas faire peur à tes sœurs, ai-je soufflé. De toute façon, tu dis des bêtises. On ne peut pas entendre un chat fantôme ! Si nous cherchons bien, nous allons le trouver, ce chat.

J'avais l'air sûre de moi. Mais l'idée de Margaret m'avait donné la chair de poule. Ce miaulement me donnait des frissons, et comme nous n'avions pas trouvé un seul poil de chat, l'idée d'un fantôme paraissait tout à fait plausible.

Tout à coup, j'ai remarqué que la pièce où nous nous trouvions était mal éclairée. L'après-midi se terminait, et la nuit tombait. J'ai allumé la lumière. J'avais assez peur comme ça : inutile en plus de déambuler dans une maison plongée dans le noir ! Nous étions dans la chambre de Margaret, et je me suis assise sur le lit avec les filles. On entendait miauler encore plus fort au premier étage qu'en bas.

– Bon, suis-je intervenue. Il nous faut un plan. Nous voulons trouver ce chat. Nous avons cherché en bas et à l'étage, et on ne l'a toujours pas trouvé. Exact ?

Les filles ont approuvé. Elles me regardaient d'un air

très sérieux. Elles étaient captivées par cette chasse au chat.

– Réfléchissons. Il faut nous rappeler les endroits où nous n'avons pas cherché. Est-ce que l'une d'entre vous a une idée ?

Silence.

– Dans le grenier, a murmuré Margaret.

– Quoi ?

– Le grenier. Nous n'y avons pas été.

– Eh bien allons-y, ai-je décidé en essayant d'avoir l'air courageux. Vous… vous avez le droit d'y aller ?

– Si un adulte est avec nous, oui, a répondu Margaret.

Bon, admettons que j'étais considérée dans ce cas comme une « adulte ».

– Il faut une lampe de poche, a précisé Margaret. Il n'y a pas de lumière là-haut.

Nous avons trouvé une torche et pris la direction du grenier.

J'ai tourné la clé qui était dans la serrure et j'ai ouvert la porte. J'ai porté Katie pour monter un petit escalier, précédée de Margaret et Sophie. Il faisait chaud là-haut, et ça sentait la poussière. J'aime bien cette odeur. J'ai fermé les yeux pour la respirer.

– Oups ! me suis-je écriée en trébuchant sur une vieille malle.

J'ai posé Katie et j'ai éclairé la pièce mansardée à l'aide de la lampe de poche. J'ai découvert des murs en pente, une fenêtre minuscule et tout un tas de cartons et de vieux meubles.

– Ouah, il y en a des trucs là-dedans !

– C'était là quand on est arrivés ici, a expliqué Margaret. Papa n'arrête pas de dire qu'il va tout nettoyer, mais il n'a jamais le temps.

J'ai regardé de plus près une table à trois pieds soutenue par une boîte.

– Ça a l'air très ancien, ai-je dit. Dommage qu'il manque un...

C'est alors que j'ai vu un éclair blanc filer de dessous la table.

Sophie a poussé un cri. Katie a eu l'air surprise et s'est assise brusquement. Margaret a ouvert de grands yeux.

– Un chat ! a-t-elle crié en se précipitant à sa poursuite.

Il a fait deux fois le tour du grenier avant de repérer les escaliers qu'il a dévalé avec Margaret lui courant après. Je suis descendue à mon tour, tenant Katie dans mes bras et Sophie par la main.

– Venez, criait Margaret du rez-de-chaussée. Vite !

Je me suis précipitée en bas avec les deux autres filles et j'ai trouvé la fillette devant la porte de la buanderie.

– Il est là, a-t-elle affirmé. Je l'ai attrapé.

J'ai entrouvert la porte pour jeter un coup d'œil.

– Il a l'air terrorisé, ai-je dit.

C'était un petit chat blanc avec de grands yeux ronds presque argentés. Il m'observait de l'endroit où il était caché. J'ai senti un frisson me parcourir l'échine.

Les filles m'ont poussée un peu pour regarder.

– Salut, chat-fantôme, a dit Margaret. Ne t'inquiète pas. On ne te fera pas de mal.

– Chat-Fantôme, ai-je répété. Ça lui va bien, vous ne trouvez pas ?

Les filles ont hoché la tête.

– Il a peut-être faim, a remarqué alors Sophie.

– Gâteau ! s'est écriée Katie.

– Je ne crois pas qu'il aime les gâteaux, ai-je expliqué. Mais voyons ce qu'on peut lui donner d'autre.

J'ai fermé soigneusement la porte. Dans la cuisine, j'ai trouvé du poulet froid. Je l'ai découpé en petits morceaux dans un bol. J'ai rempli un autre bol d'eau et je suis retournée dans la buanderie. J'ai ouvert la porte, j'ai posé les bols par terre et j'ai vite refermé derrière moi.

– Je me demande où il se cachait là-haut. Et comment il a fait pour entrer .

– Allons voir, a proposé Margaret.

Dans le grenier, j'ai balayé la pièce de mon faisceau lumineux jusqu'à ce que je trouve une ouverture dans le toit.

– Il a dû passer par là, ai-je dit. En grimpant au grand arbre qui est près de la fenêtre du salon, il pouvait atteindre le toit.

– Notre grenier est douillet, c'est pour ça qu'il s'y plaît, a commenté Margaret. Et il n'y a pas de chien ici.

– C'est vrai, ai-je acquiescé. Il a dû se nourrir de souris qu'il attrape dehors.

– Beurk ! a fait Sophie.

– Les chats aiment les souris, comme toi, tu aimes les gâteaux, lui ai-je expliqué en souriant. Et à propos de gâteaux, nous ferions bien de faire cuire les nôtres avant que votre maman ne rentre. Vous pourrez les manger au dessert, ce soir.

Quand Mme Craine est arrivée, les filles étaient impatientes de lui montrer Chat-Fantôme.

– On peut le garder ? a supplié Margaret.

– S'il te plaît ! a renchéri Lucy.

– Garder minou ? a demandé Katie.

– Bon, d'accord, a acquiescé Mme Craine, de toute façon, on dirait bien qu'il habite déjà ici. Il faudra l'emmener chez le vétérinaire pour le faire vacciner. Mais d'abord, il faut s'assurer qu'il n'appartient à personne.

– Vous pourriez passer une annonce dans le journal de Stonebrook, ai-je suggéré. Comme ça, si personne ne le réclame, c'est sans doute qu'il a été abandonné.

Tout le monde semblait d'accord avec cette idée et, quand je suis partie, la mère et les filles travaillaient déjà à la rédaction d'une annonce.

7

Vendredi

Aujourd'hui, j'ai beaucoup pensé à Mimi. J'avais oublié ce que c'est d'être vieux, mais l'oncle Joe de Mallory me le rappelle. Sauf qu'il n'est pas du tout comme Mimi. Et c'est pour ça qu'elle me manque. Elle était toujours si gentille et si gaie. Oncle Joe, lui, me donne le cafard.

Mes parents allaient au concert ce vendredi soir. Comme mes frères et sœurs étaient tous à la maison, maman avait embauché Claudia pour faire équipe avec moi. Claudia avait très envie de connaître notre nouvel hôte et elle avait attendu avec impatience de pouvoir venir. Mais, comme elle l'a écrit dans le journal de bord, sa rencontre avec oncle Joe ne s'est pas vraiment bien passée.

Je suis sûre que Claudia pensait à Mimi en venant chez nous ce soir-là. Mimi est sa grand-mère. Elle vivait dans la famille de Claudia, les Koshi, jusqu'à sa mort. Cela ne fait pas longtemps que Claudia a perdu sa grand-mère, et elle a encore beaucoup de peine. Mimi était formidable. Elle était sereine. Vous voyez ce que je veux dire ? Une fois, j'ai cherché dans le dictionnaire parce que j'adore la sonorité de ce mot. « Serein : imperturbable, paisible, plein de dignité. » Voilà comment était Mimi. Pas étonnant que Claudia l'aime tant.

Et pourtant, Mimi avait des hauts et des bas surtout depuis son attaque. Elle avait des pertes de mémoire et se comportait parfois bizarrement. Elle pensait que les gens ne la comprenaient pas. Mais vous savez quoi. Ça m'embête de dire cela, mais même dans ses pires moments, elle était mieux qu'oncle Joe.

J'a bien vu que Claudia était un peu déconcertée en voyant oncle Joe. Elle croyait rencontrer l'homme chaleureux, jovial dont mon père nous avait parlé. J'avais répété quelques-unes de ses histoires aux réunions du club (avant qu'il n'arrive) et je n'avais pas eu le courage d'avouer ensuite comment il était en réalité.

– Bonjour ! s'est écriée Claudia avec entrain en trouvant oncle Joe assis dans le salon. Vous devez être oncle Joe. Moi, c'est Claudia.

Elle lui a tendu la main. Et j'ai vu oncle Joe tressaillir légèrement.

– Je m'appelle M. Pike, a-t-il corrigé sans sourire.

Il lui a serré la main avec précaution, puis a examiné sa propre main, comme s'il craignait qu'elle soit souillée.

Claudia a rougi.

– Excusez-moi. Je ne voulais pas…

Il a agité la main, agacé par ses balbutiements.

– Ah, les jeunes, aucun respect pour les anciens.

Claudia avait l'air choqué. Je l'ai emmenée à la cuisine.

– Ne fais pas attention. C'est juste...

– C'est juste un affreux vieux bonhomme ! s'est-elle exclamée.

Puis elle a porté sa main à sa bouche.

– Oh, pardon, Mallory. Je ne le pensais pas. J'ai été surprise. Il est probablement très gentil.

– Je n'en suis pas si sûre, ai-je marmonné.

Mes parents allaient partir : il était temps de préparer à dîner.

– Alors, a fait Claudia en se frottant les mains, une fois qu'on s'est retrouvées seules dans la cuisine, qu'est-ce qu'on mange ce soir ? (Elle m'a jeté un coup d'œil malicieux.) Des sandwichs aux sardines frites sauce bolognaise ? Une omelette aux chips ? Des spaghettis au chocolat ?

Elle aime bien plaisanter sur notre façon de manger.

– Désolée, Claudia, mais le menu de ce soir est un peu moins original, tu vas comprendre : choux de Bruxelles, purée de navets, riz blanc sans beurre et steaks bien cuits.

– Beurk ! Bon, allez, dis-moi ce qu'on mange en vrai.

– Je viens de te le dire. On mange ça depuis une semaine. Maman dit qu'elle ne dort pas la nuit. Elle fixe le plafond en essayant de trouver des menus convenables pour oncle Joe.

– Il aime ça ? a demandé Claudia.

– Je n'en sais rien. Il ne dit jamais rien ni dans un sens, ni dans l'autre. Il ne complimente jamais maman sur sa cuisine, mais il ne se plaint pas non plus. Qui sait ce qu'il pense ?

– Eh ben ! En tout cas, je parie que vous, vous n'aimez pas ça !

J'ai approuvé de la tête :

– Tout le monde fait un gros effort pour que ça se passe bien, mais ça n'est pas facile.

Nous avons travaillé tranquillement ensemble à la cuisine et, quand le repas a été prêt, Claudia a appelé tout le monde :

– A table !

Les triplés ont glissé le long de la rampe d'escalier, l'un après l'autre. Ils avaient à la main leurs jouets préférés de la semaine, des fusils laser, et faisaient semblant de tout détruire sur leur passage. Nicky les suivait en courant et leur criait de l'attendre. Vanessa et Margot étaient en train de faire leurs devoirs dans la salle de jeux, mais elles étaient contentes d'arrêter. Et Claire boitillait dans une vieille paire de chaussures à talons hauts de maman avec sur les épaules une « étole de fourrure » que maman lui avait taillée dans un vieux dessus-de-lit. Oncle Joe est arrivé le dernier. Il marchait avec raideur, comme s'il n'avait pas l'habitude de beaucoup bouger les bras et les jambes. Il a regardé autour de lui et nous a adressé un petit sourire.

– Bonsoir, a-t-il dit à l'attention de Claudia.

Il la regardait comme s'il ne l'avait jamais vue. Il ne semblait pas se souvenir de l'avoir rencontrée à peine une heure auparavant. Puis il a pris place à table et a posé ses mains sur ses genoux.

Claudia m'a regardée. J'ai haussé les épaules. Puis j'ai servi oncle Joe. Il ne m'a pas dit merci, et il n'a pas attendu que les autres soient servis. Il a pris sa fourchette et a commencé à manger avec application. Il prenait de tout petits morceaux qu'il mâchait soigneusement.

Les petits étaient assez calmes. La nourriture n'avait rien d'enthousiasmant. En fait, personne ne mangeait vraiment. Nicky poussait un chou de Bruxelles dans son assiette en essayant de le cacher sous la purée. Adam regardait son steak grisâtre en faisant la grimace. Claire buvait de petites gorgées de lait sans toucher sa nourriture.

Soudain Margot s'est mise à hurler :

– Arrête !

– Chut, Margot, ai-je fait. Nous sommes à table.

Je l'ai fusillée du regard en indiquant oncle Joe de la tête. Maman et papa nous avaient demandé de faire un effort pour que les repas se passent correctement pendant son séjour chez nous.

– Je sais, a-t-elle répliqué en me lançant un regard furieux. Mais Nicky n'arrête pas de me pincer. Et il vient de me faire tomber ma chaussure.

– Nicky, c'est vrai ?

Nicky n'a rien répondu. Il a murmuré quelque chose à Jordan qui était assis à côté de lui. Jordan s'est mis à rire et quelques grains de riz se sont échappés de sa bouche pour tomber à quelques centimètres de l'assiette d'oncle Joe.

Oncle Joe s'est levé.

– Je ne peux vraiment plus supporter toutes ces âneries ! s'est-il exclamé.

Et il est sorti de la pièce.

Nous l'avons regardé partir. Nous étions très embêtés. Enfin surtout moi. Mais ce qu'oncle Joe avait trouvé insupportable n'était qu'un centième de ce qui se passait d'habitude à table !

– Wouaou, il est un peu susceptible, non, m'a glissé Claudia tout bas.

– Susceptible ? ai-je repris l'air sérieux. Je ne vois pas ce qui te fait dire ça !

Puis j'ai éclaté de rire. Et tous mes frères et sœurs en ont fait autant. D'abord, j'ai essayé de me retenir, mais j'ai vite renoncé. C'était si bon de rire !

Ensuite, j'ai pris mon assiette.

– Quelqu'un veut des sardines ? ai-je demandé.

Tout le monde m'a suivie dans la cuisine. J'ai ouvert le réfrigérateur.

– Servez-vous ! ai-je déclaré en posant mon assiette sur le plan de travail.

Toute cette nourriture blafarde et sans saveur allait se perdre. Sauf si maman faisait un ragoût avec les restes. Mais pour l'instant, je mourais d'envie de manger quelque chose de bon et j'étais certaine que les autres aussi.

– Tu es sûre qu'on peut ? a demandé Claudia.

– J'en suis sûre. Maman ne nous dira rien. Et maintenant on va manger pour de vrai !

J'ai sorti du frigo de la sauce aux oignons et aux poivrons, du fromage, et de la farine.

– Je vais te faire préparer un Spécial Mallory, ai-je lancé à Claudia.

Tout le monde a trouvé quelque chose qui lui plaisait à manger et nous étions tous dans la cuisine en train de dévorer à belles dents et de rire. J'avais presque oublié oncle Joe quand tout à coup Margot a demandé :

– Pourquoi il est si triste, oncle Joe ? Je suis embêtée pour lui. Je crois que nous pourrions l'aider à se sentir mieux.

Je n'ai pas trouvé la moindre chose à dire. J'avais honte que ce soit ma petite sœur qui montre plus de sensibilité que moi. C'est vrai qu'oncle Joe m'avait agacée et que je l'avais presque oublié.

– C'est dur de vieillir, a expliqué Claudia. Mimi était parfois un peu grincheuse, c'est vrai. Mais quand on est vieux, le corps se raidit et devient douloureux. On ne peut pas bien se concentrer, et on est souvent un peu perdu. On est habitué à certaines choses, et les changements sont souvent pénibles.

Soudain, j'ai vu les choses autrement. Je n'avais fait que penser à ma famille et à moi, et à la difficulté de l'avoir à la maison. Mais maintenant, je me rendais compte que ce devait être difficile pour lui aussi. Nous sommes des enfants plutôt chahuteurs.

– Qu'est-ce qu'on peut faire ? ai-je demandé.

– Il a besoin de temps pour s'habituer à vous, m'a répondu Claudia. Il faut le laisser s'adapter. Inutile de jouer les enfants modèles. Ce ne serait pas bien pour vous non plus. Mais essayez de ne pas lui en vouloir quand il réagit mal. Ce n'est pas évident pour lui de vivre ici.

Claire et Margot s'étaient mises à chuchoter dans leur coin pendant que Claudia parlait.

– On a une idée ! s'est écriée Claire. On va apporter un morceau de gâteau à l'oncle Joe, et puis on lui jouera notre pièce. Peut-être que ça lui fera plaisir.

J'ai regardé Claudia. Elle a haussé les épaules.

– En tout cas, ça ne lui fera pas de mal.

– D'accord, leur ai-je dit.

J'avais déjà vu leur « pièce ». C'était un méli-mélo de contes de fées : le Petit Chaperon rouge rencontre Blanche-Neige en marchant dans les bois pour se rendre à la maison d'Hansel et Gretel. Margot et Claire tenaient plusieurs rôles.

J'ai coupé une part de gâteau que j'ai posée dans une assiette. Je l'ai passée à Claire et j'ai donné un verre de lait à Margot. Je les ai suivies jusqu'au salon où oncle Joe était effondré dans « son » fauteuil.

– Nous t'avons apporté quelque chose, a annoncé Claire.

– Quoi ?

– Tu veux du gâteau ? a proposé Margot. Et du lait ?

Elle lui a tendu le verre et Claire, l'assiette. Il les a pris sans rien dire, mais il ne fronçait pas les sourcils. J'ai même cru voir un sourire sur ses lèvres.

– Bon, maintenant, on va jouer notre pièce pour toi, a déclaré Margot. Tu es le public, d'accord ?

Oncle Joe a soupiré. Il avait l'air de souhaiter rester seul.

– Pour être franc…, a-t-il commencé.

– Prête ? a dit Margot à Claire.

Elles sont allées chercher leurs « costumes » (des mouchoirs et des tabliers) et leurs accessoires (le principal étant un grand panier à pique-nique). Puis la pièce a débuté.

Je n'avais pas beaucoup d'espoir quant au plan de Margot et de Claire. Je suis repartie dans la cuisine où Claudia essayait de convaincre les triplés, Nicky et Vanessa de faire la vaisselle.

Je me suis approchée de Claudia.

– Merci pour tes conseils au sujet des personnes âgées. Je veux vraiment qu'oncle Joe soit content d'être ici. Et je vais m'efforcer d'être patiente.

Une fois la cuisine rangée, Claudia et moi, nous nous sommes rendues sur la pointe des pieds dans le salon pour voir ce qui se passait. Mais nous sommes vite revenues sur nos pas, la main sur la bouche pour étouffer notre envie de rire. Claire et Margot étaient toujours très occupées à jouer leur histoire compliquée. Elles n'avaient même pas remarqué qu'oncle Joe s'était assoupi. Il était assis dans le fauteuil, le menton sur la poitrine, paisiblement endormi tandis que les petites continuaient leur spectacle.

J'ai hoché la tête.

– Tout va bien.

Puis Claudia m'a fait remarquer une chose et je me suis dit que Margot et Claire avaient marqué un point.

– Regarde, m'a-t-elle dit en indiquant le bras du fauteuil d'oncle Joe avec l'assiette et le verre vides. Il a au moins bu et mangé son gâteau !

8

Je me suis mise à attendre avec impatience mes baby-sittings chez les petites Craine. Margaret, Sophie et Katie sont les petites filles les plus adorables que je connaisse.

En plus, j'ai honte de l'avouer, mais quel soulagement de quitter la maison avec oncle Joe et ses humeurs ! En fait, je me sentais un peu coupable d'abandonner ma famille si souvent, mais maman et papa m'avaient donné le feu vert. Comme l'oncle passait la majeure partie de son temps à dormir ou à rester assis dans son fauteuil, je ne devais pas beaucoup lui manquer.

De toute façon, je dois dire que je l'oubliais aussitôt arrivée chez les Craine. Il se passait toujours des tas de choses chez eux, et les filles réclamaient toute mon attention.

Et ce mardi n'était pas différent des autres jours. En entrant (Mme Craine m'avait dit de ne pas frapper puisque j'étais attendue), j'ai entendu des éclats de rire dans le salon. Et quand j'ai passé la tête dans l'embrasure de la porte pour dire bonjour, les filles m'ont assaillie.

– MalloryBalloryTallory ! a crié Sophie.

– Devine quoi, Mallory ? a hurlé Margaret.

– Salutsalutsalutsalut, a fait Katie avec un immense sourire.

– Salut, les filles, ai-je répondu en riant. Je suis contente de vous voir.

– Devine quoi ? a demandé à nouveau Margaret.

– Quoi ? ai-je répondu.

– Nous jouons une pièce de théâtre ! ont entonné les filles en chœur.

Oh, non ! Encore une pièce ! J'en avais assez à la maison ! Je me suis retenue de soupirer et de lever les yeux au ciel.

– Génial, ai-je fait, en essayant de paraître sincère, ça parle de quoi ?

– C'est l'histoire d'une dame qui a un million de bébés.

Katie s'est approchée de moi, les bras chargés de poupées. Elle les a disposées sur mes genoux tout en m'indiquant leurs noms.

– Barbie B., a-t-elle annoncé en posant une Barbie sur ma cuisse droite. Nancy, a-t-elle continué en installant une poupée dans mes bras, Martha, a-t-elle ajouté en brandissant une poupée de chiffons toute molle.

– Je suis ravie de faire la connaissance de toutes vos poupées.

Mme Craine est alors entrée dans le salon en boutonnant son manteau.

315

– Je me demande d'où elle sort tous ces noms. Je ne sais pas comment elle fait, mais dès qu'elle a une nouvelle poupée, elle lui trouve aussitôt un prénom.

Elle a embrassé ses filles.

– Amusez-vous bien.

– Je ne veux pas que tu t'en ailles ! s'est soudain écriée Sophie, en enroulant ses bras autour des genoux de sa mère.

J'étais surprise. Ce n'était jamais arrivé auparavant. Je regardais Mme Craine qui m'a expliqué :

– Je pense qu'elle a sommeil. Elle n'a pas beaucoup dormi cet après-midi.

Sophie fronçait les sourcils et s'accrochait à sa mère.

– Ma chérie, il faut que je m'en aille, mais je vais bientôt revenir. Amuse-toi bien avec Mallory.

Sophie a secoué la tête et resserré son étreinte :

– Je veux aller avec toi.

Il était temps d'employer un des plus vieux trucs de baby-sitter.

– Sophie, j'ai apporté des jouets rien que pour toi, ai-je annoncé. Des jouets que tu n'as jamais vus !

Je suis allée chercher mon coffre à jouets dans l'entrée. Sophie a immédiatement lâché sa mère pour courir vers moi. Mme Craine m'a adressé un sourire puis elle m'a fait au revoir de la main en s'en allant sur la pointe des pieds.

En général, cela marchait.

Sophie s'est assise par terre et s'est mise à farfouiller à l'intérieur du coffre. Ce coffre est une véritable trouvaille. Je n'ai jamais vu un enfant y résister. C'est aussi Kristy qui a eu cette idée. Ce sont des boîtes que nous avons décorées nous-mêmes de façon originale et remplies de petits jouets, de jeux, de livres, d'autocollants, de crayons de couleur. Il y a tout ce qu'on veut là-dedans, mais ce n'est pas forcément neuf. Pour ma part, je récupère les jouets dont mes frères et sœurs ne veulent plus, mais ils paraissent tout nouveaux aux enfants que nous gardons et ils les trouvent fascinants.

Katie et Margaret avaient rejoint Sophie. Dans mon coffre, j'ai des jouets pour tous les âges. Chacune a donc trouvé quelque chose sans trop se chamailler. Elles avaient oublié leur théâtre et j'étais soulagée.

– J'adore ce livre, m'a dit Margaret qui feuilletait *Angelina ballerine*. Est-ce que je peux le garder ?

Elle avait vraiment envie de ce livre, mais j'ai répondu :

– Je ne peux pas te le laisser, parce que je garde d'autres enfants qui l'aiment beaucoup aussi. (Le visage de Margaret s'est décomposé.) Mais je promets de te l'apporter chaque fois que je viendrai ici.

Margaret a retrouvé sa bonne humeur. Je me suis dit que je parlerais de ce livre à sa mère, Margaret pourrait peut-être l'avoir pour son anniversaire.

Katie jouait avec un éléphant en peluche qu'elle avait trouvé dans le fond du coffre. Elle lui a tout de suite trouvé un nom.

– Bobby !

– D'accord pour Bobby, ai-je approuvé, Bobby l'éléphant. Il n'a jamais eu de nom, mais celui-ci est parfait.

Sophie essayait un diadème orné de perles, l'une des pièces les plus appréciées de mon coffre.

– Je suis une princesse, a-t-elle déclaré. Princesse Aurore.

Elle s'est mise à tournoyer dans la pièce.

C'est alors que j'ai entendu miauler.

– Fantôme ! me suis-je écriée. (Je l'avais presque oublié.) Comment va-t-il ?

– Il va très bien, a répondu Margaret en posant son livre. Tu veux le voir ?

Elle m'a conduite dans la buanderie. Mais brusquement elle s'est arrêtée, mettant une main sur sa bouche.

– J'ai oublié, il se sauve quand on ouvre la porte. Après, il faut le chercher dans toute la maison pour le rattraper.

– Bon, il vaut mieux le laisser, alors, ai-je répondu.

– Non, non, a répliqué Sophie. Je veux te le montrer.

– Montrer chat ! a lancé Katie.

Margaret ne savait que faire, mais sa fierté de posséder un chat l'a emporté.

– Il est trop mignon, a-t-elle expliqué. Il a grossi et son poil est plus beau depuis qu'on s'occupe de lui. Je vais juste entrouvrir la porte pour que tu puisses vite jeter un coup d'œil, d'accord ?

– D'accord, si tu es sûre…

A peine Margaret avait-elle ouvert la porte que Fantôme a bondi comme un éclair hors de la buanderie. Margaret a poussé un cri de surprise en le regardant filer.

Il était inutile de le suivre. Il allait trop vite.

– Il va aller se cacher, et on y ira le chercher après.

Nous avons attendu quelques minutes. Puis nous avons fouillé la maison en sifflant et en l'appelant.

– Par ici, petit chat, par ici, appelais-je.

– Viens là, Fantôme, a ajouté Margaret. J'ai quelque chose pour toi. (Elle avait attrapé une boîte de croquettes qu'elle agitait.) Parfois il vient quand il entend ça, m'a-t-elle expliqué.

Mais Fantôme ne s'est pas montré. Il restait bien caché. Nous avions regardé partout : sous les lits, dans les placards et même sous le réfrigérateur. Pas de Fantôme.

– Je sais ! Je parie qu'il est au grenier ! s'est écriée Sophie. Je vais chercher la lampe de poche.

J'avais remarqué que la porte du grenier était fermée, donc je savais qu'il ne pouvait pas y être allé, mais je ne voulais pas contrarier Sophie.

Munies de lampes de poche, nous sommes montées.

– Minou, minou, minou, ai-je appelé.

J'ai dirigé le faisceau de la lampe partout dans la pièce. Je vous ai déjà dit que j'adore les greniers ? J'aime fouiller dans des tas de vieux trucs poussiéreux à la recherche de trésors perdus. Vieux vêtements, tableaux, meubles. Toutes ces choses ont une histoire. Bien sûr, ce grenier n'était pas le mien et je savais que je ne pouvais l'explorer à fond. Mais je n'ai pu m'empêcher de jeter un coup d'œil rapide un peu partout pendant que les filles cherchaient Fantôme.

Il y avait un vieux mannequin de couturière dans un coin. La femme qui l'utilisait devait être minuscule. La taille paraissait si fine que j'aurais pu en faire le tour avec mes mains. Un vieux chapeau garni de roses rouges délavées était posé sur la tête du mannequin. A proximité, se trouvait une étagère pleine de vieux livres poussiéreux reliés en cuir, avec des inscriptions en lettres d'or sur le dos. Je mourais d'envie de les feuilleter, mais je me suis retenue.

– Je ne crois pas qu'on va le trouver ici, les filles, ai-je dit enfin. Nous allons redescendre pour manger quelque chose et réfléchir.

Margaret et Sophie n'avaient pas l'air de vouloir quitter

le grenier sans Fantôme, mais les yeux de Katie se sont agrandis quand elle a entendu le mot « manger ».

– Zus de pomme ? Gâteau ?

Je l'ai prise dans mes bras pour redescendre, suivie des deux autres petites. Le faisceau de ma lampe est alors tombé sur quelque chose que je n'avais pas remarqué auparavant.

– Un vieux carton à chapeau ! Génial ! Je me demande s'il y a un chapeau dedans.

C'était une boîte ronde rayée rose fané et blanc. Un ruban de soie rose servait de poignée. J'ai posé Katie à terre pour ouvrir délicatement le carton. Ce qu'il y avait dedans était beaucoup mieux qu'un chapeau.

– Des lettres ! s'est écriée Margaret.

– Des tas de lettres ! a repris Sophie.

J'ai pris un paquet entouré d'un ruban bleu. Les enveloppes étaient jaunies et abîmées, et l'écriture sur la première était pâle et fine.

– Elles sont vraiment très vieilles, ai-je constaté.

– On va les lire ? a demandé Margaret.

J'en avais très envie moi aussi.

– D'accord. Allons-y.

A la lumière de la cuisine, l'écriture des enveloppes était plus facile à déchiffrer. Les lettres étaient toutes adressées à un certain Samuel K. Graham et l'adresse de l'expéditeur était la suivante : Kennedy Graham, 94 High Street. C'était l'adresse des Craine ! Un petit mot, qui n'était pas dans une enveloppe, est tombé.

– *Abigail* (je lisais tout haut pour les filles), *j'ai pensé que tu aimerais avoir ces lettres d'oncle Kennedy puisque tu habites dans sa maison. Amitiés, ton cousin Samuel.*

– D'accord, ai-je expliqué en commençant à comprendre. Cet homme, Kennedy Graham, a vécu dans cette maison il y a très très longtemps. Et quand il vivait ici, il a écrit ces lettres à son neveu. Puis, bien longtemps après, une de ses nièces, Abigail, est venue vivre à son tour ici. Et Samuel lui a envoyé les lettres.

Margaret trouvait cette découverte passionnante.

– Formidable ! Alors il y a peut-être des trucs sur notre maison dans ces lettres.

– Oui. Tu veux en lire une ? ai-je demandé.

Margaret a hoché la tête énergiquement, mais après avoir tiré une lettre de son enveloppe et l'avoir examinée, elle s'est rendu compte que l'écriture vieillotte était trop difficile pour elle.

– Je ne peux pas, a-t-elle soupiré. Il écrivait bizarrement.

– Je vais les lire, d'accord ? ai-je suggéré. Comme ça, tout le monde pourra entendre.

Margaret m'a tendu la lettre et j'ai commencé à lire :

– *Cher Samuel, aujourd'hui, il fait beau. J'ai vu des rouges-gorges dans le jardin. Ils annoncent le printemps. Un visiteur est venu à ma porte ce matin : un petit chaton blanc et malingre.*

– Un chaton ! s'est écriée Margaret.

– *Comme je suis dépourvu de compagnie, j'ai décidé de garder ce chat et de prendre soin de lui.*

La lettre donnait ensuite des détails ennuyeux sur une cave que Kennedy Graham voulait installer cet été-là. J'ai pris une autre lettre datée de quelques mois plus tard.

– *Cher Samuel*, ai-je lu. (Les filles me fixaient avec des yeux ronds, avides d'en savoir plus sur le chaton.) *Les feuilles deviennent écarlates et dorées, et Tinker (c'est le nom que j'ai donné à mon chat) essaie de les attraper. Il est devenu magnifique, et c'est mon meilleur ami.*

Margaret a applaudi :

– Encore !

Sophie sautait en l'air. Katie, qui ne comprenait sans doute pas grand-chose, souriait. J'ai continué à lire. Les lettres étaient très intéressantes, mais les meilleurs passages concernaient le chat. Apparemment, Kennedy Graham se sentait très, très seul avant que le chat vienne chez lui. Il aimait ce chat et il le gâtait beaucoup.

– Je me suis fait rôtir un de mes plus beaux poulets et j'ai donné le foie à Tinker pour son repas du soir. Il a adoré ça et il a mangé jusqu'à ce qu'il ne puisse plus bouger…

Je commençais à aimer Kennedy Graham et Tinker. Alors, ce fut un vrai choc de lire que le chat était mort « après une maladie qui l'avait beaucoup amaigri ». Les filles étaient bouleversées par la mort du chat. Aussi ai-je essayé de cacher les autres lettres. C'était triste. Après la mort de son chat, Kennedy Graham n'avait plus été le même. Il était « désemparé… ». Il avait sans cesse l'impression d'entendre un chat miauler et « pleurer comme s'il avait le cœur brisé… ». Et ces plaintes semblaient venir du grenier ! J'ai eu un frisson en lisant cela. Le fantôme de Tinker était-il revenu chez Kennedy Graham ? Ou bien Kennedy Graham avait-il perdu la raison ?

– Il a l'air bizarre, a déclaré Margaret, en ramassant une vieille photo jaunie qui était tombée d'une des lettres.

Kennedy Graham était un homme aux cheveux blancs et au visage anguleux avec une petite cicatrice sous l'œil gauche.

– Je parie que c'est une griffure de chat ! a-t-elle estimé en voyant ça.

A peine avait-elle parlé que j'ai entendu un miaulement. Très fort. Et le bruit venait d'en haut ! Je vous jure que mes cheveux se sont dressés sur ma tête. Mais j'ai pris mon courage à deux mains et j'ai grimpé les escaliers du grenier pour aller vérifier. Peut-être n'était-ce que notre Fantôme qui était coincé là-haut.

Il n'y avait aucun chat dans le grenier. Mais il s'est passé une chose très étrange. En redescendant, j'ai voulu aller vérifier dans la buanderie. Fantôme était là, confortablement roulé en boule sur des serviettes propres !

Et il y était visiblement depuis longtemps.

⑨

VENDREDI

Des chats, des chats, des chats! Tout le monde est devenu fou! D'abord Mallory avec cette histoire de chat fantôme chez les Craine, ensuite ces vieilles lettres à propos de... - je vous le donne en mille - un chat! Et juste au moment où j'en avais plus qu'assez des histoires de chats, j'ai dû m'occuper des petits Korman, et Melody voulait se déguiser en chat. Vous avez déjà entendu parler de la distinction entre les caractères "chats" et "chiens" des humains? Moi, je suis convaincue d'avoir un caractère "chien." Je ne veux plus rien avoir à faire avec les chats. S'il te plaît, Mary Anne, ne le prends pas mal - j'aime quand même bien Tigrou mais uniquement parce qu'il est calme. A part ça, je ne veux plus entendre un seul "miaou" de ma vie.

Kristy s'était en effet occupée des trois enfants de la famille Korman. Les Korman sont des clients réguliers depuis qu'ils habitent en face de chez Kristy, et elle va souvent faire du baby-sitting chez eux.

La soirée ne s'annonçait pas trop mal. Kristy s'était arrangée pour venir avec sa demi-sœur Karen parce que Karen et Melody ont le même âge (sept ans) et qu'elles sont devenues amies. Lorsque Kristy et Karen sont arrivées sur le pas de la porte, Melody a ouvert avant même qu'elles ne sonnent.

– Je vous ai vues arriver ! Je suis tellement contente que tu sois là !

– Moi aussi, je suis contente d'être là, a répondu Kristy en souriant.

– Pas toi, enfin ! s'est écriée Melody. (Le visage de Kristy s'est assombri.) Je veux dire…, a corrigé Meldoy, se rendant compte qu'elle avait été impolie avec Kristy, je suis contente aussi que tu sois là, mais surtout que Karen soit là. Skylar dort et Bill m'embête. Il est agaçant. Tout ce qu'il fait, c'est d'aligner ses G.I. Joe et parler de ce qu'ils peuvent faire avec leurs armes… Pff !

– Pff, a approuvé Karen.

– Mais maintenant, on va pouvoir jouer, a continué Melody. Qu'est-ce qu'on fait ?

– On va jouer aux sirènes, et on dira que la fontaine c'est la piscine, a décrété Karen.

Eh oui, il y avait une fontaine dans l'entrée des Korman ! Je vous ai dit que Kristy vivait dans une immense villa ? Bon, dans leur quartier, il n'y a pratiquement que des maisons de ce type, et celle des Korman est la plus grande de toutes. Au fait, je voulais ajouter quelque chose à propos de cette fontaine : elle est en forme de poisson dressé sur la queue… Quand les Korman ont emménagé, ils l'ont trouvée amusante et ils l'ont fait fonctionner. Skylar a paniqué ! Elle n'a qu'un an, mais je ne comprends pas ce qui a pu autant l'effrayer. Enfin, c'est comme ça. Du coup les Korman n'ont plus jamais fait marcher leur fontaine.

Toujours est-il qu'une fois ses parents partis, Melody n'a pas voulu jouer dans la fontaine.

– J'en ai assez de jouer à la sirène. On joue à autre chose.

– Et si on jouait au Grand Hôtel, a suggéré Karen, pleine d'espoir.

C'est son jeu préféré parce que c'est elle qui l'a inventé. Elle imagine les différents clients d'un palace.

– Non, a rétorqué Melody. On n'est pas assez. Bill ne jouera pas avec nous, et Skylar est trop petite. C'est pas drôle de jouer qu'à deux.

Kristy était soulagée. Elle n'aime pas trop ce jeu. Il se termine toujours par des disputes. Tout le monde veut jouer des personnages intéressants, c'est-à-dire les clients riches, et personne ne veut faire les rôles plus ennuyeux, comme le portier.

– Et si on jouait aux Belles Dames ? a proposé Karen. Ça fait longtemps qu'on n'y a pas joué.

– Super ! s'est exclamée Melody. Maman m'a acheté un chapeau génial. Viens ! Je vais te montrer.

Elles se sont précipitées à l'étage dans la chambre de Melody. Les Belles Dames est un jeu où l'on se déguise. Les filles allaient être très occupées. Du coup Kristy est allée voir Bill. Elle a passé la tête dans l'embrasure de la porte :

– Salut ! Quoi de neuf ?

Bill était couché sur le dos, allongé sur le tapis au milieu de la pièce. Il tenait un hélicoptère dans une main et un avion dans l'autre.

– Boum ! Bam, bam, BAM !

Il agitait les bras pour simuler une bataille aérienne. Il était ailleurs. Kristy savait qu'il ne l'avait même pas entendue.

– Bill ! a-t-elle répété plus fort. Hou, hou !

Bill a cessé de faire du bruit une seconde pour la regarder.

– Oh, bonjour !

Il a levé les sourcils, comme s'il se demandait ce qu'elle lui voulait.

– Je voulais savoir si ça allait, a expliqué Kristy.

– Ça va.

Apparemment, il voulait qu'on le laisse tranquille et reprendre sa bataille aérienne.

– Très bien, a dit Kristy en s'apprêtant à quitter la pièce. Mais nous allons bientôt dîner.

Bill était à nouveau en pleine action. Il a hoché la tête sans cesser de jouer.

Kristy s'est dirigée vers la chambre de Skylar. « Couvertu ! » a-t-elle entendu en entrant.

Skylar était réveillée. Elle voulait sa couverture qui était tombée du berceau. Kristy l'a ramassée et la lui a tendue.

– La voilà. Prête à te lever ?

Skylar est en général un bébé très heureux de vivre. Kristy l'a changée (les bébés sont presque toujours mouillés, ou pire, quand ils se réveillent) et l'a vêtue d'une barboteuse propre.

– Allons voir ton frère, ta sœur et ma demi-sœur, et après, nous mangerons, a-t-elle expliqué en calant Skylar sur sa hanche. D'accord ?

La petite a souri en tapant des mains :

– Manger !

– Oui, manger, a répété Kristy.

Elle a porté Skylar jusqu'à la chambre de Melody. Karen et Melody étaient complètement absorbées par leur jeu. Melody portait un tutu rose, des chaussures argentées à hauts talons, un voile de mariée et un collier de « diamants ». Karen portait un long manteau rouge (qui servait à incarner le Petit Chaperon rouge), et tenait une baguette magique. Au bout de la baguette, il y avait une étoile rose garnie de paillettes et de serpentins.

– Oh, s'est exclamée Melody en se regardant dans une glace, je suis une belle, belle dame.

Kristy a dû se retenir pour ne pas rire. Elle savait que c'était le moment le plus important du jeu. Le dialogue était toujours le même. Elle connaissait par cœur la réplique de Karen qui allait suivre.

– Prendrez-vous du thé ? a demandé Karen qui, elle aussi, s'admirait sous toutes les coutures dans un miroir.

– Avec plaisir, a répondu Melody. Les belles dames prennent toujours le thé.

Et voilà la fin du jeu des Belles Dames !

Kristy a applaudi non sans mal car elle portait toujours Skylar.

– Très beaux costumes, les filles ! Ces dames sont-elles prêtes à manger ?

– Presque, a répondu Karen. D'abord, il faut qu'on dise nos répliques. Mais cette fois, c'est moi qui commence.

Elle s'est tournée vers Melody.

– Oh, je suis une belle, belle dame, a-t-elle dit à toute vitesse.

Elles ont rejoué la scène en un éclair.

– Bon, qui m'aide à préparer le repas ? a demandé Kristy.

– Moi ! a crié Karen.

– Miaou ! a fait Melody.

– Quoi ? a fait Kristy.

– Miaou, a répété Melody, occupée à enlever ses habits de belle dame. J'en ai assez d'être une belle dame. A partir de maintenant, je suis un chat !

– Chat ! a répété Skylar, effrayée.

– Ne t'inquiète pas, Skylar. Je ne suis pas le genre de chat qui te fait peur. Je suis un chat Melody.

Kristy s'est rappelée que Skylar avait une peur terrible des chats. Mais apparemment, les paroles de sa sœur l'avaient rassurée.

– Chat Melody, a-t-elle dit en souriant. Caresser chat !

Elle s'est débattue pour descendre des bras de Kristy afin de caresser la tête de Melody.

– Rrrr, Rrrr, a fait Melody.

– C'est casse-pieds, les chats, est intervenue soudain Karen.

Elle était en train de réajuster son déguisement.

– Tu ne veux pas jouer aux Belles Dames à table ?

329

Karen se montre parfois un peu autoritaire et, même si quelqu'un d'autre a une bonne idée, Karen s'y oppose. Elle veut être la seule à décider.

– Miaou, a continué Melody en en rajoutant.

Elle adore faire semblant. Elle a frotté sa tête contre la jambe de Kristy sans s'occuper de Karen.

Kristy a regardé Karen et a haussé les épaules.

– Eh bien, a-t-elle déclaré, je crois que nous allons manger avec un bébé, un garçon, une belle dame et un chat.

Karen faisait la tête, mais elle a suivi Kristy, qui portait à nouveau Skylar, et Melody, qui marchait sur la pointe des « pattes », dans la cuisine. Karen a aidé Kristy à mettre la table, pendant que Melody faisait semblant de jouer avec de la ficelle. Puis, Karen a aidé Kristy à faire une salade, pendant que Melody faisait semblant de boire un bol de lait que Kristy avait versé pour le « chat ». Karen est allée chercher Bill pour manger, tandis que Melody ronronnait sous la table.

– Qu'est-ce qu'on mange ? a demandé Bill. Des hot-dogs, je parie. C'est toujours ce qu'on mange quand il y a des baby-sitters.

– Raté, a répliqué Kristy. Du poisson pané, ça te va ?

– Ouais ! J'adore ça. Skylar aussi. Mais Melody n'aime pas trop.

Tout allait bien pour Bill et Skylar qui appréciaient le repas, mais Karen et Melody étaient plutôt sombres. Karen supportait mal le « chat » Melody, et Melody n'aimait pas le poisson. Kristy a laissé Melody prendre du pain à condition qu'elle mange un peu de salade. Pour ce qui est de Karen, Kristy a trouvé préférable qu'elle rentre chez elle après le repas.

– Je vais appeler ta maman pour qu'elle vienne te chercher, lui a-t-elle dit à la fin du repas.

– D'accord.

Elle semblait soulagée de rentrer. En temps normal, elle aurait fait toute une histoire, mais avec l'histoire du chat, elle n'était pas d'humeur à discuter.

Karen a ôté son déguisement de « Belle Dame » et a attendu près de la porte que sa mère arrive. A l'arrivée de celle-ci, Karen a dit au revoir à son amie.

– Au revoir, Melody.

– Miaou.

Kristy a levé les yeux au ciel et la mère de Karen a souri.

– C'est un beau chat que vous avez là, madame, a-t-elle dit pour rire.

– Miaou, a fait Melody.

« Miaou », c'est tout ce que Melody a dit de la soirée. Kristy a tout essayé, mais Melody a tenu bon.

– Et si on jouait au Cluedo ?

– Miaou.

– Et si on faisait des gâteaux ?

– Miaou.

– Et si on regardait un peu la télé ?

Nous évitons de regarder la télé quand nous faisons du baby-sitting car nous préférons faire des choses plus drôles et plus actives avec les enfants mais là, Kristy était désespérée.

– Miaou...

Finalement Kristy a renoncé et a laissé Melody faire ce qu'elle voulait. C'est-à-dire s'allonger en miaulant et en ronronnant et laisser Skylar et Bill la traiter comme un chat.

Mais juste avant l'heure du coucher, Kristy a pu enfin se venger.

– Miaou, a fait Melody. J'ai faim !

– Je sais exactement ce qu'il faut à un chat affamé, a déclaré Kristy.

Elle est allée dans la cuisine, a pris deux morceaux de poisson pané qui restaient dans le réfrigérateur et les a mis dans un bol qu'elle a apporté à Melody.

– Tiens, petit chat !

Melody l'a regardée. Elle avait cessé de miauler et de ronronner.

– Il n'y a pas de gâteaux ? a-t-elle demandé comme une vraie petite fille qu'elle était.

Kristy l'a embrassée très fort et lui a donné aussi... deux gâteaux.

– *Oh, non, encore! a gémi Vanessa en désignant un petit tiroir au bout de la table.*

Elle et moi avions été réquisitionnées pour nettoyer le salon, mais cette tâche nous a réservé des surprises.

Nous avons découvert un peu partout des petits tas bizarres, œuvres de l'oncle Joe.

J'ai trouvé un tas de bouchons derrière un géranium sur l'appui de fenêtre. Puis Vanessa a découvert un enchevêtrement de fils de nylon cachés sous le coussin du fauteuil d'oncle Joe. Des morceaux de papier froissé avaient été dissimulés sous un magazine sur la table basse. Et, dans le tiroir, nous avons trouvé plein de petites boulettes de papier d'aluminium.

– C'est comme ça qu'il passe son temps pendant que nous sommes à l'école, a-t-elle commenté. Il doit faire le tour de la maison pour cacher ce genre de trucs.

J'ai hoché la tête. La situation n'avait pas beaucoup évolué. Oncle Joe était toujours assez froid et distant avec nous. Il ne connaissait toujours pas nos prénoms. Et il passait beaucoup de temps à dormir dans son fauteuil. Je faisais vraiment tout mon possible pour être patiente. J'essayais de me mettre à sa place et d'imaginer ce qu'on éprouve quand on est vieux, malade, et tout le temps fatigué.

Mais ça devenait de plus en plus difficile. Et je n'étais pas la seule à éprouver cela. C'était le cas de toute la famille. Les plus jeunes des enfants ne comprenaient pas l'attitude d'oncle Joe et étaient choqués qu'il ne veuille pas apprendre leur prénom. Vanessa et moi étions fatiguées d'obliger nos frères et sœurs à rester tranquilles et à ne pas faire le moindre bruit. Et maman et papa se faisaient visiblement du souci pour oncle Joe.

– Je crois qu'il est encore monté pendant que nous étions sortis, aujourd'hui, avait dit maman à papa un soir pendant le dîner.

Oncle Joe avait quitté la table, comme d'habitude, aussitôt après avoir fini son repas. Nous mangions sans appétit du thon cuit à la vapeur sans assaisonnement.

– Il doit s'ennuyer et s'agiter inutilement quand il est tout seul à la maison, a répondu papa. Mais je n'aime pas qu'il monte ces escaliers. Et s'il tombait en notre absence ?

Oncle Joe était censé rester en bas. Il n'avait aucune raison d'aller au premier, puisque tout ce dont il avait besoin était au rez-de-chaussée. Mais depuis quelque temps, il avait envie de se promener partout.

– Mon supérieur n'a pas l'air content que je prenne

autant de jours de congé en ce moment, a expliqué maman.
Je me fais du souci pour oncle Joe, c'est certain, mais je ne
peux pas rester ici en permanence pour le surveiller.

Maman travaille à mi-temps, et c'est vrai qu'elle a pris
pas mal de jours de congé. Elle pensait qu'il était important
d'être le plus souvent possible avec oncle Joe. Plus le temps
passait, plus il semblait avoir besoin qu'on s'occupe de lui.
Et cela ne gênait pas maman de passer beaucoup de temps
avec lui. Mais si elle perdait son emploi ? Pour être
honnête, il y a eu des moments où j'aurais souhaité qu'oncle Joe ne soit jamais venu. Comme la fois où je suis
rentrée du centre commercial un samedi après-midi.
Maman travaillait à son bureau dans le salon. Elle ramenait
beaucoup de dossiers à la maison pour rattraper son retard.

– Bonjour, ma chérie.

– Bonjour, maman. Où sont les autres ?

La maison était terriblement calme.

– Eh bien, a-t-elle répondu en posant son stylo, Vanessa
est en haut. Elle doit être en train d'écrire un poème.
Claire et Margot s'amusent à se déguiser dans la salle de
jeux. Et les garçons jouent dehors avec des copains.

– Et oncle Joe ? ai-je demandé.

– Je crois qu'il dort dans sa chambre. Mais peut-être
pourrais-tu vérifier.

Je suis allée à la porte de la chambre. J'ai frappé doucement. Pas de réponse. J'ai ouvert la porte. Pas d'oncle Joe.
Le lit était fait et son pyjama était soigneusement plié sur
l'oreiller.

– Il n'y est pas ! ai-je dit à maman.

Elle m'a regardée avec étonnement.

– Oh, mon Dieu, et j'étais persuadée qu'il était dans sa chambre ! Où crois-tu qu'il puisse être ? Il faut le trouver.

Nous avons cherché partout. De fond en comble. Personne.

– Il est peut-être sorti avec papa, ai-je suggéré, pleine d'espoir.

– Non, j'ai vu partir ton père. Il était tout seul dans la voiture. Oncle Joe a dû sortir sans nous prévenir.

Je me suis portée volontaire pour le retrouver. J'ai sauté sur mon vélo et j'ai sillonné le quartier, tandis que maman restait à la maison avec mes sœurs.

Je suis allée partout, mais en vain. Finalement je suis revenue vers la maison, sans l'avoir trouvé. Mais alors que je remontais l'allée, j'ai vu notre voisine, Mme Murphy, qui sortait de chez elle. Elle tenait quelqu'un par la main. C'était oncle Joe !

– Mallory ! Je suis contente de te voir. C'est bien ton oncle, n'est-ce pas ?

J'ai hoché la tête en signe d'assentiment. Que faisait oncle Joe chez les Murphy ?

– Il a dû décider de nous rendre visite, a expliqué Mme Murphy. Je viens de rentrer du supermarché et je l'ai trouvé endormi sur le divan.

Elle a souri.

Je me sentais affreusement gênée. Pour moi et pour oncle Joe.

– Je pense qu'il a voulu faire une petite promenade et qu'il s'est un peu perdu, ai-je répondu. Il n'est pas encore vraiment habitué à vivre chez nous.

J'ai rangé mon vélo dans l'allée et me suis dirigée vers

Mme Murphy et oncle Joe. J'ai pris ce dernier par le bras, doucement, pour le ramener à la maison.

– Merci, m'a dit Mme Murphy, en me regardant avec reconnaissance et en me faisant au revoir de la main.

Oncle Joe a fait bien d'autres choses bizarres. Par exemple, maman avait décidé qu'il se sentirait plus chez lui si on lui confiait quelque chose à faire au moment de préparer le repas, comme tout le monde. Nous mettons la table chacun notre tour, nous la débarrassons, lavons et essuyons la vaisselle. Maman a donc demandé à oncle Joe d'essuyer la vaisselle. Elle pensait que c'était la tâche la plus facile qu'elle puisse lui confier. Il n'aurait qu'à empiler les assiettes sur le comptoir.

Il avait l'air de bien aimer ce travail. Il se tenait près de l'évier, en costume, chantonnant un air en essuyant soigneusement chaque assiette. Mais au bout d'un moment, il s'est mis à faire des trucs bizarres. Il remettait les assiettes propres dans l'évier avec les sales, ce qui fait que la vaisselle était faite deux fois. (Mais nous nous en sommes rendu compte très vite.) Parfois, on retrouvait la vaisselle dans des endroits étranges. Oncle Joe errait dans la maison avec des plats et les posait soigneusement sur la télé ou dans le four. Maman a même trouvé des tasses dans le lave-linge !

Maman a vite libéré oncle Joe de sa corvée de vaisselle. («Dommage que je n'aie jamais pensé à cacher la vaisselle !» a fait Nicky avec envie.)

Oncle Joe avait aussi des problèmes pour se repérer dans le temps. Un matin, après le petit déjeuner, il s'est remis en pyjama. Une autre fois, il a demandé à maman pourquoi le repas n'était pas prêt : il était deux heures de l'après-midi !

Et, parfois, je me réveillais la nuit et je l'entendais déambuler en bas.

Oncle Joe n'avait pas toujours un comportement bizarre. Il avait souvent l'air d'aller bien. Il était assis dans son fauteuil et lisait le journal. Il prenait ses repas avec nous. Mais je voyais bien que papa se faisait du souci pour lui et, parfois, j'entendais mes parents discuter à voix basse d'un air grave.

Papa était toujours gentil avec lui. Nous voulions tous qu'il se sente comme chez lui, mais papa était le seul à le faire participer vraiment à la conversation. Une fois, ils se sont mis à parler de personnes qu'ils avaient connues autrefois et oncle Joe était content. Le plus étonnant, c'est qu'il n'avait aucun mal à se souvenir du nom des amis avec qui il allait à la pêche. Il se rappelait des détails concernant des choses qui s'étaient passées cinquante ans auparavant, comme si c'était hier. Et pourtant, il n'arrivait pas à se souvenir de nos prénoms ou bien il oubliait où il avait laissé ses lunettes.

Un soir, papa et oncle Joe ont évoqué la fois où ils étaient allés au cirque.

– Tu te souviens qu'on avait fait entrer Sparky sous le chapiteau ? a demandé papa.

– Oui. Et je me souviens comme la foule a ri quand ton chien a rejoint les clowns.

Papa a souri :

– Et on nous a demandé de sortir. Mais ça en valait la peine, pas vrai ?

Pas de réponse d'oncle Joe. Papa lui a lancé un regard inquiet et lui a touché le bras.

– Oncle Joe ?

Oncle Joe a regardé papa avec un sourire poli.

– Je suis vraiment désolé, monsieur, mais je crains de ne pas me souvenir de votre nom.

Puis il s'est saisi de sa fourchette pour continuer à manger.

C'était comme si papa avait reçu un coup dans l'estomac. Il a jeté un regard circulaire autour de la table pour voir si nous avions entendu, mais mes frères et sœurs discutaient entre eux. Et maman était occupée à arbitrer une dispute entre Claire et Margot.

– Oncle Joe, a repris papa prudemment, c'est moi, John Pike. Tu habites actuellement chez nous. Nous parlions de la fois où tu m'as emmené au cirque quand j'étais petit garçon.

Papa parlait très doucement. Il donnait à oncle Joe toutes les informations nécessaires pour qu'il se souvienne où il était et pourquoi.

– Mais naturellement, John, a dit oncle Joe, comme si rien ne s'était passé, et l'air offensé. J'étais juste préoccupé, c'est tout.

Papa et moi nous sommes regardés, stupéfaits. Préoccupé ? Ou sur la planète Mars ? Je n'en croyais pas mes oreilles, mais je voyais bien que papa souhaitait que je garde cela pour moi. Je lui ai adressé un signe de connivence et je n'en ai rien dit à personne. En revanche j'en ai parlé à Claudia au téléphone parce qu'elle avait de l'expérience en la matière et j'espérais qu'elle me rassurerait.

– Ouh là ! s'est-elle exclamée. C'est dingue. Je me demande s'il a eu une attaque ou quelque chose comme ça.

C'est son attaque qui avait rendu Mimi bizarre avant sa mort.

– Mais il a l'air bien, pourtant. C'est juste qu'il est un peu ailleurs parfois. Oh, Claudia, ça m'a fait un drôle d'effet tout à l'heure et même un peu peur.

– Tu devrais en parler à ton père ou ta mère. Dis-leur que tu as peur. Ils t'expliqueront peut-être ce qui se passe, cela t'aidera.

J'ai remercié Claudia pour son conseil mais, en raccrochant, j'étais toujours aussi perdue et désemparée qu'avant. Je ne pouvais pas parler de mes frayeurs à mes parents. Ils étaient déjà assez ennuyés comme ça avec mon oncle. Ils n'avaient pas besoin en plus d'une fille perturbée.

Mais, cette nuit-là, la situation a pris une autre tournure. Je dormais profondément quand j'ai été réveillée par un grand cri. J'ai sauté hors de mon lit, le cœur battant. Mon réveil indiquait trois heures trente. J'ai entendu des voix dans l'entrée. Je suis allée voir. Papa et maman étaient en train de réconforter Margot qui était en pleurs. Ils étaient tous les trois en pyjama, ce qui était normal puisqu'on était au milieu de la nuit. Mais à proximité de là se tenait oncle Joe tout habillé avec son costume bleu et sa chemise blanche amidonnée, comme pour aller à l'église. Et, en fait, c'est exactement ce qu'il avait l'intention de faire.

Margot s'est calmée et est retournée se coucher. Papa a aidé oncle Joe à retourner dans sa chambre et l'a mis au lit. La maison était à nouveau silencieuse. Mais quelque chose avait changé. Je l'avais remarqué quand papa avait pris le bras d'oncle Joe.

Et, en effet, le lendemain, papa a réuni la famille en

urgence dans la salle de jeux. Oncle Joe n'était pas là : il dormait encore. En tout cas, la porte de sa chambre était fermée.

– Je crains que nous ne soyons obligés d'abréger la visite d'oncle Joe, a annoncé papa. Il a besoin qu'on s'occupe beaucoup plus de lui que nous ne pouvons le faire à la maison, et votre mère et moi avons décidé qu'il vaut mieux qu'il retourne à la maison de retraite.

Je ne peux pas dire que j'étais consternée par cette nouvelle, mais deux choses m'ennuyaient. La première, c'est que j'avais tant espéré de cette visite. Et la deuxième, c'est que papa avait l'air tellement triste.

– Raconte-leur la suite, a dit maman doucement. Ils doivent savoir ce qui s'est passé.

– Eh bien, a expliqué papa, quand nous sommes allés chercher oncle Joe, les infirmières nous ont dit qu'il présentait les symptômes de la maladie d'Alzheimer. Elles nous ont demandé d'être vigilants et de le ramener pour des examens, si nécessaire.

Les plus petits ne comprenaient pas bien.

– C'est quoi la maladie d'Alcimère ? a demandé Claire.

– D'Alzheimer, a rectifié papa. C'est une maladie que les gens ont parfois en vieillissant. Ils oublient des choses et se comportent bizarrement. Cela touche leur cerveau, a-t-il expliqué, l'air bouleversé.

– C'est pour ça qu'il est bizarre ? a demandé Vanessa.

Papa a acquiescé :

– Ça explique sûrement son comportement. Par exemple, le fait qu'il oublie vos prénoms vient de ce que les gens atteints de cette maladie ont beaucoup de difficultés à se souvenir des choses récentes. Ils se souviennent d'événements très anciens, mais absolument pas de ce qui s'est passé la semaine dernière. Je pense qu'il ira mieux dans un environnement plus stable et plus calme, a-t-il ajouté en soupirant.

– Mais nous pouvons être plus calmes ! s'est écrié Jordan.

Je voyais qu'il se faisait du souci pour papa et qu'il aurait voulu que les choses s'arrangent.

Papa a souri.

– Je sais. Et je sais aussi que vous avez fait de votre mieux pour que cette visite soit réussie. Mais ce qui est arrivé n'est la faute de personne. Nous devons faire ce qui est le mieux pour oncle Joe.

Margot a posé encore une question :

– Il va guérir ?

Papa a secoué la tête, l'air plus triste que jamais.

– Probablement pas, ma chérie. Mais nous ferons tout notre possible pour veiller à ce qu'il ait tout le confort et les soins nécessaires.

JEUDI

SOS Fantômes! J'adorerais être le chasseur de fantômes officiel de Stonebrook. Je devrais peut-être passer une annonce. « Vous avez un fantôme chez vous ? Vous êtes hanté par des esprits ? Dérangé par des revenants ? Inquiété par des ombres ? N'attendez pas, appelez immédiatement Carla ! » C'est vrai, Mallory, tu es tombée à pic. J'étais justement en train de me remettre en mémoire les techniques de chasse aux fantômes en lisant un livre très intéressant : COMMENT CAPTURER UN FANTÔME ? Quand tu as téléphoné, j'étais prête à entrer en action !

Ça faisait des jours que je pensais à ce qui s'était passé chez les Craine. En fait, je n'arrêtais pas de penser à ces lettres que nous avions trouvées. Kennedy Graham avait été un homme étrange et secret, mais il aimait tant son chat que, même après la mort de son compagnon, il l'entendait miauler ! Un homme seul, un chat blanc, les miaulements dans le grenier : ça me donnait des frissons, pour vous dire la vérité. Et j'ai commencé à me demander (ne riez pas) si Fantôme n'était pas vraiment un fantôme !

Était-ce possible ? Était-il possible que Fantôme et Tinker ne fassent qu'un ? Je faisais des rêves bizarres. Mais vous savez quoi ? Je préférais penser à ça plutôt qu'à oncle Joe.

Enfin, une nuit, j'ai eu une idée. Si j'avais un problème de fantôme, la seule personne qu'il fallait appeler, c'était Carla. Les fantômes la fascinent. Elle est même persuadée qu'il y en a un qui erre dans le passage secret de sa maison. (La maison de Carla est très ancienne. Ça ne m'étonnerait pas qu'il y en ait même plusieurs, des fantômes !) Carla lit tout ce qui existe sur les esprits, et elle sait un nombre incroyable de choses sur les différents types de fantômes et ce qu'ils font.

Elle a tout de suite été emballée par mon idée.

– Il faut faire passer quelques tests à Fantôme, a-t-elle affirmé. Des tests qui nous prouveront si c'est un vrai chat ou si c'est quelque chose d'autre. (Elle avait un ton sinistre en prononçant ces derniers mots.)

– Euh... Tu sais comment faire, toi ? ai-je demandé.

Cette perspective m'angoissait un peu, vous comprenez.

– Bien sûr ! Pas de problème. Quand veux-tu que je vienne voir le chat ?

– Eh bien, je vais chez les Craine jeudi après-midi, et je pense que...

– Super ! m'a-t-elle interrompue. J'y serai.

C'est pourquoi Carla se trouvait avec moi chez les Craine jeudi après-midi. J'avais appelé Mme Craine la veille pour savoir si ça ne la dérangeait pas que je vienne avec une amie (je m'étais bien gardée de parler de fantôme, évidemment). Elle était d'accord. Les filles étaient toutes contentes d'avoir deux baby-sitters ce jour-là. Et elles ont tout de suite aimé Carla.

– Bonjour, Carla, a dit Sophie. Tu veux voir ma chambre ?

– Non, la mienne d'abord ! a crié Margaret.

– Jouer avec Barbie B. ? a demandé Katie timidement, en tenant sa poupée préférée.

– Tu devrais être flattée, ai-je murmuré à Carla. Tout le monde n'a pas le droit de jouer avec Barbie B.

– Barbie B. ressemble à toutes les Barbie, m'a chuchoté à son tour Carla.

J'ai approuvé :

– Oui. Mais pour Katie, elle est spéciale.

Puis, élevant la voix :

– Margaret ! Sophie ! Venez par ici. Nous avons quelque chose à vous dire. Nous allons jouer à un jeu très amusant aujourd'hui, ai-je annoncé pendant qu'elles s'approchaient de nous.

– Quoi ? a demandé Sophie.

– Nous allons faire la chasse aux fantômes !

– Génial ! s'est écriée Margaret.

– Super ! a ajouté Sophie.

Katie avait l'air ravie. Toutes aimaient beaucoup cette idée. Je crois qu'elles sont trop jeunes pour avoir vraiment peur des fantômes. En plus, elles ont vu le film *SOS Fantômes*. Alors elles savent que ça peut être drôle de chasser les fantômes.

– Carla est notre chasseur de fantômes, ai-je annoncé. Elle va s'occuper des esprits de cette maison, s'il y en a.

Je ne voulais pas dire que je soupçonnais Fantôme d'en être un. Enfin, pas tout de suite.

– Par où on commence ? a demandé Sophie.

– Montrons-lui le grenier, a suggéré Margaret.

– Bonne idée, a approuvé Carla. Les fantômes adorent les greniers.

Nous sommes montées à l'étage, lampes de poche en main. Les filles ont fait visiter le grenier à Carla.

– Fantôme se cachait sous cette table quand on l'a trouvé, a expliqué Margaret.

– Et voilà le carton à chapeau où on a découvert les lettres, a ajouté Sophie.

– Ah, oui, les lettres. J'aimerais les voir, justement, a demandé Carla.

Elle tenait quelque chose à la main qu'elle examinait à la lueur de sa lampe de poche.

– Qu'est-ce que c'est ? ai-je demandé.

– Un thermomètre. Je voulais juste vérifier la température ici. En général, il fait beaucoup plus frais quand il y a des fantômes.

– Oh..., ai-je fait, impressionnée.

Carla avait l'air tellement... professionnel.

Au bout d'un moment, elle a décidé qu'elle en avait

assez vu et nous sommes toutes redescendues. Margaret a couru chercher les lettres, tandis que Carla faisait une courte pause pour jouer avec Katie.

– Les voilà! a lancé Margaret en agitant les lettres en l'air. Et voilà une photo de ce type bizarre, Kennedy Graham.

– Il n'était pas si bizarre, suis-je intervenue sur la défensive, il était juste âgé et solitaire. (Je pensais à oncle Joe.)

– Voyons ces lettres, a dit Carla en les parcourant rapidement. Mmm... Je me demande...

– Quoi? Quoi? ont demandé Margaret et Sophie.

– Je me demande si Fantôme ne serait pas un chat fantôme! a répondu Carla.

– Un *vrai* fantôme? s'est écriée Sophie.

– Comment on va faire pour le savoir? a demandé Margaret.

D'autres enfants auraient eu peur, mais pas ces deux-là. Même Katie était excitée, bien qu'elle soit trop jeune pour comprendre ce qui se passait. Elle tapait sur sa chaise haute avec sa petite cuillère en criant:

– Antôme!

Carla était dans son élément.

– Nous devons faire quelques tests, a-t-elle proposé. D'abord, nous allons vérifier la température dans la buanderie...

– Je viens de penser à quelque chose, a fait Margaret. Comment un chat pourrait-il être un fantôme? C'est un chat! Les fantômes sont toujours des gens, non?

– Ah non, a répondu Carla. J'ai lu un livre qui racontait que vingt pour cent des fantômes sont des animaux ou même des objets. Et les animaux fantômes les plus courants sont les chats et les chiens !

– Waouh ! a soufflé Margaret, épatée.

– De toute façon, a poursuivi Carla, allons d'abord prendre la température dans la pièce. Comme je vous l'ai expliqué, la température ambiante baisse en présence de fantômes. Puis on vérifiera s'il y a des ectoplasmes avec cet instrument. (Elle a attrapé son sac à dos et en a sorti une étrange petite boîte couverte de cadrans et de boutons.)

– Tu as eu ça où ? ai-je demandé.

– Je l'ai commandé, a-t-elle répondu. Il y avait une pub au dos d'un magazine de bandes dessinées sur les fantômes.

J'ai hoché la tête, bien que je ne sois pas très convaincue que cet instrument soit très scientifique. Il avait l'air d'être en carton. Du carton épais, mais quand même !

– Bon, allons-y ! ai-je dit.

Carla aurait pu sans doute nous parler des niveaux ectoplasmiques toute la journée, mais moi, j'avais envie d'agir.

J'ai ouvert la porte de la buanderie avec précaution, m'attendant à voir Fantôme sortir comme une flèche. Mais il avait fini par se sentir bien dans cet endroit. Il était roulé en boule sur le séchoir à linge. Il nous a regardées avec une légère curiosité.

Carla l'a examiné de près.

– Mmm, a-t-elle fait en prenant des notes sur un petit calepin. Il n'a pas l'air d'être transparent du tout.

– Ça veut dire quoi transparent ? a demandé Sophie.

– Ça veut dire comme du plastique, a expliqué Margaret.

– Mais Fantôme n'est pas en plastique ! s'est écriée Sophie, indignée.

– C'est vrai, a convenu Carla. Mais certains fantômes y ressemblent. Ça fait partie des choses qu'il faut vérifier quand on recherche un fantôme.

Elle était en train de prendre la température de la pièce et elle l'a notée sur son calepin. Puis elle a dirigé son détecteur d'ectoplasmes en direction de Fantôme. Elle a tourné quelques boutons, a vérifié à plusieurs reprises les cadrans, et a réglé de nouveau des boutons. Elle a froncé les sourcils en regardant le cadran principal.

– Ça ne marche pas, a-t-elle constaté. (Elle a donné un coup sur le côté de la boîte, puis elle a vérifié à nouveau le cadran.) En fait, je ne sais pas s'il marche réellement. Oh, après tout, on ne peut pas s'attendre à grand-chose pour à peine six dollars !

Elle a donné un petit coup de pied dans la boîte.

– Bon, alors on fait quoi maintenant ? a demandé Margaret.

– Il faut que je prenne une photo, a déclaré Carla, en extirpant un Polaroïd de son sac.

Margaret a attiré Sophie et Katie près de l'évier.

– Dites ouistiti, a-t-elle dit à ses sœurs, en souriant largement à Carla.

– Une photo du chat, bébête ! a rectifié Carla.

– Oh, a fait Margaret, visiblement déçue.

J'ai lancé un coup d'œil à Carla.

– Bon, j'imagine que je peux faire une photo de vous aussi.

Elle a cadré les filles et le flash s'est déclenché. Puis elle a pris une photo du chat. Il n'avait toujours pas bougé, et il a cligné des yeux après le flash, tout ébloui.

Nous avons attendu que les photos soient développées, puis Carla les a mises côte à côte.

– Regardez! s'est-elle écriée. La photo du chat est plus claire et moins nette! Cela peut être important!

Je ne voulais pas lui faire de peine, mais j'ai quand même fait remarquer que la photo des filles avait eu plus de temps pour se développer.

Et d'ailleurs pendant ce temps, la photo du chat était devenue plus foncée et contrastée.

Carla a soupiré :

– Ça s'annonce mal. Enfin, je veux dire... si vous espériez trouver un fantôme. Mais je suis sûre que vous préféreriez que ce soit un chat normal, hein ?

Margaret s'est mise à hocher la tête.

– J'ai un dernier test à faire, a annoncé Carla. En fait, deux tests en un seul. Mais celui-ci nous prouvera une bonne fois pour toutes si ce chat est oui ou non un fantôme.

Elle nous a fait sortir de la buanderie en laissant la porte ouverte pour qu'on puisse regarder ce qu'elle faisait. Puis elle a pris un sac en plastique et a répandu de la poudre blanche par terre.

– C'est de la farine, a-t-elle expliqué avant qu'on l'interroge. Si c'est un fantôme, il ne laissera pas de traces.

Puis elle a fouillé dans son sac et en a tiré des punaises et du fil. Elle a disposé le fil par terre en le maintenant en place avec les punaises.

– Un fantôme passera à travers le fil sans le casser, a-t-elle déclaré.

Elle est sortie avec précaution de la buanderie.

– Bon, maintenant, il faut le faire sortir de là.

– Je sais ! s'est écriée Margaret.

Elle est allée chercher la boîte de croquettes, puis elle l'a agitée devant la porte... et le chat est arrivé en courant. Il est passé dans la farine, laissant de grosses empreintes bien nettes. Puis il a cassé le fil au passage. Margaret lui a donné des croquettes.

– Gentil chat, lui a-t-elle dit en le caressant.

– Je suis contente que ce ne soit pas un fantôme, a ajouté Sophie.

Katie et elle se sont baissées pour le caresser.

Carla et moi avons échangé un regard. Carla était déçue. Je l'ai vue froncer les sourcils.

– C'est quoi, ce bruit ? a-t-elle demandé.

J'ai tendu l'oreille. Un miaulement. Venant de là-haut. Carla a levé les yeux. Un frisson m'a parcouru l'échine. C'est alors que le téléphone a sonné. Je me suis précipitée pour répondre.

– Allô ?

Mon cœur battait très fort.

– Allô, j'appelle au sujet de l'annonce concernant un chat blanc. Je suis sûr que c'est le mien. A-t-il une petite entaille à l'oreille droite ?

La voix de l'homme était brusque. Il était presque impoli.

– Oui !

J'avais remarqué cette entaille en examinant la photo que Carla avait prise.

– Il s'appelle Raspoutine, a dit l'homme.

– Vous pouvez venir le chercher ce soir, ai-je proposé.

(Mme Craine m'avait dit de ne laisser personne venir

351

pendant que j'étais seule. Elle voulait être là si quelqu'un devait passer.)

– Je ne peux pas, a répondu l'homme sèchement. Je suis en voyage. Mais je serai là dans deux jours.

Il a raccroché sans dire au revoir.

C'était bizarre. Si ce type était en voyage, comment avait-il eu le journal? Et ne pouvait-il pas venir plus tôt si le chat lui manquait vraiment? Mais je n'avais pas le temps de réfléchir à ces questions. Nous devions tout nettoyer avant le retour de Mme Craine!

Je commençais à avoir l'impression de mener deux vies. Quand j'étais chez les Craine, je ne pensais qu'à Fantôme, à Kennedy Graham, aux miaulements mystérieux et aux étranges coups de téléphone.

Quand j'étais à la maison, je ne pensais qu'à oncle Joe. J'avais été à la bibliothèque pour me renseigner sur la maladie d'Alzheimer, et tout ça m'avait sérieusement déprimée.

Cette maladie reste encore bien mystérieuse. Personne ne connaît exactement ses causes ni comment la soigner. C'est une maladie dégénérative, cela veut dire qu'elle ne fait qu'empirer avec le temps. J'étais tellement triste pour oncle Joe. J'espérais qu'il ne se rendait pas compte de ce qui lui arrivait. Mais il avait eu une longue vie bien remplie et je savais que le personnel de la maison de retraite de Stonebrook prendrait bien soin de lui. Mais j'étais quand même triste.

Nous étions samedi, et c'était le dernier jour qu'oncle Joe devait passer chez nous. Papa et maman seraient absents pour la matinée. Les responsables de la maison de retraite souhaitaient les voir avant qu'ils amènent oncle Joe. Les médecins et les infirmières voulaient être informés précisément sur son état de santé.

Jessica était venue m'aider le matin. J'étais très contente. Elle n'avait jamais rencontré oncle Joe et n'en aurait plus jamais l'occasion. En plus, je n'avais pas pu la voir souvent ces temps-ci et elle me manquait.

– J'ai adoré *Le Poney rouge*, m'a-t-elle dit dès qu'elle a franchi la porte, je viens juste de le finir ce matin.

C'est moi qui lui avais parlé de ce livre. Je savais qu'elle l'aimerait autant que je l'avais aimé. Nous nous conseillons des lectures mutuellement, et nous aimons beaucoup en parler ensuite. C'est formidable de lire un livre génial et de pouvoir en parler avec son amie.

Oncle Joe est apparu à ce moment-là. Il a regardé Jessica d'un air interrogateur. Elle m'a regardée, l'air un peu nerveuse, mais elle s'est contrôlée.

– Bonjour, monsieur Pike. Je m'appelle Jessica Ramsey.

Elle a souri, mais n'a pas tendu la main, car je lui avais raconté ce qui était arrivé à Claudia et elle ne l'avait pas oublié.

Oncle Joe a hoché la tête. Il n'a pas souri, mais il n'a pas froncé les sourcils non plus.

– Je crois que je vais aller dans ma chambre, m'a-t-il dit. Je vais ranger mes affaires et faire une petite sieste.

Il était toujours aussi poli et distant que le jour de son arrivée. Et, apparemment, il ne connaissait toujours pas mon prénom. Mais maintenant au moins, je savais pourquoi.

– Entendu, oncle Joe. Tu me diras si tu as besoin de quelque chose.

Il a hoché la tête de nouveau.

– Tu es très gentille, a-t-il ajouté.

Puis il est sorti de la pièce et je l'ai regardé s'éloigner.

– Très gentille ? ai-je répété, étonnée. C'est la première fois que je l'entends dire quelque chose comme ça.

– Il n'est pas si terrible, a remarqué Jessica. Il n'a rien dit de méchant, et il n'avait pas l'air perdu ou je ne sais quoi.

– Il a ses bons et ses mauvais jours, ai-je expliqué. Mais il n'est jamais vraiment méchant. Il manque juste de tact.

– Ma grand-mère était un peu comme ça. J'imaginais que parce qu'elle était vieille elle n'était plus obligée d'être polie. Elle pouvait être très blessante et dire des trucs du genre « Tu n'aurais pas grossi ? » à ma mère ou « Tu commences à perdre tes cheveux » à mon père. Cela me rendait malade. J'avais envie de lui rétorquer des choses horribles sur ses rides ou autres. Mais après un certain temps avec elle, j'ai compris qu'elle disait tout ça uniquement parce qu'elle n'était pas à l'aise. Elle ne savait pas quoi dire, alors elle disait la première chose qui lui venait à l'esprit. Elle ne voulait pas être méchante ou malpolie.

J'ai réfléchi un instant avant de dire :

– C'est facile de porter des jugements rapides sur la personnalité des gens.

Il y avait une telle différence entre la personne que

nous avait décrite papa et le véritable oncle Joe que nous avions tous reçu un choc. Mais peut-être ne savions-nous toujours pas qui était véritablement oncle Joe? Nous n'avions pas eu le temps de bien le connaître.

Oh, là, là, j'avais vraiment des pensées sinistres. Mais, de toute façon, il est difficile de philosopher longtemps chez nous. Il y a toujours quelqu'un pour vous interrompre.

– Salut, Jessica! Devine quoi?

C'était Nicky qui rentrait. Jessica lui a souri.

– Quoi? a-t-elle demandé.

– Tout est presque prêt pour les Olympiades des Pike! Viens voir!

Elle m'a regardée d'un air résigné. Nous avons suivi Nicky dans la salle de jeux.

– Mon dieu! me suis-je écriée à la vue de ce que mes frères et sœurs avaient fait de la pièce.

Ils avaient retourné les chaises. Le tapis était roulé et Margot marchait dessus comme sur une poutre. Les coussins du divan étaient éparpillés, d'autres étaient entassés.

Byron nous a adressé un large sourire.

– Bien organisé, hein?

Ce n'était pas vraiment le mot qui me serait venu à l'esprit.

– On va faire une course d'ostacles! a crié Claire.

– D'obstacles, a corrigé Jordan. C'est pas pour toi, Claire. C'est réservé aux plus âgés.

Ma sœur s'est mise à faire la moue.

– Mais tu pourras faire l'épreuve de saut! lui a dit Vanessa pour lui faire plaisir. Tu sautes vraiment très bien. Je suis sûre que tu vas gagner.

Claire avait l'air un peu réconfortée.

– Pourquoi avez-vous empilé ces coussins ? a demandé Jessica.

– C'est pour l'épreuve de saute-mouton, a expliqué Adam.

Mon amie a hoché la tête.

– Je vois. On devrait peut-être déplacer cette lampe, a-t-elle proposé en regardant autour d'elle.

– Bonne idée.

J'ai examiné la pièce pour repérer les objets fragiles. En fin de compte, j'ai rangé un miroir et deux cadres dans un placard avec la lampe. J'ai tourné le poste de télévision vers le mur. Vous pensez peut-être que je suis un peu maniaque, mais avec mes frères et sœurs, on ne sait jamais.

– Que les jeux commencent ! me suis-je écriée quand tout a été prêt.

Quelle mêlée ! Ces Olympiades manquaient d'organisation. Trois épreuves avaient lieu en même temps, et quatre enfants criaient :

– Mallory ! Jessica ! Regarde !

Je tournais la tête dans tous les sens. J'ai regardé Jordan jouer à saute-mouton au-dessus d'une pile de coussins. Nicky, lui, a raté son saut. Il s'est étalé au milieu des coussins.

– Ça va ?

– Oui, oui, ça va. Super. Je recommence.

Il a empilé les coussins et a pris son élan.

Claire et Margot sautaient tout autour de la pièce. Elles ne savaient pas bien sauter à cloche-pied. Elles changeaient sans arrêt de pied et, parfois, sautaient à pieds joints. Vanessa était le juge de cette épreuve.

Il y avait beaucoup de bruits et d'activité dans la pièce.

J'étais complètement absorbée. Soudain j'ai senti que Jessica me donnait un coup de coude dans les côtes.

– Qu'y a-t-il ? ai-je demandé.

J'ai jeté un regard circulaire. Puis j'ai compris.

Oncle Joe se tenait sur le pas de la porte.

– Nous t'avons dérangé ? Je suis désolée. Je..., ai-je bredouillé.

Mais oncle Joe a levé la main en hochant légèrement la tête. Il regardait Adam faire une course d'obstacles. Il m'a semblé deviner un léger sourire sur ses lèvres. Mais avant que je puisse m'en assurer, il avait quitté la pièce.

– Il vaudrait mieux qu'on se calme, ai-je dit à Jessica. Il n'a rien dit, mais...

– Oui, tu as raison, a-t-elle approuvé. Nous faisons beaucoup de bruit. Et c'est son dernier jour ici. Il faut penser à lui.

– Bon, les enfants, ai-je crié. Les Olympiades sont terminées pour aujourd'hui.

Protestation générale.

– Vous continuerez demain mais, pour l'instant, on va se calmer un peu, ai-je ordonné en réfléchissant. On va... faire un concours de dessin !

– Ouais ! s'est écriée Margot qui adore dessiner.

Vanessa était sceptique.

– Un concours de dessin ?

– Chacun devra faire un dessin de la famille et nous donnerons le dessin gagnant à oncle Joe. Il l'accrochera dans sa chambre à la maison de retraite.

Je ne sais pas comment j'ai eu cette idée, mais ça a marché. Il n'y a plus eu un bruit. Tout le monde cherchait du papier et des crayons de couleurs. Pendant que les enfants étaient occupés à dessiner, Jessica et moi avons remis en place le divan pour pouvoir discuter. Je lui ai fait part des dernières nouvelles de Fantôme, et elle m'a parlé du spectacle que son école de danse était en train de préparer.

– Fini ! a lancé Claire en m'apportant son dessin. C'est maman, a-t-elle commenté en désignant un personnage avec des cheveux bouclés dans tous les sens, et papa, et toi, et Vanessa...

– Très beau dessin, ai-je répondu avant qu'elle ne cite tout le monde.

Elle a souri. Puis l'un après l'autre, Vanessa, Margot, Jordan, Adam et Byron m'ont apporté leur dessin. Ils étaient tous géniaux.

– Où est Nicky ? ai-je demandé soudain.

– Je ne sais pas, a répondu Adam, mais voilà son dessin.

Il a pris le dessin qui était resté par terre et s'est écrié :

– Regarde ! Il a dessiné oncle Joe avec nous !

Sans aucun doute, le dessin de Nicky comportait un personnage à lunettes et en costume bleu.

– Extra !

J'ai décidé d'annoncer que Nicky avait gagné le concours. Mais où était-il ?

– Allons le chercher ! ai-je dit à Jessica. Vous, les enfants, restez ici, vous pouvez continuer à dessiner.

Nous sommes allées dans la cuisine et dans la salle à manger. Pas de Nicky. Puis j'ai entendu rire dans le salon.

J'ai fait signe à Jessica. On a jeté un coup d'œil dans la pièce.

C'était Nicky... assis sur les genoux d'oncle Joe ! Oncle Joe tenait un mouchoir plié en forme de souris.

– Jolie petite souris, disait-il en la caressant.

Puis il l'a fait courir sur son bras, comme une vraie souris.

Nicky riait.

– Encore, oncle Joe ! disait-il.

Jessica et moi nous sommes regardées. Je n'en croyais pas mes yeux. Puis oncle Joe nous a vues.

– Nicky m'a rappelé ce vieux tour, a-t-il expliqué. Je l'avais complètement oublié.

Il avait appelé mon frère par son prénom ! J'étais sans voix.

– Tu as l'air étonnée, a poursuivi oncle Joe. Je sais que j'ai été assez silencieux ces dernières semaines, et je suis désolé. C'est juste que j'ai mes habitudes, et j'ai du mal à vivre avec tant de gens.

– Ça ne fait rien, ai-je dit. Je comprends.

– Je suis désolé de vous quitter alors que je commençais à m'habituer à vous, a-t-il déclaré.

Le reste de la journée a passé très vite. Oncle Joe ne s'est pas transformé en clown, mais il a agi différemment avec nous. Il a fait semblant de tirer une pièce de l'oreille de Margot. Il a fait des tours avec des ficelles pour les triplés. Il a laissé Claire essayer ses lunettes. Il a même lu plusieurs poèmes de Vanessa. Il était beaucoup plus à l'aise quand nous n'étions qu'un ou deux avec lui.

Nous étions tristes de le voir partir, mais comme mes

parents nous l'avaient expliqué, la maison de retraite était l'endroit qu'il lui fallait.

– Qu'il ait été bien tout à l'heure ne signifie pas que la maladie a disparu, a expliqué papa. Il va avoir besoin de beaucoup de soins dans les jours à venir.

– Je suis si contente qu'il ait passé une bonne journée, a dit maman. Le médecin avait raison de dire que la maladie ne change pas vraiment la personnalité des gens.

Puis, se tournant vers papa, elle a ajouté :

– Ton oncle Joe est toujours oncle Joe, mais il est plus âgé. Il lui faut plus de temps pour s'adapter et accepter de nouvelles personnes.

J'ai souri en me souvenant de Nicky sur les genoux d'oncle Joe. Ils avaient vraiment l'air de bien s'entendre tous les deux.

– Il est à moi !
– Non, à moi !
Katie et Sophie étaient dans le salon, face à face. Elles se disputaient un ours en peluche que je n'avais jamais vu.

– Du calme, les filles ! Alors il est à qui ?

Je ne savais absolument pas à qui appartenait cet ours.

– Il est à moi, m'a confié Margaret, qui venait d'arriver, enfin, il était à moi quand j'étais bébé. Je viens juste de le trouver au fond de mon coffre à jouets. Elles croient que c'est un nouveau jouet et elles le veulent toutes les deux.

Les petites continuaient à crier. J'ai soupiré.

– Je crois qu'il vaudrait mieux laisser cet ours pour le moment, ai-je dit en le leur prenant doucement des mains.

Parfois, c'est une solution qui marche.

Sophie était interloquée.

– Hé !

Katie ouvrait des yeux ronds. Elle a ouvert la bouche comme si elle allait se mettre à hurler. Il était temps d'appliquer l'autre solution. Détourner l'attention de l'enfant.

– Et si on allait voir Fantôme ? ai-je proposé.

Je suis partie en direction de la buanderie en espérant que les petites me suivraient. Je me suis retournée pour vérifier. Katie hésitait entre se mettre en colère ou me suivre.

– C'est son dernier jour ici, ai-je ajouté.

Katie s'est mise à trottiner vers moi.

– Santôme ! a-t-elle dit.

– Il s'appelle Raspoutine, a corrigé Margaret. C'est bien comme ça que l'homme l'a appelé ?

– Oui. Drôle de nom pour un chat.

– Oui, mais on n'aurait pas pu l'appeler Fantôme puisque Carla a prouvé que ce n'en était pas un.

– C'est vrai.

Les tests de Carla avaient été catégoriques. Mais il se passait encore quelque chose de bizarre chez les Craine, quelque chose qui me faisait dire que le mystère de Fantôme n'était pas vraiment résolu.

– Salut, Raspoutine, a dit Margaret en ouvrant la porte. Bonjour, petit chat.

Le chat blanc a sauté du séchoir pour se frotter contre les jambes de Margaret.

– Wouah ! me suis-je exclamée. Il est beaucoup plus affectueux.

– Il vient de faire ça parce que je l'ai appelé par son vrai nom, a souligné Margaret. C'est amusant, non ?

– Bojour, chat, a dit Katie en le caressant.

LE CLUB DES BABY-SITTERS

– Il est à moi ! s'est écriée Sophie qui semblait être d'humeur très possessive ce jour-là.

– Non, Sophie, l'ai-je reprise, il n'est pas à toi, ni à Katie, ni à Margaret. Il appartient à quelqu'un d'autre qui doit venir le chercher aujourd'hui.

La fillette semblait sur le point d'éclater en sanglots.

– Je veux qu'il reste avec nous.

– Je sais. Mais son maître l'aime aussi et il veut le ramener chez lui.

J'aurais aimé pouvoir dire à Sophie ce que je savais depuis que Mme Craine m'avait téléphonée lors d'une réunion du club. Elle m'avait expliqué que M. Craine rentrerait plus tôt à la maison pour être là quand l'homme viendrait chercher son chat, à dix-sept heures trente. Elle avait ajouté que puisque les filles avaient l'air d'aimer autant les chats, son mari et elle pensaient en adopter un. Si j'avais pu dire tout ça à Sophie, comme elle aurait été contente ! Mais Mme Craine m'avait demandé de ne rien dire, jusqu'à ce qu'ils aient réellement pris leur décision.

– C'était amusant de faire ces tests avec Carla, a enchaîné Margaret en caressant le chat.

– C'est vrai. Et si on en faisait d'autres ? ai-je proposé. (Je voulais leur faire oublier que le chat partait en fin de journée.) Voyons… Attendez, on va tester son Q.I.

– Ça veut dire quoi Q.I. ? a demandé Sophie, curieuse.

– Cela mesure l'intelligence. D'habitude, on le fait avec les gens, mais on peut le faire pour un chat. Quel genre de choses font les chats intelligents ?

– Ils attrapent des souris ! a répondu Margaret.

– Ils viennent quand on les appelle, a ajouté Sophie.

– Chat! a répété Katie.

– Bon, suis-je intervenue. Où est la souris en tissu que votre papa a achetée pour le chat?

Margaret a couru la chercher.

– La voilà!

– Parfait. Nous allons mettre la souris derrière la porte du placard et chronométrer en combien de temps il la trouve. Nous allons lui donner trois chances.

J'ai caché la souris en m'assurant que le chat l'avait bien vue, puis j'ai regardé ma montre. Il n'a eu besoin que de vingt secondes pour «attraper» la souris! Je l'ai cachée encore deux fois. Il l'a trouvée sans problèmes.

– Qu'est-ce qu'il est rapide! s'est exclamée Sophie. Ça veut dire qu'il a beaucoup de Q.I., c'est ça?

Je me suis mise à rire.

– Oui. Mais essayons un autre test. Nous allons sortir et nous l'appellerons de différentes façons pour savoir à quel nom il répond.

Laissant la porte ouverte, j'ai fait sortir les filles de la pièce, puis j'ai appelé le chat par différents noms.

– Euh... Blanche-Neige!

J'essayais de trouver des noms qui convenaient à un chat blanc.

– Perle!

J'ai jeté un coup d'œil dans la pièce. Les filles regardaient par-dessus mon épaule. Le chat était en train de faire sa toilette.

– Je vais essayer! dit Margaret. Lys!

Le chat n'a pas bougé.

Sophie s'est frayée un chemin dans notre petit groupe.

– Fantôme ? a-t-elle fait avec précaution.

Je me suis demandée s'il allait réagir, mais non.

C'était le tour de Katie.

– Jennifer ! a-t-elle crié.

Nous avons éclaté de rire. Quel nom pour un chat, surtout pour un mâle ! Bien sûr, le chat n'a pas davantage réagi. C'était le moment du test final.

J'ai prononcé doucement :

– Raspoutine ?

Il est sorti de la pièce en un éclair et s'est frotté à mes pieds en ronronnant jusqu'à ce que je le prenne dans mes bras.

– Tu connais bien ton nom, dis donc ! Tu es un chat très intelligent, l'ai-je félicité.

– Bien sûr qu'il est intelligent, a fait remarquer Margaret, pour arriver à entrer dans notre grenier comme ça.

J'ai acquiescé.

– Je me demande bien pourquoi il s'est enfui de chez lui. Et pourquoi il est venu ici...

– Oui, a ajouté Margaret, et pourquoi son maître n'est pas venu le chercher plus tôt ?

– Peut-être qu'il ne le veut pas vraiment ? a suggéré Sophie. Comme ça, on pourrait le garder.

– Non, il tient à le récupérer, ai-je répondu. Votre maman m'a dit qu'il avait rappelé deux fois. Il n'a pas dit qui il était, ni où il habitait, mais il a expliqué qu'il passerait prendre le chat aujourd'hui.

Sophie a pris sa mine boudeuse.

– Et si on lui donnait à manger une dernière fois avant qu'il parte ? ai-je proposé. Nous allons lui donner quelque chose de spécial pour qu'il s'en souvienne.

Je suis allée dans la cuisine.

Margaret s'est mise à fouiller dans un placard et est revenue avec un bocal d'olives.

– Elles sont d'une sorte spéciale, a-t-elle affirmé. Mon papa les adore.

J'ai secoué la tête.

– Je ne crois pas que le chat aimerait ça.

Sophie a pris une boîte de céréales.

– Ce sont mes préférées. On va lui en servir un bol.

– Il aimera peut-être le lait que tu mettras dedans, mais je ne crois pas qu'il mangera les céréales, ai-je expliqué. Il vaut mieux que tu les gardes pour toi.

J'ai pris du lait dans le réfrigérateur et je lui en ai versé dans un petit bol. J'ai aussi trouvé une boîte à moitié pleine de thon, et je me suis dit que Mme Craine ne m'en voudrait pas si je la donnais au chat. J'ai posé la nourriture par terre, où il mangeait d'habitude, et je l'ai appelé :

– Raspoutine !

Le chat s'est approché, filant droit sur le thon. Dès qu'il l'eut mangé, il a bu le lait.

– Il aime bien, a fait remarquer Margaret. Je me demande si son maître le nourrit d'habitude.

– Sûrement pas aussi bien à chaque fois, ai-je remarqué. Mais j'espère qu'il le gâte de temps en temps.

Raspoutine a terminé son lait, s'est secoué et s'est assis pour se nettoyer le museau. Les filles observaient chacun de ses mouvements. La cuisine était silencieuse. C'est alors que je l'ai entendu. Le miaulement ! Il venait d'en haut. J'ai failli tomber de ma chaise, mais les filles ne semblaient pas avoir entendu. J'ai retenu ma respiration pour écouter. Peut-être que je pensais trop à cette histoire de fantôme !

Puis j'ai entendu le bruit à nouveau. Cette fois, je me suis levée. Je me suis dirigée vers les escaliers en essayant de déterminer d'où il venait exactement. Les filles, occupées à observer Raspoutine en train de faire sa toilette, n'avaient rien remarqué. J'ai tendu l'oreille. Le bruit venait du grenier.

Je suis retournée dans la cuisine et je me suis assise pour réfléchir. Comment pouvais-je entendre miauler alors que Raspoutine était là, avec nous ? Il était impossible qu'un autre chat soit là-haut et, de toute façon, nous avions inspecté les lieux tant de fois que nous l'aurions vu. Je me suis mise à penser à Kennedy Graham, seul et âgé, et à Tinker, son petit chat qui était mort et l'avait laissé seul. Et si c'était le fantôme de Tinker à la recherche de son maître ?

Je me sentais vraiment terrorisée.

Par chance, M. Craine est rentré avant que les filles ne s'en rendent compte.

— Bonjour, Mallory, a-t-il dit en posant son manteau sur le dossier d'une chaise. J'espère que je ne suis pas trop en retard.

— Papa ! se sont écriées en chœur les petites filles, en se bousculant pour l'embrasser.

— Vous êtes pile à l'heure, lui ai-je répondu. Le maître de Raspoutine ne devrait pas tarder.

J'ai regardé l'horloge de la cuisine. Il était cinq heures vingt-cinq.

— Tu sais quoi ? Nous avons testé le I.Q. de Raspoutine ! a déclaré Sophie. Et il en a beaucoup !

M. Craine avait l'air un peu perplexe.

– Elle veut dire le Q.I., a repris Margaret. Nous lui avons fait passer un test pour chat, et il a bien réussi.

– Vraiment ? a demandé M. Craine en levant les sourcils dans ma direction et en se retenant de sourire. J'ai toujours su qu'il était très intelligent.

– Ait ! s'est écriée Katie.

– Du lait ? Tu veux du lait ? a demandé M. Craine, prêt à se lever.

– Non, a répondu Katie. Chat !

– En fait, elle essaie de vous dire que nous avons donné du lait au chat pour son dernier repas ici, ai-je expliqué. J'espère que j'ai bien fait.

– Bien sûr. Nous voulons tous qu'il garde un bon souvenir de nous, n'est-ce pas.

– C'est ce que Mallory nous a dit, a expliqué Margaret.

A ce moment-là, on a sonné à la porte.

– Ça doit être lui, ai-je murmuré. Le maître de Raspoutine.

M. Craine est allé ouvrir et nous l'avons suivi.

J'aurais dû partir dès l'arrivée de M. Craine, mais je voulais voir qui était cet homme mystérieux. J'ai jeté un coup d'œil à la personne qui se tenait là et j'ai failli m'évanouir.

– Oh, mon dieu ! ai-je dit à voix basse.

Margaret m'a tirée par le bras.

– Il ressemble à l'homme sur la photo, m'a-t-elle murmuré.

Elle avait raison. Il ressemblait trait pour trait à Kennedy Graham ! Les mêmes cheveux blancs et le même visage anguleux. Et il avait une petite cicatrice sous un œil, au même endroit que l'homme de la photo ! Je suis sûre que j'avais la bouche ouverte. Je devais avoir l'air d'une idiote. Mais M. Craine ne s'en est pas rendu compte. Il avait proposé à l'homme d'entrer, mais celui-ci avait refusé. Alors M. Craine m'a demandé d'aller chercher le chat.

Je l'ai amené délicatement jusqu'à la porte d'entrée et je l'ai mis dans les bras de l'homme.

– Merci, a dit l'inconnu, en me tendant un papier. Et merci, petites filles, pour vous être si bien occupées de mon chat, a-t-il ajouté en leur tendant quelque chose à chacune.

Puis, il a mis Raspoutine dans un panier, nous a dit au revoir et il est parti.

Il m'avait donné un billet de cinq dollars. Margaret a montré le sien, Sophie et Katie examinaient le leur.

– Eh bien, ai-je dit en reprenant mon souffle. Il est drôlement généreux !

– Oui, a dit M. Craine. Au fait, je dois te payer.

Pendant qu'il allait dans la cuisine prendre son portefeuille, les filles et moi nous nous sommes regardées.

– Qui était-ce ? a demandé Sophie.

– C'était un fantôme ! a répondu Margaret. Je crois que le chat et le maître sont des fantômes tous les deux.

Et vous savez quoi ? J'étais assez d'accord avec elle. Mais je ne voulais pas l'effrayer.

– Enfin bref, ai-je dit, l'important, c'est que Raspoutine avait l'air content de le voir et qu'ils vont rester ensemble. Le mystère du chat fantôme est éclairci.

J'avais l'air sûre de moi. Mais je ne l'étais pas, mais alors pas du tout.

Nous étions dimanche matin et l'agitation régnait dans la maison. Je sais, je sais, rien de nouveau. La maison est toujours dans cet état. Ou du moins, elle donne cette impression.

Mais rien de tel qu'un voyage en famille pour nous rendre complètement fous. Par voyage en famille, je veux dire aller tous les dix au même endroit, en même temps. Cela n'arrive pas très souvent et je sais pourquoi. Si nous faisions cela régulièrement, papa et maman auraient déjà les cheveux tout blancs.

Où allions-nous? Voir oncle Joe pour savoir comment il se portait. Quelques semaines plus tôt, je n'aurais pas voulu, sauf si j'avais été obligée, ou pour avoir bonne conscience.

Aller voir oncle Joe m'aurait paru affreux. Mais grâce à Nicky, j'avais une autre perception d'oncle Joe, et je me disais que c'était sûrement quelqu'un de très bien quand on le connaissait. J'étais donc contente d'aller le voir.

Tout le monde aussi d'ailleurs ! On aurait pu croire qu'on se rendait à la Maison-Blanche pour voir le président. Tout le monde se demandait comment s'habiller, de quelle manière envelopper ses cadeaux et quoi apporter pour « montrer à oncle Joe ».

Claire voulait évidemment mettre sa « robe de Minnie » (comme nous l'appelions) à volants, rouge à pois blancs. Elle n'avait pratiquement pas cessé de la porter depuis six mois, c'est tout juste si elle l'ôtait pour dormir.

– Écoute, ma chérie, a dit maman, je suis désolée mais je viens de la mettre dans la machine à laver. Il faut que tu choisisses autre chose.

Claire a tapé du pied et s'est mise à bouder, mais elle a vu qu'elle ne pourrait rien tirer de maman.

– Tu es une bébête toute gluante, a-t-elle dit. (Claire dit ça à tout le monde. Nous y sommes habitués.) Mais je mettrai mes chaussures de fête.

Celles-là, elle les gardait pour des occasions spéciales. Maman n'a pas discuté puisque c'était une occasion spéciale.

– Je parie qu'oncle Joe préférera mon dessin, a lancé Jordan en le tenant pour que je puisse le voir.

– Impossible, patate, s'est écrié Adam. Le mien est bien mieux.

Il brandissait le sien.

– Vous rêvez tous les deux, est intervenu Byron. Mon dessin est super génial, et oncle Joe va l'adorer.

– Ils sont tous extra, ai-je dit, et je suis sûre qu'il les

aimera tous. Mais je ne crois pas que les gens de la maison de retraite vous laisseront entrer comme ça. Vous devriez vous habiller un peu.

Ils se sont regardés. Byron portait une chaussette et un caleçon, Jordan un pantalon de survêtement et Adam était encore en pyjama.

– Je trouve qu'on est super ! s'est exclamé Adam avec un sourire, mieux que toi avec ta vieille robe.

Je me suis mise à compter jusqu'à dix dans ma tête. Il valait mieux éviter les disputes ce matin-là.

– Au moins, moi, je suis habillée, ai-je rétorqué en donnant une petite tape sur la tête d'Adam. Il est temps d'aller vous habiller aussi, mes petits vieux.

Ils restaient là sans bouger comme s'ils attendaient que je me mette en colère.

– Allez, les garçons, ai-je répété.

Toujours rien. Mais à ce moment, Vanessa est descendue.

– Tu veux que je te lise mon poème pour oncle Joe ? m'a-t-elle demandé. Il fait cinq pages.

Les triplés ont détalé en un clin d'œil.

J'ai souri à Vanessa. Elle avait réussi à les faire décamper, même si c'était sans le vouloir.

– Bien sûr, j'aimerais que tu me le lises, mais pas maintenant.

Ouf, je l'avais échappé belle. Les poèmes de Vanessa sont parfois pénibles à supporter. Mais elle m'a suivie.

– Laisse-moi juste te lire la première partie. Ça commence comme ça : *O, oncle Joe, tu nous manques tant, nous sommes si tristes que tu sois parti, ô !*

– Très joli, Vanessa, ai-je fait en m'éloignant rapidement.

Une demi-heure plus tard, toute la famille était enfin dans la voiture. Nicky tenait le dessin qu'il avait fait pour le concours de coloriage. Adam l'avait aidé à l'encadrer avec des morceaux de maquettes d'avions. Margot avait un pot à crayons qu'elle avait fait à l'école : c'était un pot de yaourt recouvert de papier mâché. Je n'étais pas sûre qu'oncle Joe ait besoin d'un pot à crayons, mais il apprécierait sans doute le geste.

– Prêts ? a demandé papa alors qu'il démarrait la voiture.

– Non ! ai-je crié.

Papa a freiné brutalement.

– Qu'est-ce qu'il y a, Mallory ? a-t-il demandé avec une pointe d'impatience dans la voix.

– J'ai oublié les gâteaux que j'ai préparés. J'en ai pour une seconde.

J'ai sauté hors de la voiture et j'ai couru jusqu'à la maison. C'était incroyable, je m'étais tellement occupée de mes frères et sœurs que j'avais complètement oublié mon cadeau. J'ai pris la boîte de sablés dans la cuisine et je suis repartie.

La maison de retraite n'est pas très loin de chez nous, mais cela nous a pris pas mal de temps. Pourquoi ? Tout d'abord, parce que Margot a l'estomac fragile et se sent mal rien qu'à l'idée de monter en voiture. Papa a dû s'arrêter deux fois avant même d'avoir quitté le quartier. Heureusement, Margot n'avait rien mangé ce matin-là. Mais papa est tellement habitué qu'il n'hésite pas à s'arrêter dès qu'il entend « Oh, là, là... ».

Une fois arrivés, papa nous a déposés sur le trottoir de la maison de retraite avant d'aller se garer. J'étais là devant et je me suis souvenue de la fois où nous étions venues avec les filles du club alors que nous tentions d'éclaircir un mystère. Nous étions venues voir un vieux monsieur qui était la seule personne encore vivante à pouvoir nous dire la vérité à propos d'une maison que nous pensions hantée. Évidemment nous n'avons jamais pu savoir toute la vérité sur cette maison.

C'est un bel endroit. Une vaste maison avec un seul étage et beaucoup de grandes fenêtres. Il y a des fleurs qui bordaient les allées et des bancs pour s'asseoir dehors, au soleil. Ce jour-là, une vieille dame se promenait avec son déambulateur, aidée d'une infirmière. Elle admirait les fleurs.

Nous avons attendu papa avant d'entrer. Les garçons ont commencé à jouer avec la porte à tambour, mais je les ai arrêtés avant qu'ils ne deviennent trop turbulents. Papa s'est adressé à la réception pour expliquer que nous venions voir M. Joe Pike.

– Ah, oui, a répondu l'homme en souriant, il vous attend. Sa chambre est par là, dans ce couloir, deuxième porte à gauche.

Nous avons suivi papa. Je me suis sentie tout à coup très nerveuse à l'idée de voir oncle Joe. Et s'il était encore plus bizarre ? Les petits se faisaient eux aussi du souci. Ils étaient étonnamment calmes.

J'ai longé le couloir en essayant de ne pas regarder dans les chambres. Ça doit être dur d'être observé quand on est dans une maison de retraite. Beaucoup de gens en chaise roulante n'étaient même pas habillés : ils étaient juste vêtus d'une sorte de pyjama. Ils nous regardaient passer, et notre grande famille en faisait sourire quelques-uns. J'ai eu l'impression que certaines personnes étaient très seules. J'ai souri à quelques-unes d'entre elles, et j'ai vu Claire faire un petit signe à un vieux monsieur. Est-ce qu'oncle Joe se sentait seul ? Heureusement que nous venions le voir.

Nous sommes arrivés à sa chambre et, bien que la porte soit ouverte, papa a frappé pour le prévenir de notre présence. Il était assis au milieu de la pièce, à une table, en face d'un autre vieux monsieur. Ils jouaient au Scrabble. Oncle Joe a levé la tête et, en nous voyant, il a souri !

– Eh bien, entrez, entrez donc.

Malgré son sourire, il n'avait quand même pas l'air très aimable.

Tout le monde est entré et a pris place. Je me suis installée sur le radiateur avec Claire sur mes genoux. Oncle Joe a placé quelques lettres sur le jeu.

– Axe, a-t-il dit. Le x est sur une case qui compte triple. Cela me fait trente-deux points ! (Il s'est frotté les mains.) Mais je vais être obligé d'arrêter puisque ma famille est là.

Sa famille ! J'étais flattée qu'il nous appelle sa famille.

– Laisse-moi te présenter mon compagnon de chambre, a-t-il dit à papa. M. Connor.

M. Connor a hoché la tête et a souri.

Papa s'est empressé de tous nous présenter, sans doute pour éviter à oncle Joe d'essayer de se souvenir de nos prénoms.

– Mais n'arrêtez pas de jouer, a-t-il dit à oncle Joe. Nous pouvons attendre que tu aies fini, si tu préfères.

Oncle Joe s'était déjà levé.

– Ne t'en fais pas.

Puis il a baissé la voix pour murmurer assez fort quand même :

– Il triche de toute façon.

Maman et moi avons échangé un regard. Pauvre M. Connor ! Je suis sûre qu'il avait entendu.

– Et si vous nous faisiez visiter les lieux avant le repas, a proposé maman d'un ton enjoué, en essayant de changer de sujet.

Nous avions prévenu le personnel de la maison que nous mangerions là. Les pensionnaires de la maison de retraite peuvent inviter leur famille ou leurs amis à manger pourvu qu'ils réservent à l'avance.

– Certainement, a répondu oncle Joe. Bon, où sont mes encyclopédies ?

Mais de quoi parlait-il ? Je ne voyais pas d'encyclopédie.

Heureusement, papa a remarqué qu'oncle Joe tapotait ses poches.

– Tu cherches tes lunettes ? a-t-il demandé doucement.

– Oui, a répliqué oncle Joe. Je viens de le dire, non ? (Il a fouillé dans une poche et les a trouvées.) Les voilà. Allons-y.

En suivant oncle Joe dans le couloir, maman m'a expliqué à voix basse que le fait d'oublier le nom des choses (ou d'utiliser un mot à la place d'un autre) est un des symptômes de la maladie d'Alzheimer. C'est vraiment bizarre !

Oncle Joe nous a montré la maison de retraite, et la visite s'est terminée dans la salle de musique quelques minutes avant le repas. Il y avait du remue-ménage dans un coin de la pièce et je suis allée voir ce qui se passait. Des enfants tenaient des chats et des chiens, surtout un adorable chiot noir, pour que les personnes âgées puissent les caresser.

– Qu'est-ce que vous faites ? ai-je demandé à une fille qui essayait d'attraper un chaton.

– Nous sommes des bénévoles d'une association pour la protection des animaux, a-t-elle répondu. Nous amenons des animaux ici toutes les semaines. Les vieilles personnes les adorent.

Oncle Joe nous a rejoints.

– J'ai passé un peu de temps avec ce chiot la semaine dernière, a-t-il dit. Cela faisait très très longtemps que je n'en avais pas porté un sur mes genoux.

Cette opération était vraiment une bonne idée. Peut-être qu'un jour je pourrais faire partie des volontaires.

– Le repas est prêt, a annoncé une infirmière en entrant dans la salle de musique. Oh, bonjour, monsieur Pike. (Elle nous a souri.) C'est un amour. Enfin, quand il est dans ses bons jours !

Nous avions dû tomber sur l'un de ses meilleurs jours. Oncle Joe avait l'air plus heureux à la maison de retraite. C'était plus calme que chez nous, et c'était sans doute plus facile pour lui d'être entouré de personnes de son âge.

Si étonnant que cela puisse paraître, tout s'est bien passé. Mais le repas me réservait une petite surprise. Après qu'on nous eut servi une assiette de dinde farcie, oncle Joe s'est mis à agiter un petit flacon rouge au-dessus de son assiette. J'étais la seule à l'avoir remarqué, et il s'en est rendu compte. Il s'est penché vers moi.

– C'est de la sauce piquante, m'a-t-il murmuré. Une des infirmières me l'a apportée. Je ne supporte pas la nourriture sans goût !

J'étais impatiente de raconter ça à maman.

– Bonjour, Mallory, m'a saluée la jeune femme en m'ouvrant la porte des Craine.

Elle m'a souri et il m'a fallu quelques secondes pour la reconnaître.

– Tante Bou… Je veux dire Susie, ai-je rectifié. Bonjour.

J'ai alors regardé sa jambe.

– On vous a retiré votre plâtre !

– Oui. Quel soulagement ! Je dois me reposer encore une semaine. Après ça, je remonterai sur ma moto.

– Et je parie que vous serez prête à garder les filles aussi.

J'ai suivi Susie dans la cuisine. J'étais un peu déprimée. J'avais toujours su que c'était un travail temporaire, mais j'étais triste que ça se termine.

– Bien sûr, a-t-elle dit. Mais je suis certaine qu'elles n'ont pas envie de ne plus jamais te voir sous prétexte que je reviens. Je crois bien qu'elles aimeraient bien que tu les gardes de temps en temps.

– C'est super ! Ça ne vous dérange pas ?

– Ça m'arrange même. Dès qu'il fera beau, j'ai l'intention d'aller souvent me balader à moto.

J'ai essayé de m'imaginer l'impression qu'on avait sur une moto. Ça devait être bien, mais un peu effrayant. Je trouvais ça cool que Susie en ait une. Je savais que ma mère ne voudrait jamais, au grand jamais, que je monte sur une moto, même à vingt-neuf ans et devenue indépendante !

J'allais demander à Susie comment elle avait appris à conduire une moto quand Margaret est arrivée en trombe dans la pièce.

– Mallory ! Devine quoi ?

– Euh, voyons... Il y a un éléphant dans la cuisine ?

– Oh, Mallory ! a-t-elle dit en mettant ses mains sur les hanches.

Susie s'est mise à rire.

– Bon, si ce n'est pas ça, je ne sais pas. Je ne peux pas deviner, alors dis-moi.

– On a un chat ! s'est écriée Sophie qui avait suivi Margaret.

– Sophie ! a crié Margaret, furieuse. C'est moi qui voulais le lui dire.

– Waouh ! ai-je lancé. Quand l'avez-vous eu ?

– L'autre jour. Tu sais, quand le monsieur est venu chercher Fan... je veux dire Raspoutine, eh bien, après, nous sommes allés le chercher.

– Super !

Margaret a hoché la tête.

– Papa nous a emmenées au refuge des animaux et nous a dit de choisir un chat.

– Raconte qui a vu le chat en premier, a dit Susie.

– C'est Katie, a répondu Margaret. Nous regardions d'autres chats, mais elle, elle est allée droit vers cette cage en disant « Antôme ».

– Antôme ! a répété Katie en se frottant les yeux car elle venait juste de se réveiller.

– C'était vraiment Fantôme ? ai-je demandé.

Je savais bien que son propriétaire avait repris Fantôme, mais cette histoire de chat était si bizarre que j'étais prête à croire n'importe quoi.

– Non, a poursuivi Margaret. Mais il lui ressemble un peu. Viens voir !

Elle m'a saisi la main et m'a entraînée dans la buanderie.

– Nous avons décidé d'installer son panier ici parce que Fantôme s'y plaisait.

Elle a ouvert la porte et j'ai regardé à l'intérieur. Un magnifique chat blanc était roulé en boule sur le sèche-linge, là où Fantôme avait pris l'habitude de dormir. Il s'est réveillé et m'a regardée.

– Oh ! me suis-je exclamée. Il a des yeux bleus comme tes sœurs et toi. Je n'ai jamais vu un chat aux yeux bleus. Il est splendide !

– Je sais, a fait Margaret. C'est ce qu'on s'est dit. Katie a trouvé le plus beau chat du refuge.

– Viens, minou, l'ai-je appelé.

Je mourais d'envie de le porter et de caresser sa fourrure. Mais la chatte n'a pas bougé (c'était une femelle).

– Elle ne peut pas t'entendre, a précisé Margaret.

– Je ne l'ai pas appelée assez fort ? ai-je demandé.

– Elle est sourde, a expliqué Susie.

– Un chat sourd ? Je n'ai jamais vu ça.

– C'est drôle, a dit Susie. Beaucoup de chats aux yeux bleus sont sourds. On ne sait pas pourquoi.

– Elle a besoin de soins particuliers ? ai-je demandé.

– Non, a répondu Margaret. Mais elle doit rester dans la maison, parce qu'elle n'entend pas les voitures.

– Les gens du refuge étaient contents qu'elle ait trouvé un foyer, a enchaîné Susie. Personne ne veut d'un chat sourd, même s'il est très beau.

– Elle est belle, ai-je dit en la caressant. Et si douce !

– Bon, les filles, a lancé Susie. Il faut que j'y aille. Vous me faites un bisou ? a-t-elle demandé en se penchant vers les petites. Mon frère sera de retour à cinq heures, m'a-t-elle informée.

Son frère ? Je n'ai pas tout de suite compris de qui elle parlait. Ah, oui, M. Craine !

– Oh, très bien, ai-je répondu.

Susie partie, les filles et moi sommes restées dans la buanderie à parler du nouveau chat.

– Tu ne veux pas savoir son nom ? a demandé Margaret.

– Oh, bien sûr que si ! (J'étais tellement préoccupée par cette histoire de surdité que j'avais oublié de le demander.)

– Tinkerbelle ! m'ont annoncé Sophie et Margaret.

– Et devine pourquoi ? C'est à cause de Tinker, et comme c'est une chatte, on l'a appelée Tinkerbelle.

– Ça lui va très bien, ai-je dit.

– Et tu sais ce qu'il y a de curieux ? a ajouté Margaret. Depuis le jour où Raspoutine est parti et que Tinkerbelle est venue, nous n'avons plus entendu de miaulements là-haut. Pas une seule fois !

– Hum…, ai-je fait. C'est assez curieux.

Je me demandais ce que cela signifiait. Fantôme était-il vraiment un fantôme, le fantôme de Tinker ? Ou bien était-ce son maître qui était un fantôme ? Ou les deux ? Est-ce que les Craine avaient apaisé le fantôme de Tinker en accueillant Tinkerbelle chez eux ? C'était frustrant de ne pas connaître la vérité. Mais c'était assez amusant d'avoir un mystère à élucider.

Plus tard dans l'après-midi, je me suis rendue à une réunion du Club des baby-sitters chez Claudia. J'étais impatiente de raconter à tout le monde les dernières nouvelles du mystère du chat fantôme. J'ai monté les escaliers en courant et je me suis ruée dans la chambre pour m'apercevoir que j'étais en avance. Il n'y avait que Claudia, qui n'a bien sûr aucun mal à être à l'heure, et Kristy, qui est toujours très ponctuelle.

– Salut ! ai-je lancé en prenant ma place habituelle.

– Bonjour, Mallory, a dit Kristy. Viens voir ce que fait Claudia. Tu ne vas pas le croire.

Claudia avait aligné trois flacons de vernis à ongles sur sa table de nuit : un rouge, un blanc et un noir. Assise jambes croisées, elle semblait très concentrée sur sa tâche, mais elle m'a regardée et m'a souri.

– Dessin sur ongle, a-t-elle dit. Tout le monde en fait.

Tout le monde ? Claudia était la première que je voyais faire cela. Mais elle est souvent la première de mes amies à essayer des trucs nouveaux. C'était incroyable. Elle ne s'était pas contentée de les vernir. Elle avait fait des dessins. Chaque ongle avait un visage, et chacun avait une expression différente. Et comme d'habitude, c'était très réussi. Sur son petit doigt gauche, il y avait un visage joyeux. Son pouce droit comportait un visage en colère. Sur son annulaire droit, il y avait un visage inquiet.

– C'est super ! J'adore ce visage triste. Tu feras la même chose sur les miens un jour ? lui ai-je demandé.

– Bien sûr. Si tu veux, je peux t'apprendre à le faire. Ce n'est pas très dur.

Les autres filles du club arrivaient une à une.

Lucy s'est affalée à côté de Claudia sur le lit. Elle a pris le flacon de vernis rouge.

– Je peux m'en servir ? a-t-elle demandé à Claudia.

Celle-ci a acquiescé et Lucy s'est mise au travail. Jessica est entrée et s'est assise par terre à côté de moi. Carla et Mary Anne sont arrivées les dernières.

L'horloge de Claudia a affiché cinq heures trente. La réunion a commencé. Nous avons réglé les affaires du club très vite : Lucy a fait le point sur l'argent qu'il y avait dans la caisse ; Mary Anne a posé quelques questions sur l'emploi du temps, et Kristy a annoncé qu'il y avait une nouvelle séance de lecture de contes à la bibliothèque ce samedi. Puis le téléphone a sonné.

– Allô ? a répondu Lucy qui avait décroché la première. Club des baby-sitters, bonjour. (Elle a écouté une minute.) D'accord, madame Korman. Nous allons vous trouver quelqu'un.

Elle a raccroché.

– Mme Korman a besoin de quelqu'un vendredi soir, a-t-elle annoncé.

– Pas moi ! a crié Kristy. J'en ai assez du chat Melody. De toute façon, je vais chez les Perkins.

– Oh ! a dit Carla. Au fait, je n'ai pas encore eu le temps de l'écrire dans le journal de bord, mais quand je suis allée chez les Korman jeudi, Melody n'était plus un chat.

– Ouf ! Quel soulagement, a déclaré Kristy.

– Peut-être, a repris Carla, mais elle a décidé d'être un poisson maintenant !

Nous avons toutes éclaté de rire.

– Comment s'y prend-elle ? a demandé Kristy.

– Elle se balade en faisant des mouvements de natation avec les bras et en aspirant ses joues, a expliqué Carla en riant. Je n'ai même pas essayé de l'en empêcher. Du moment qu'elle ne miaule pas !

Lucy a rappelé Mme Korman pour lui dire qui irait chez elle. Ensuite, j'ai raconté la fin de mon histoire de chat fantôme. Les filles étaient toutes fascinées, surtout Carla. Elle m'a posé des questions sur l'homme qui était venu chercher le chat et a déclaré qu'il s'agissait sûrement d'un fantôme.

– Ça, je ne sais pas, ai-je répondu. Mais , en tout cas, les filles sont contentes d'avoir Tinkerbelle.

– Elle vont te manquer, pas vrai ? m'a demandé Mary Anne. (Elle comprend si bien ce que les autres éprouvent.)

– Oui. Mais je dois encore les garder pendant une semaine, et même après, je crois que je les verrai de temps à autre. Vous savez qui me manque aussi ? Oncle Joe.

Jessica a posé une main sur mon épaule.

– Au moins, il est bien soigné, et il a son confort. Il a tout ce qui lui faut là-bas.

– Tu as raison. Au moins, il ne passera pas le reste de ses

jours comme Kennedy Graham, seul dans une grande maison et perdant la raison parce que son chat est mort.

La réunion s'est poursuivie, mais j'étais ailleurs. Je pensais à oncle Joe et je prévoyais ma prochaine visite à la maison de retraite. Les petites Craine aimeraient peut-être m'y accompagner un jour. On pourrait même emmener Tinkerbelle.

A propos de l'auteur

ANN M. MARTIN

Ann Matthews Martin est née le 12 août 1955. Elle a grandi à Princeton, aux États-Unis, avec ses parents et sa jeune sœur, Jane.

Elle a été enseignante, puis éditrice de livres pour enfants, avant de se consacrer à la littérature. Pour écrire, elle s'inspire d'expériences personnelles, mais aussi de sa connaissance du monde de l'enfance et de l'adolescence.

Tous ses personnages, même les membres du Club des baby-sitters, sont des personnages imaginaires (ainsi que la ville de Stonebrook). Mais beaucoup d'entre eux ressemblent à des gens qu'Ann Matthews Martin connaît.

Ann M. Martin vit actuellement à New York et ses passe-temps favoris sont la lecture et la couture – elle aime particulièrement faire des habits pour les enfants.

Sa série Le Club des baby-sitters, dont nous avons regroupé ici trois titres, s'est vendue à plusieurs millions d'exemplaires et a été traduite dans plusieurs dizaines de pays.

Retrouvez
LE CLUB DES BABY-SITTERS
dans un autre volume hors série :
« Nos plus belles histoires d'amour »

Mary Anne et les garçons
En vacances au bord de la mer, Mary Anne rencontre un garçon formidable, Alex. Le problème, c'est qu'elle a déjà un petit ami à Stonebrook. Le choix est vraiment difficile…

Kristy, je t'aime !
Kristy reçoit des lettres d'amour d'un mystérieux garçon, mais elles ne sont jamais signées. Aurait-elle un admirateur secret ?

Carla perd la tête
Pour plaire à son petit copain, Carla veut changer de coiffure, de style… de tout ! Elle a décidé de devenir une nouvelle Carla, mais ses amies du Club des baby-sitters ne sont pas vraiment d'accord.

Carla

Lucy

Mallory

Maquette : Natacha Kotlarevsky

Loi n° 49-956
du 16 juillet 1949
sur les publications
destinées à la jeunesse

ISBN : 978-2-07-050818-1
Numéro d'édition : 266478
Numéro d'impression : 121371
Imprimé en France
par CPI Firmin Didot
à Mesnil-sur-l'Estrée
Premier dépôt légal : octobre 2004
Dépôt légal : janvier 2014